VIGIAR
E PUNIR

FICHA CATALOGRÁFICA
(Preparada pelo Centro de Catalogação-na-fonte do Sindicato Nacional dos Editores de Livros, RJ)

F86v
Foucault, Michel.
Vigiar e punir: nascimento da prisão; tradução de Raquel Ramalhete. 42. ed. Petrópolis, RJ : Vozes, 2014.
Do original em francês: Surveiller et punir.
Bibliografia.

14ª reimpressão, 2025.

ISBN 978-85-326-0508-5

1. Direito penal – História 2. Prisões – História I. Título.

77-0328

CDU-343.8(091)
343(091)

Michel Foucault

VIGIAR E PUNIR

Nascimento da prisão

Tradução de Raquel Ramalhete

EDITORA VOZES

Petrópolis

© Editions Gallimard, 1975

Tradução do original em francês intitulado *Surveiller et punir*

Direitos de publicação em língua portuguesa – Brasil:
1997, Editora Vozes Ltda.
Rua Frei Luís, 100
25689-900 Petrópolis, RJ
www.vozes.com.br
Brasil

Todos os direitos reservados. Nenhuma parte desta obra poderá ser reproduzida ou transmitida por qualquer forma e/ou quaisquer meios (eletrônico ou mecânico, incluindo fotocópia e gravação) ou arquivada em qualquer sistema ou banco de dados sem permissão escrita da editora.

* Apresentação gráfica reformulada a partir da 16ª edição, em 1997.

CONSELHO EDITORIAL	PRODUÇÃO EDITORIAL
Diretor	Aline L.R. de Barros
Volney J. Berkenbrock	Anna Catharina Miranda
	Eric Parrot
Editores	Jailson Sota
Aline dos Santos Carneiro	Marcelo Telles
Edrian Josué Pasini	Mirela de Oliveira
Marilac Loraine Oleniki	Natália França
Welder Lancieri Marchini	Priscilla A.F. Alves
	Rafael de Oliveira
Conselheiros	Samuel Rezende
Elói Dionísio Piva	Verônica M. Guedes
Francisco Morás	
Teobaldo Heidemann	
Thiago Alexandre Hayakawa	
Secretário executivo	
Leonardo A.R.T. dos Santos	

Diagramação: Sheilandre Desenv. Gráfico
Capa: Felipe Souza | Aspectos
Ilustração de capa: ©Koolander | Dreamstime.com - Dark Prision Cell Photo

ISBN 978-85-326-0508-5 (Brasil)
ISBN 978-20-707-2968-5 (França)

Este livro foi composto e impresso pela Editora Vozes Ltda.

Sumário

Primeira Parte: Suplício
Capítulo I – O corpo dos condenados, 9
Capítulo II – A ostentação dos suplícios, 35

Segunda Parte: Punição
Capítulo I – A punição generalizada, 73
Capítulo II – A mitigação das penas, 102

Terceira Parte: Disciplina
Capítulo I – Os corpos dóceis, 133
   A arte das distribuições, 139
   O controle da atividade, 146
   A organização das gêneses, 153
   A composição das forças, 159
Capítulo II – Os recursos para o bom adestramento, 167
   A vigilância hierárquica, 168
   A sanção normalizadora, 174
   O exame, 181
Capítulo III – O panoptismo, 190

Quarta Parte: Prisão
Capítulo I – Instituições completas e austeras, 223
Capítulo II – Ilegalidade e delinquência, 251
Capítulo III – O carcerário, 289

PRIMEIRA PARTE

SUPLÍCIO

Capítulo I

O CORPO DOS CONDENADOS

[Damiens fora condenado, a 2 de março de 1757], a pedir perdão publicamente diante da porta principal da Igreja de Paris [aonde devia ser] levado e acompanhado numa carroça, nu, de camisola, carregando uma tocha de cera acesa de duas libras; [em seguida], na dita carroça, na Praça de Greve, e sobre um patíbulo que aí será erguido, atenazado nos mamilos, braços, coxas e barrigas das pernas, sua mão direita segurando a faca com que cometeu o dito parricídio, queimada com fogo de enxofre, e às partes em que será atenazado se aplicarão chumbo derretido, óleo fervente, piche em fogo, cera e enxofre derretidos conjuntamente, e a seguir seu corpo será puxado e desmembrado por quatro cavalos e seus membros e corpo consumidos ao fogo, reduzidos a cinzas, e suas cinzas lançadas ao vento[1].

Finalmente foi esquartejado [relata a *Gazette d'Amsterdam*][2]. Essa última operação foi muito longa, porque os cavalos utilizados não estavam afeitos à tração; de modo que, em vez de quatro, foi preciso colocar seis; e como isso não bastasse, foi necessário, para desmembrar as coxas do infeliz, cortar-lhe os nervos e retalhar-lhe as juntas...

Afirma-se que, embora ele sempre tivesse sido um grande praguejador, nenhuma blasfêmia lhe escapou dos lábios; apenas as dores excessivas faziam-no dar gritos horríveis, e muitas vezes repetia: "Meu Deus, tende piedade de mim; Jesus, socorrei-me". Os espectadores ficaram todos edificados com a solicitude do cura de Saint-Paul que, a despeito de sua idade avançada, não perdia nenhum momento para consolar o paciente.

[O comissário de polícia Bouton relata]: Acendeu-se o enxofre, mas o fogo era tão fraco que a pele das costas da mão mal e mal sofreu. Depois, um executor, de mangas arregaçadas acima dos cotovelos, tomou umas tenazes de

---

1. *Pièces originales et procédures du procès fait à Robert-François Damiens.* 1757, t. III, p. 372-374.

2. *Gazette d'Amsterdam*, 01/04/1757.

aço preparadas *ad hoc*, medindo cerca de um pé e meio de comprimento, atenazou-lhe primeiro a barriga da perna direita, depois a coxa, daí passando às duas partes da barriga do braço direito; em seguida os mamilos. Este executor, ainda que forte e robusto, teve grande dificuldade em arrancar os pedaços de carne que tirava em suas tenazes duas ou três vezes do mesmo lado ao torcer, e o que ele arrancava formava em cada parte uma chaga do tamanho de um escudo de seis libras.

Depois desses suplícios, Damiens, que gritava muito sem contudo blasfemar, levantava a cabeça e se olhava; o mesmo carrasco tirou com uma colher de ferro do caldeirão daquela droga fervente e a derramou fartamente sobre cada ferida. Em seguida, com cordas menores se ataram as cordas destinadas a atrelar os cavalos, sendo estes atrelados a seguir a cada membro ao longo das coxas, das pernas e dos braços.

O senhor Le Breton, escrivão, aproximou-se diversas vezes do paciente para lhe perguntar se tinha algo a dizer. Disse que não; nem é preciso dizer que ele gritava, com cada tortura, da forma como costumamos ver representados os condenados: "Perdão, meu Deus! Perdão, Senhor". Apesar de todos esses sofrimentos referidos acima, ele levantava de vez em quando a cabeça e se olhava com destemer. As cordas tão apertadas pelos homens que puxavam as extremidades faziam-no sofrer dores inexprimíveis. O senhor Le Breton aproximou-se outra vez dele e perguntou-lhe se não queria dizer nada; disse que não. Achegaram-se vários confessores e lhe falaram demoradamente; beijava conformado o crucifixo que lhe apresentavam; estendia os lábios e dizia sempre: "Perdão, Senhor".

Os cavalos deram uma arrancada, puxando cada qual um membro em linha reta, cada cavalo segurado por um carrasco. Um quarto de hora mais tarde, a mesma cerimônia, e enfim, após várias tentativas, foi necessário fazer os cavalos puxar da seguinte forma: os do braço direito à cabeça, os das coxas voltando para o lado dos braços, fazendo-lhe romper os braços nas juntas. Esses arrancos foram repetidos várias vezes, sem resultado. Ele levantava a cabeça e se olhava. Foi necessário colocar dois cavalos, diante dos atrelados às coxas, totalizando seis cavalos. Mas sem resultado algum.

Enfim o carrasco Samson foi dizer ao senhor Le Breton que não havia meio nem esperança de se conseguir e lhe disse que perguntasse às autoridades se desejavam que ele fosse cortado em pedaços. O senhor Le Breton, de volta da cidade, deu ordem que se fizessem novos esforços, o que foi feito; mas os cavalos empacaram e um dos atrelados às coxas caiu na laje. Tendo voltado os confessores, falaram-lhe outra vez. Dizia-lhes ele (ouvi-o falar): "Beijem-me, reverendos". O senhor cura de Saint-Paul não teve coragem, mas o de Marsilly passou por baixo da corda do braço esquerdo e o beijou na testa. Os carrascos se reuniram, e Damiens dizia-lhes que não blasfemassem, que cumprissem seu ofício, pois não lhes queria mal por isso; rogava-lhes que orassem a Deus por ele e recomendava ao cura de Saint-Paul que rezasse por ele na primeira missa.

Depois de duas ou três tentativas, o carrasco Samson e o que lhe havia atenazado tiraram cada qual do bolso uma faca e lhe cortaram as coxas na junção com o tronco do corpo; os quatro cavalos, colocando toda força, levaram-lhe as duas coxas de arrasto, isto é: a do lado direito por primeiro, e depois a outra; a seguir fizeram o mesmo com os braços, com as espáduas e axilas e as quatro partes; foi preciso cortar as carnes até quase aos ossos; os cavalos, puxando com toda força, arrebataram-lhe o braço direito primeiro e depois o outro.

Uma vez retiradas essas quatro partes, desceram os confessores para lhe falar; mas o carrasco informou-lhes que ele estava morto, embora, na verdade, eu visse que o homem se agitava, mexendo o maxilar inferior como se falasse. Um dos carrascos chegou mesmo a dizer pouco depois que, assim que eles levantaram o tronco para o lançar na fogueira, ele ainda estava vivo. Os quatro membros, uma vez soltos das cordas dos cavalos, foram lançados numa fogueira preparada no local sito em linha reta do patíbulo, depois o tronco e o resto foram cobertos de achas e gravetos de lenha, e se pôs fogo à palha ajuntada a essa lenha.

...Em cumprimento da sentença, tudo foi reduzido a cinzas. O último pedaço encontrado nas brasas só acabou de se consumir às dez e meia da noite. Os pedaços de carne e o tronco permaneceram cerca de quatro horas ardendo. Os oficiais, entre os quais me encontrava eu e meu filho, com alguns arqueiros formados em destacamento, permanecemos no local até mais ou menos onze horas.

Alguns pretendem tirar conclusões do fato de um cão ter deitado no dia seguinte no lugar onde fora levantada a fogueira, voltando cada vez que era enxotado. Mas não é difícil compreender que esse animal achasse o lugar mais quente do que outro[3].

[Três décadas mais tarde, eis o regulamento redigido por Léon Faucher para a "Casa dos jovens detentos em Paris"][4]:

Art. 17 – O dia dos detentos começará às seis horas da manhã no inverno, às cinco horas no verão. O trabalho há de durar nove horas por dia em qual-

---

3. In: ZEVAES, A.L. *Damiens le régicide*. 1937, p. 201-214.
4. FAUCHER, L. *De la reforme des prisions*. 1838, p. 274-282.

quer estação. Duas horas por dia serão consagradas ao ensino. O trabalho e o dia terminarão às nove horas no inverno, às oito horas no verão.

Art. 18 – *Levantar*. Ao primeiro rufar de tambor, os detentos devem levantar-se e vestir-se em silêncio, enquanto o vigia abre as portas das celas. Ao segundo rufar, devem estar de pé e fazer a cama. Ao terceiro, põem-se em fila por ordem para irem à capela fazer a oração da manhã. Há cinco minutos de intervalo entre cada rufar.

Art. 19 – A oração é feita pelo capelão e seguida de uma leitura moral ou religiosa. Esse exercício não deve durar mais de meia hora.

Art. 20 – *Trabalho*. Às cinco e quarenta e cinco no verão, às seis e quarenta e cinco no inverno, os detentos descem para o pátio onde devem lavar as mãos e o rosto, e receber uma primeira distribuição de pão. Logo em seguida, formam-se por oficinas e vão ao trabalho, que deve começar às seis horas no verão e às sete horas no inverno.

Art. 21 – *Refeições*. Às dez horas os detentos deixam o trabalho para se dirigirem ao refeitório; lavam as mãos nos pátios e formam por divisão. Depois do almoço, recreio até às dez e quarenta.

Art. 22 – *Escola*. Às dez e quarenta, ao rufar do tambor, formam-se as filas, e todos entram na escola por divisões. A aula dura duas horas, empregadas alternativamente na leitura, no desenho linear e no cálculo.

Art. 23 – Às doze e quarenta, os detentos deixam a escola por divisões e se dirigem aos seus pátios para o recreio. Às doze e cinquenta e cinco, ao rufar do tambor, entram em forma por oficinas.

Art. 24 – À uma hora, os detentos devem estar nas oficinas: o trabalho vai até às quatro horas.

Art. 25 – Às quatro horas, todos deixam as oficinas e vão aos pátios onde os detentos lavam as mãos e formam por divisões para o refeitório.

Art. 26 – O jantar e o recreio que segue vão até às cinco horas: neste momento os detentos voltam às oficinas.

Art. 27 – Às sete horas no verão, às oito horas no inverno, termina o trabalho; faz-se uma última distribuição de pão nas oficinas. Uma leitura de um quarto de hora, tendo por objeto algumas noções instrutivas ou algum fato comovente, é feita por um detento ou algum vigia, seguida pela oração da noite.

Art. 28 – Às sete e meia no verão, às oito e meia no inverno, devem os detentos estar nas celas depois de lavarem as mãos e feita a inspeção das vestes nos pátios; ao primeiro rufar de tambor, despir-se, e, ao segundo, deitar-se na cama. Fecham-se as portas das celas e os vigias fazem a ronda nos corredores para verificarem a ordem e o silêncio.

*

Apresentamos exemplo de suplício e de utilização do tempo. Eles não sancionam os mesmos crimes, não punem o mesmo gênero de delinquentes. Mas definem bem, cada um deles, um certo estilo penal. Menos de um século medeia entre ambos. É a época em que foi redistribuída, na Europa e nos Estados Unidos, toda a economia do castigo. Época de grandes "escândalos" para a justiça tradicional, época dos inúmeros projetos de reformas; nova teoria da lei e do crime, nova justificação moral ou política do direito de punir; abolição das antigas ordenanças, supressão dos costumes; projeto ou redação de códigos "modernos": Rússia, 1769; Prússia, 1780; Pensilvânia e Toscana, 1786; Áustria, 1788; França, 1791, Ano IV, 1808 e 1810. Para a justiça penal, uma nova era.

Dentre tantas modificações, atenho-me a uma: o desaparecimento dos suplícios. Hoje existe a tendência a desconsiderá-lo; talvez, em seu tempo, tal desaparecimento tenha sido visto com muita superficialidade ou com exagerada ênfase como "humanização" que autorizava a não analisá-lo. De qualquer forma, qual é sua importância, comparando-o às grandes transformações institucionais, com códigos explícitos e gerais, com regras unificadas de procedimento; o júri adotado quase em toda parte, a definição do caráter essencialmente corretivo da pena, e essa tendência que se vem acentuando sempre mais desde o século XIX a modular os castigos segundo os indivíduos culpados? Punições menos diretamente físicas, uma certa discrição na arte de fazer sofrer, um arranjo de sofrimentos mais sutis, mais velados e despojados de ostentação, merecerá tudo isso acaso um tratamento à parte, sendo apenas o efeito sem dúvida de novos arranjos com maior profundidade? No entanto, um fato é certo: em algumas dezenas de anos, desapareceu o corpo supliciado, esquartejado, amputado, marcado simbolicamente no rosto ou no ombro, exposto vivo ou morto, dado como espetáculo. Desapareceu o corpo como alvo principal da repressão penal.

No fim do século XVIII e começo do XIX, a despeito de algumas grandes fogueiras, a melancólica festa de punição vai-se extinguindo. Nessa transformação, misturaram-se dois processos. Não tiveram nem a mesma cronologia nem as mesmas razões de ser. De um lado, a supressão do espetáculo punitivo. O cerimonial da pena vai sendo obliterado e passa a ser apenas um novo ato de procedimento ou de administração. A confissão pública dos crimes tinha sido abolida na França pela primeira vez em 1791, depois novamente em

1830 após ter sido restabelecida por breve tempo; o pelourinho foi supresso em 1789; a Inglaterra o aboliu em 1837. As obras públicas que a Áustria, a Suíça e algumas províncias americanas como a Pensilvânia obrigavam a fazer em plena rua ou nas estradas – condenados com coleiras de ferro, em vestes multicores, grilhetas nos pés, trocando com o povo desafios, injúrias, zomba-rias, pancadas, sinais de rancor ou de cumplicidade[5] – são eliminados mais ou menos em toda parte no fim do século XVIII, ou na primeira metade do século XIX. O suplício de exposição do condenado foi mantido na França até 1831, apesar das críticas violentas – "cena repugnante", dizia Réal[6]; ela é finalmente abolida em abril de 1848. Quanto às cadeias que arrastavam os condenados a serviços forçados através de toda a França, até Brest e Toulon, foram substituídas em 1837 por decentes carruagens celulares, pintadas de preto. A punição pouco a pouco deixou de ser uma cena. E tudo o que pu-desse implicar de espetáculo desde então terá um cunho negativo; e como as funções da cerimônia penal deixavam pouco a pouco de ser compreendidas, ficou a suspeita de que tal rito que dava um "fecho" ao crime mantinha com ele afinidades espúrias: igualando-o, ou mesmo ultrapassando-o em selvage-ria, acostumando os espectadores a uma ferocidade de que todos queriam vê-los afastados, mostrando-lhes a frequência dos crimes, fazendo o carrasco se parecer com criminoso, os juízes aos assassinos, invertendo no último mo-mento os papéis, fazendo do supliciado um objeto de piedade e de admiração. Beccaria há muito dissera:

> O assassinato que nos é apresentado como um crime horrível, ve-mo-lo sendo cometido friamente, sem remorsos[7].

A execução pública é vista então como uma fornalha em que se acende a violência.

A punição vai-se tornando, pois, a parte mais velada do processo penal, provocando várias consequências: deixa o campo da percepção quase diária e entra no da consciência abstrata; sua eficácia é atribuída à sua fatalidade, não à sua intensidade visível; a certeza de ser punido é que deve desviar o homem do crime e não mais o abominável teatro; a mecânica exemplar da punição muda as engrenagens. Por essa razão, a justiça não mais assume publicamente a parte de violência que está ligada a seu exercício. O fato de ela matar ou ferir

---

5. VAUX, R. "Notices". In: TEETERS, N.K. *They were in prison*. 1937, p. 24.

6. *Archives parlamentaires*. 2ª série, t. LXXII, 01/12/1831.

7. BECCARIA, C. de. *Traité des délits et des peines*. 1764, p. 101 da edição dada por HÉLIE, F. em 1856 e que será citada aqui.

já não é mais a glorificação de sua força, mas um elemento intrínseco a ela que ela é obrigada a tolerar e muito lhe custa ter que impor. As caracterizações da infâmia são redistribuídas: no castigo-espetáculo um horror confuso nascia do patíbulo; ele envolvia ao mesmo tempo o carrasco e o condenado: e, se por um lado, sempre estava a ponto de transformar em piedade ou em glória a vergonha infligida ao supliciado, por outro lado, ele fazia redundar geralmente em infâmia a violência legal do executor. Desde então, o escândalo e a luz serão partilhados de outra forma; é a própria condenação que marcará o delinquente com sinal negativo e unívoco: publicidade, portanto, dos debates e da sentença; quanto à execução, ela é como uma vergonha suplementar que a justiça tem vergonha de impor ao condenado; ela guarda distância, tendendo sempre a confiá-la a outros e sob a marca do sigilo. É indecoroso ser passível de punição, mas pouco glorioso punir. Daí esse duplo sistema de proteção que a justiça estabeleceu entre ela e o castigo que ela impõe. A execução da pena vai-se tornando um setor autônomo, em que um mecanismo administrativo desonera a justiça, que se livra desse secreto mal-estar por um enterramento burocrático da pena. É um caso típico na França que a administração das prisões por muito tempo ficou sob a dependência do Ministério do Interior, e a dos trabalhos forçados sob o controle da Marinha e das Colônias. E acima dessa distribuição dos papéis se realiza a negação teórica: o essencial da pena que nós, juízes, infligimos, não creiais que consista em punir; o essencial é procurar corrigir, reeducar, "curar"; uma técnica de aperfeiçoamento recalca, na pena, a estrita expiação do mal, e liberta os magistrados do vil ofício de castigadores. Existe na justiça moderna e entre aqueles que a distribuem uma vergonha de punir, que nem sempre exclui o zelo; ela aumenta constantemente: sobre esta chaga pululam os psicólogos e o pequeno funcionário da ortopedia moral.

O desaparecimento dos suplícios é, pois, o espetáculo que se elimina; mas é também o domínio sobre o corpo que se extingue. Em 1787, dizia Rush:

> Só posso esperar que não esteja longe o tempo em que as forças, o pelourinho, o patíbulo, o chicote, a roda, serão considerados, na história dos suplícios, como as marcas da barbárie dos séculos e dos países e como as provas da fraca influência da razão e da religião sobre o espírito humano[8].

---

8. RUSH, B. "Society for promoting political enquiries". In: TEETERS, N.K. *The Cradle of the Penitentiary*, 1935, p. 30.

Efetivamente, Van Meenen ao abrir, sessenta anos mais tarde, o segundo congresso penitenciário em Bruxelas, lembrava o tempo de sua infância como uma época passada:

> Vi o solo semeado de rodas, de forcas, de patíbulos, de pelourinhos; vi esqueletos horrendamente estendidos sobre rodas[9].

A marca a ferro quente foi abolida na Inglaterra (1834) e na França (1832); o grande suplício dos traidores já a Inglaterra não ousava aplicá-lo plenamente em 1820 (Thistlewood não foi esquartejado). Unicamente o chicote ainda permanecia em alguns sistemas penais (Rússia, Inglaterra, Prússia). Mas, de modo geral, as práticas punitivas se tornaram pudicas. Não tocar mais no corpo, ou o mínimo possível, e para atingir nele algo que não é o corpo propriamente. Dir-se-á: a prisão, a reclusão, os trabalhos forçados, a servidão de forçados, a interdição de domicílio, a deportação – que parte tão importante tiveram nos sistemas penais modernos – são penas "físicas": com exceção da multa, se referem diretamente ao corpo. Mas a relação castigo-corpo não é idêntica ao que ela era nos suplícios. O corpo se encontra aí em posição de instrumento ou de intermediário; qualquer intervenção sobre ele pelo enclausuramento, pelo trabalho obrigatório visa privar o indivíduo de sua liberdade considerada ao mesmo tempo como um direito e como um bem. Segundo essa penalidade, o corpo é colocado num sistema de coação e de privação, de obrigações e de interdições. O sofrimento físico, a dor do corpo não são mais os elementos constitutivos da pena. O castigo passou de uma arte das sensações insuportáveis a uma economia dos direitos suspensos. Se a justiça ainda tiver que manipular e tocar o corpo dos justiçáveis, tal se fará à distância, propriamente, segundo regras rígidas e visando a um objetivo bem mais "elevado". Por efeito dessa nova retenção, um exército inteiro de técnicos veio substituir o carrasco, anatomista imediato do sofrimento: os guardas, os médicos, os capelães, os psiquiatras, os psicólogos, os educadores; por sua simples presença ao lado do condenado, eles cantam à justiça o louvor de que ela precisa: eles lhe garantem que o corpo e a dor não são os objetos últimos de sua ação punitiva. É preciso refletir no seguinte: um médico hoje deve cuidar dos condenados à morte até ao último instante – justapondo-se destarte como chefe do bem-estar, como agente de não sofrimento, aos funcionários que, por sua vez, estão encarregados de eliminar a vida. Ao se aproximar o momento da execução, aplicam-se aos pacientes injeções de tranquilizantes. Utopia do pudor judiciário: tirar a vida evitando de deixar que o condenado sinta o mal, privar de todos os direitos sem fazer sofrer,

---

9. *Annales de la Charité*, vol. II, 1847, p. 529s.

impor penas isentas de dor. O emprego da psicofarmacologia e de diversos "desligadores" fisiológicos, ainda que provisório, corresponde perfeitamente ao sentido dessa penalidade "incorpórea".

Os rituais modernos da execução capital dão testemunho desse duplo processo – supressão do espetáculo, anulação da dor. Um mesmo movimento arrastou, cada qual com seu ritmo próprio, as legislações europeias: para todos uma mesma morte, sem que ela tenha que ostentar a marca específica do crime ou o estatuto social do criminoso; morte que dura apenas um instante, e nenhum furor há de multiplicá-la antecipadamente ou prolongá-la sobre o cadáver, uma execução que atinja a vida mais do que o corpo. Não mais aqueles longos processos em que a morte é ao mesmo tempo retardada por interrupções calculadas e multiplicada por uma série de ataques sucessivos. Não mais aquelas combinações que eram levadas a espetáculo para matar os regicidas, ou como aquela com que sonhava, no começo do século XVIII, o autor de *Hanging not Punishment Enough*[10], e que teria permitido arrebentar um condenado sobre a roda, depois açoitá-lo até a perda dos sentidos, em seguida suspendê-lo com correntes, antes de deixá-lo morrer lentamente de fome. Não mais aqueles suplícios em que o condenado era arrastado sobre uma grade (para evitar que a cabeça arrebentasse contra o pavimento), seu ventre aberto, as entranhas arrancadas às pressas, para que ele tivesse tempo de as ver com seus próprios olhos ser lançadas ao fogo; em que era decapitado enfim e seu corpo dividido em postas[11]. A redução dessas "mil mortes" à estrita execução capital define uma moral bem nova própria do ato de punir.

Já em 1760 se havia tentado na Inglaterra (por ocasião da execução de Lord Ferrer) uma máquina de enforcamento (um suporte, que se escamoteava por baixo dos pés do condenado, devia evitar as lentas agonias e as altercações ocasionadas entre a vítima e o verdugo). Foi aperfeiçoada e adotada definitivamente em 1783, no ano em que se suprimiu o cortejo de Newgate em Tyburn, e se aproveitou a reconstrução da prisão, depois dos Gordon Riots, para se instalar os patíbulos em Newgate mesmo[12]. O famoso artigo 3º do código francês de 1791 – "todo condenado à morte terá a cabeça decepada" – tem estas três significações: uma morte igual para todos ("Os delitos do mesmo

---

10. Texto anônimo, publicado em 1701.

11. Suplício dos traidores, descrito por BLACKSTONE, W. *Commentaire sur le Code criminei anglais* (trad.). Vol. I, 1776, p. 105. Como a tradução se destinava a valorizar a humanidade da legislação inglesa em oposição à velha Ordenação de 1760, o comentador acrescenta: "Nesse suplício aterrorizante como espetáculo o culpado não sofre muito, nem por muito tempo".

12. Cf. HIBBERT, Ch. *The Roots of Evil*. Ed. de 1866, p. 85s.

gênero serão punidos pelo mesmo gênero de pena, quaisquer que sejam a classe ou condição do culpado", dizia já a moção votada, por proposta de Guillotin, a 1º de dezembro de 1789); uma só morte por condenado, obtida de uma só vez e sem recorrer a esses suplícios "longos e consequentemente cruéis", como a forca denunciada por Le Peletier; enfim, o castigo unicamente para o condenado, pois a decapitação, pena dos nobres, é a menos infamante para a família do criminoso[13]. A guilhotina utilizada a partir de março de 1792 é a mecânica adequada a tais princípios. A morte é então reduzida a um acontecimento visível, mas instantâneo. Entre a lei, ou aqueles que a executam, e o corpo do criminoso, o contato é reduzido à duração de um raio. Já não ocorrem as afrontas físicas; o carrasco só tem que se comportar como um relojoeiro meticuloso.

> A experiência e a razão demonstram que o modo em uso no passado para decepar a cabeça de um criminoso leva a um suplício mais horrendo que a simples privação da vida, que é a intenção formal da lei, para que a execução seja feita num só instante e de uma só vez; os exemplos provam como é difícil chegar a este ponto. É preciso necessariamente, para a certeza do processo, que ele dependa de meios mecânicos invariáveis, cuja força e efeito possam ser igualmente determinados [...]. É fácil fazer construir semelhante máquina de efeito infalível; a decapitação será feita num instante de acordo com a nova lei. Tal aparelho, embora necessário, não causaria nenhuma sensação e mal seria percebido[14].

Quase sem tocar o corpo, a guilhotina suprime a vida, tal como a prisão suprime a liberdade, ou uma multa tira os bens. Ela aplica a lei não tanto a um corpo real e susceptível de dor quanto a um sujeito jurídico, detentor, entre outros direitos, do de existir. Ela devia ter a abstração da própria lei.

Sem dúvida, algo dos suplícios prevaleceu por algum tempo na França, à sobriedade das execuções. Os parricidas – e os regicidas, a eles assemelhados – eram conduzidos ao cadafalso, cobertos por um véu negro, onde, até 1832, lhes cortavam a mão. Assim, restou apenas o ornamento do crepe, tal como aconteceu para Fieschi, em novembro de 1836:

> Será conduzido ao lugar da execução, em camisão, pés descalços e com a cabeça coberta por um véu negro; será exposto, em um

---

13. SAINT-FARGEAU, Le Peletier de. *Archives parlementaires*, t. XXVI, 03/03/1791, p. 720.

14. LOUIS, A. Relatório sobre a guilhotina, apud SAINT-EDME. *Dictionnaire de pénalité*. 1825, t. IV, p. 161.

cadafalso, enquanto o meirinho levará para o povo a sentença condenatória e imediatamente executado.

Devemos nos lembrar de Damiens e comparar que o derradeiro implemento à morte penal foi o crepe. O condenado não deve mais ser visto. Só a leitura da sentença punitiva mostra um crime que não deve ter rosto[15]. O último vestígio dos grandes espetáculos de execução é sua própria anulação: um pano para esconder um corpo. Exemplo disto foi a execução de Benoît, três vezes criminoso – matador da mãe, homossexual, homicida – o primeiro parricida cujas mãos a lei não cortou.

> Enquanto era feita a leitura da sentença de condenação, estava de pé no cadafalso, sustentado pelos carrascos. Era horrível aquele espetáculo: envolto em grande mortalha, a cabeça coberta por um crepe, o parricida estava fora do alcance dos olhares da silenciosa multidão. E sob aquelas vestes, misteriosas e lúgubres, a vida só continuava a se manifestar através dos gritos horrorosos, que se extinguiram logo, sob o facão[16].

Desaparece, destarte, em princípios do século XIX, o grande espetáculo da punição física: o corpo supliciado é escamoteado; exclui-se do castigo a encenação da dor. Penetramos na época da sobriedade punitiva. Podemos considerar o desaparecimento dos suplícios como um objetivo mais ou menos alcançado, no período compreendido entre 1830 e 1848. Claro, tal afirmação em termos globais deve ser bem-entendida. Primeiro, as transformações não se fazem em conjunto nem de acordo com um único processo. Houve atrasos. Paradoxalmente, a Inglaterra foi um dos países mais reacionários ao cancelamento dos suplícios: talvez por causa da função de modelo que a instituição do júri, o processo público e o respeito ao *habeas corpus* haviam dado à sua justiça criminal; principalmente, sem dúvida, porque ela não quis diminuir o rigor de suas leis penais no decorrer dos grandes distúrbios sociais do período 1780-1820. Por muito tempo, Romilly, Mackintosh e Fowell Buston não conseguiram atenuar a multiplicidade e o rigor das penas previstas na lei inglesa – esta "terrível carnificina", dizia Rossi. Sua severidade (ao menos nas penas previstas, uma vez que sua aplicação se afrouxava à

---

15. Tema frequente na época: um criminoso, na medida em que é monstruoso, deve ser privado de luz: não ver, não ser visto. Para o parricida se devia "fabricar uma jaula de ferro ou cavar uma masmorra impenetrável que lhe servisse de retiro eterno". DE MOLÈNE. *De l'humanité des lois criminelles*. 1830, p. 275-277.

16. *Gazette des tribunaux*, 30/08/1832.

proporção que a lei parecia excessiva aos olhos dos júris) havia aumentado, pois em 1760 Blackstone constatara a existência de cento e sessenta crimes capitais, na legislação inglesa, que somavam duzentos e vinte e três em 1819. Devemos levar em consideração também as acelerações e recuos que o processo global seguiu entre 1760 e 1840, a rapidez da reforma em certos países, como a Áustria, a Rússia, os Estados Unidos, a França no momento da Constituinte, depois, o refluxo da Contrarrevolução na Europa e o grande temor social de 1820 a 1848; as modificações, mais ou menos temporárias, ocasionadas pelos tribunais ou pelas leis de exceção; a distorção entre a teoria da lei e a prática dos tribunais (longe de refletir o espírito da legislação). Tudo isto torna bem irregular o processo evolutivo que se desenvolveu na virada do século XVIII ao XIX.

A isto tudo acresce que, embora se tenha alcançado o essencial da transmutação por volta de 1840, embora os mecanismos punitivos tenham adotado novo tipo de funcionamento, o processo assim mesmo está longe de ter chegado ao fim. A redução do suplício é uma tendência com raízes na grande transformação de 1760-1840, mas que não chegou ao termo. E podemos dizer que a prática da tortura se fixou por muito tempo – e ainda continua – no sistema penal francês. A guilhotina, a máquina das mortes rápidas e discretas, marcou, na França, nova ética da morte legal. Mas a Revolução logo a revestiu de um grandioso rito teatral. Durante anos deu espetáculos. Foi necessário deslocá-la para a barreira de Saint- Jacques; substituir a carroça por uma carruagem fechada; empurrar, rapidamente, o condenado do furgão para o estrado; organizar execuções apressadas e em horas tardias; finalmente, colocá-la no interior das prisões e torná-la inacessível ao público (depois da execução de Weidmann, em 1939); bloquear as ruas que davam acesso à prisão onde estava oculto o cadafalso e onde a execução se passava em segredo (execuções de Buffet e Bontemps, em Santé, em 1972); processar as testemunhas que relatavam o ocorrido para que a execução deixasse de ser um espetáculo e permanecesse um estranho segredo entre a justiça e o condenado. Basta evocar tantas precauções para se verificar que a morte penal permanece, hoje ainda, uma cena que, com inteira justiça, é preciso proibir.

O poder sobre o corpo, por outro lado, tampouco deixou de existir totalmente até meados do século XIX. Sem dúvida, a pena não mais se centralizava no suplício como técnica de sofrimento; tomou como objeto a perda de um bem ou de um direito. Porém, castigos como trabalhos forçados ou prisão – privação pura e simples da liberdade – nunca funcionaram sem certos complementos punitivos referentes ao corpo: redução alimentar, privação sexual, expiação física, masmorra. Consequências não tencionadas, mas inevitáveis da própria prisão? Na realidade, a prisão, nos seus dispositivos mais explícitos, sempre aplicou certas medidas de sofrimento físico. A crítica ao sistema penitenciário, na primeira metade do século XIX (a prisão não é bastante punitiva: em suma, os detentos têm menos fome, menos frio e privações que muitos pobres ou operários), indica um postulado que jamais foi efetivamente levantado: É justo que o condenado sofra mais que os outros homens? A pena se dissocia totalmente de um complemento de dor física. Que seria então um castigo incorporal?

Permanece, por conseguinte, um fundo "supliciante" nos modernos mecanismos da justiça criminal – fundo que não está inteiramente sob controle, mas envolvido, cada vez mais amplamente, por uma penalidade do incorporal.

*

O afrouxamento da severidade penal no decorrer dos últimos séculos é um fenômeno bem conhecido dos historiadores do direito. Entretanto, foi visto, durante muito tempo, de forma geral, como se fosse fenômeno quantitativo: menos sofrimento, mais suavidade, mais respeito e "humanidade". Na verdade, tais modificações se fazem concomitantes ao deslocamento do objeto da ação punitiva. Redução de intensidade? Talvez. Mudança de objetivo, certamente.

Se não é mais ao corpo que se dirige a punição, em suas formas mais duras, sobre o que, então, se exerce? A resposta dos teóricos – daqueles que abriram, por volta de 1780, o período que ainda não se encerrou – é simples, quase evidente. Dir-se-ia inscrita na própria indagação. Pois não é mais o corpo, é a alma. À expiação que tripudia sobre o corpo deve suceder um castigo que atue, profundamente, sobre o coração, o intelecto, a vontade, as disposições. Mably formulou o princípio decisivo:

> Que o castigo, se assim posso exprimir, fira mais a alma do que o corpo[17].

Momento importante. O corpo e o sangue, velhos partidários do fausto punitivo, são substituídos. Novo personagem entra em cena, mascarado. Terminada uma tragédia, começa a comédia, com sombrias silhuetas, vozes sem rosto, entidades impalpáveis. O aparato da justiça punitiva tem que se ater, agora, a esta nova realidade, realidade incorpórea.

---

17. MABLY, G. de. *De la législation, Oeuvres completes.* 1789, t. IX, p. 326.

Pura informação teórica, repelida pela prática penal? Seria superficialidade afirmá-lo. A verdade é que punir, atualmente, não é apenas converter uma alma. Entretanto, o princípio de Mably não permaneceu como um piedoso voto. Por toda a moderna história da penalidade, é possível seguir-lhe os efeitos.

Em primeiro lugar, a substituição de objetos. Não queremos dizer com isso que, subitamente, se começou a punir outros crimes. Sem dúvida, a definição das infrações, sua hierarquia de gravidade, as margens de indulgência, o que era tolerado de fato e o que era permitido de direito – tudo isto se modificou amplamente nos últimos duzentos anos. Muitos crimes perderam tal conotação, uma vez que estavam objetivamente ligados a um exercício de autoridade religiosa ou a um tipo de vida econômica; a blasfêmia deixou de se constituir em crime; o contrabando e o furto doméstico perderam parte de sua gravidade. Mas tais transformações não são, por certo, o mais importante: a divisão de permitido e proibido manteve, entre um e outro século, certa constância. Em compensação, o objeto "crime", aquilo a que se refere à prática penal, foi profundamente modificado: a qualidade, a natureza, a substância, de algum modo, de que se constitui o elemento punível, mais do que a própria definição formal. A relativa estabilidade da lei obrigou um jogo de substituições sutis e rápidas. Sob o nome de crimes e delitos, são sempre julgados corretamente os objetos jurídicos definidos pelo código. Porém, julgam-se também as paixões, os instintos, as anomalias, as enfermidades, as inadaptações, os efeitos de meio ambiente ou de hereditariedade. Punem-se as agressões, mas, por meio delas, as agressividades, as violações e, ao mesmo tempo, as perversões, os assassinatos que são, também, impulsos e desejos. Dir-se-ia que não são eles que são julgados; se são invocados, são para explicar os fatos a serem julgados e determinar até que ponto a vontade do réu estava envolvida no crime. Resposta insuficiente, pois são as sombras que se escondem por trás dos elementos da causa, que são, na realidade, julgadas e punidas. Julgadas mediante recurso às "circunstâncias atenuantes", que introduzem no veredicto não apenas elementos "circunstanciais" do ato, mas coisa bem diversa, juridicamente não codificável: o conhecimento do criminoso, a apreciação que dele se faz, o que se pode saber sobre suas relações entre ele, seu passado e o crime, e o que se pode esperar dele no futuro. Julgadas também por todas essas noções veiculadas entre medicina e jurisprudência desde o século XIX (os "monstros" da época de Georget, as "anomalias psíquicas" da circular Chaumié, os "pervertidos" e os "inadaptados" dos laudos periciais contemporâneos) e que, pretendendo explicar um ato, não passam de maneiras de qualificar um indivíduo. Punidas pelo castigo que se atribui à função de tornar o criminoso "não só desejoso, mas também capaz de viver respeitando a lei e de suprir às suas próprias necessidades"; são punidas pela economia interna de uma pena que, embora sancione o crime, pode se modificar (abreviando-se ou, se for o caso, prolongando-se), conforme se transformar o comportamento do condenado; são punidas, ainda, pela aplicação dessas "medidas de segurança" que acompanham a pena (proibição de permanência, liberdade vigiada, tutela penal, tratamento médico obrigatório) e não se destinam a sancionar a infração, mas a controlar o indivíduo, a neutralizar sua periculosidade, a modificar suas disposições criminosas, a cessar somente após obtenção de tais modificações. A alma do criminoso não é invocada no tribunal somente para explicar o crime e introduzi-la como um elemento na atribuição jurídica das responsabilidades; se ela é invocada com tanta ênfase, com tanto cuidado de compreensão e tão grande aplicação "científica", é para julgá-la, ao mesmo tempo que o crime, e fazê-la participar da punição. Em todo o ritual penal, desde a informação até a sentença e as últimas consequências da pena, permitiu-se a penetração de um campo de objetos que vêm duplicar, mas também dissociar os objetos juridicamente definidos e codificados. O laudo psiquiátrico, mas de maneira mais geral a antropologia criminal e o discurso repisante da criminologia, encontram aí uma de suas funções precisas: introduzindo solenemente as infrações no campo dos objetos suscetíveis de um conhecimento científico, dar aos mecanismos da punição legal um poder justificável não mais simplesmente sobre as infrações, mas sobre os indivíduos; não mais sobre o que eles fizeram, mas sobre aquilo que eles são, serão, ou possam ser. O suplemento de alma que a justiça garantiu para si é aparentemente explicativo e limitativo, e de fato anexionista. Faz 150 ou 200 anos que a Europa implantou seus novos sistemas de penalidade, e desde então os juízes, pouco a pouco, mas por um processo que remonta bem longe no tempo, começaram a julgar coisa diferente além dos crimes: a "alma" dos criminosos.

E, com isso, começaram a fazer algo diferente do que julgar. Ou, para ser mais exato, no próprio cerne da modalidade judicial do julgamento, outros tipos de avaliação se introduziram discretamente, modificando no essencial suas regras de elaboração. Desde que a Idade Média construiu, não sem dificuldade e lentidão, a grande procedura do inquérito, julgar era estabelecer a verdade de um crime, era determinar seu autor, era aplicar-lhe uma sanção legal. Conhecimento da infração, conhecimento do responsável, conhecimento da lei, três condições que permitiam estabelecer um julgamento como verdade bem-fundada. Eis, porém, que durante o julgamento penal encontramos inserida agora uma questão bem diferente de verdade. Não mais simplesmente: "O fato está comprovado, é delituoso?" Mas também: "O que é realmente esse fato, o que significa essa violência ou esse crime? Em que nível ou em que campo da realidade deverá ser colocado? Fantasma, reação psicótica, episódio de delírio, perversidade?" Não mais simplesmente: "Quem é o autor?" Mas: "Como citar o processo causal que o produziu? Onde estará, no próprio autor, a origem do crime? Instinto, inconsciente, meio ambiente, hereditariedade?" Não mais simplesmente: "Que lei sanciona esta infração?" Mas: "Que medida tomar que seja apropriada? Como prever a evolução do sujeito? De que modo será ele mais seguramente corrigido?" Todo um conjunto de julgamentos apreciativos, diagnósticos, prognósticos, normativos, concernentes ao indivíduo criminoso encontrou acolhida no sistema do juízo penal. Uma outra verdade veio penetrar aquela que a mecânica judicial requeria: uma verdade que, enredada na primeira, faz da afirmação de culpabilidade um estranho complexo científico-jurídico. Um fato significativo: a maneira como a questão da loucura evoluiu na prática penal. De acordo com o código (francês) de 1810, ela só era abordada no final do artigo 64. Este prevê que não há crime nem delito, se o infrator estava em estado de demência no instante do ato. A possibilidade de invocar a loucura excluía, pois, a qualificação de um ato como crime: na alegação de o autor ter ficado louco, não era a gravidade de seu gesto que se modificava, nem a sua pena que devia ser atenuada: mas o próprio crime desaparecia. Impossível, pois, declarar alguém ao mesmo tempo culpado e louco; o diagnóstico de loucura uma vez declarado não podia ser integrado no juízo; ele interrompia o processo e retirava o poder da justiça sobre o autor do ato. Não apenas o exame do criminoso suspeito de demência, mas também os próprios efeitos desse exame deviam ser exteriores e anteriores à sentença. Mas desde logo os tribunais do século XIX se equivocaram acerca do sentido do artigo 64. Apesar de vários decretos do supremo tribunal de justiça lembrando que o estado de loucura não podia acarretar nem uma pena moderada, nem sequer uma absolvição, mas uma improcedência judicial, eles levantaram em seu próprio veredicto a questão da loucura. Admitiram que era possível alguém ser culpado e louco; quanto mais louco, tanto menos culpado; culpado, sem dúvida, mas que deveria ser enclausurado e tratado, e não punido; culpado perigoso, pois manifestamente doente etc. Do ponto de vista do código penal, eram absurdos jurídicos. Mas estava aí o ponto de partida de uma evolução que a jurisprudência e a própria legislação iam desencadear durante os 150 anos seguintes: já a reforma de 1832, introduzindo as circunstâncias atenuantes, permitia modular a sentença segundo os graus supostos de uma doença ou as formas de uma semiloucura. E a prática usual nos tribunais, aplicada às vezes à prática correcional, da perícia psiquiátrica, faz com que a sentença, ainda que formulada em termos de sanção legal, implique, mais ou menos obscuramente, em juízos de normalidade, atribuições de causalidade, apreciações de eventuais mudanças, previsões sobre o futuro dos delinquentes. Operações, todas, de que não se poderia dizer com razão que preparam do exterior um julgamento bem-fundado; elas se integram diretamente no processo de formação da sentença. Em vez de a loucura apagar o crime no sentido primitivo do artigo 64, qualquer crime agora e, em última análise, qualquer infração, incluem como uma suspeita legítima, mas também como um direito que podem reivindicar, a hipótese da loucura ou em todo caso da anomalia. E a sentença que condena ou absolve não é simplesmente um julgamento de culpa, uma decisão legal que sanciona; ela implica uma apreciação de normalidade e uma prescrição técnica para uma normalização possível. O juiz de nossos dias – magistrado ou jurado – faz outra coisa, bem diferente de "julgar".

E ele não julga mais sozinho. Ao longo do processo penal, e da execução da pena, prolifera toda uma série de instâncias anexas. Pequenas justiças e juízes paralelos se multiplicaram em torno do julgamento principal: peritos psiquiátricos ou psicológicos, magistrados da aplicação das penas, educadores, funcionários da administração penitenciária fracionam o poder legal de punir; dir-se-á que nenhum deles partilha realmente do direito de julgar; que uns, depois das sentenças, só têm o direito de fazer executar uma pena fixada pelo tribunal, e principalmente que outros – os peritos – não intervêm antes da sentença para fazer um julgamento, mas para esclarecer a decisão dos juízes. Mas desde que as penas e as medidas de segurança definidas pelo tribunal não são determinadas de uma maneira absoluta, a partir do momento em que elas podem ser modificadas no caminho, a partir do momento em que se deixa a pessoas que não são os juízes da infração o cuidado de decidir se o condenado "merece" ser posto em semiliberdade ou em liberdade condicional, se eles podem pôr um termo à sua tutela penal, são sem dúvida mecanismos de punição legal que lhes são colocados entre as mãos e deixados à sua apreciação; juízes anexos, mas juízes de todo modo. Todo o aparelho que se desenvolveu há anos, em torno da aplicação das penas e de seu ajustamento aos indivíduos, desmultiplica as instâncias da decisão judiciária, prolongando-a muito além da sentença. Quanto aos peritos psiquiatras, podem bem evitar de julgar. Basta examinar as três perguntas que, depois da circular de 1958, eles têm que responder: O acusado apresenta alguma periculosidade? É acessível à sanção penal? É curável ou readaptável? Estas perguntas não têm relação com o artigo 64, nem com a loucura eventual do acusado no momento do ato. Não são perguntas em termos de "responsabilidade". Só dizem respeito à administração da pena, sua necessidade, sua utilidade, sua eficácia possível; permitem indicar, num vocabulário que apenas foi codificado, se é melhor o hospício que a prisão, se é necessário prever um enclausuramento breve ou longo, um tratamento médico ou medidas de segurança. E o papel do psiquiatra em matéria penal? Não será o perito em responsabilidade, mas de conselheiro de punição; cabe-lhe dizer se o indivíduo é "perigoso", de que maneira se proteger dele, como intervir para modificá-lo, se é melhor tentar reprimir ou tratar. Bem no começo de sua história, a perícia psiquiátrica tivera que formular proposições "verdadeiras" sobre a medida da participação da liberdade do infrator no ato que cometera; ela tem agora que sugerir uma receita sobre o que se poderia chamar seu "tratamento médico-judicial".

Resumindo: desde que funciona o novo sistema penal – o definido pelos grandes códigos dos séculos XVIII e XIX – um processo global levou os juízes a julgar coisa bem diversa do que crimes: foram levados em suas sentenças a fazer coisa diferente de julgar; e o poder de julgar foi, em parte, transferido a instâncias que não são as dos juízes da infração. A operação penal inteira se carregou de elementos e personagens extrajurídicos. Pode-se dizer que não há nisso nada de extraordinário, que é do destino do direito absorver pouco a pouco elementos que lhe são estranhos. Mas uma coisa é singular na justiça criminal moderna: se ela se carrega de tantos elementos extrajurídicos, não é para poder qualificá-los juridicamente e integrá-los pouco a pouco no estrito poder de punir; é, ao contrário, para poder fazê-los funcionar no interior da operação penal como elementos não jurídicos; é para evitar que essa operação seja pura e simplesmente uma punição legal; é para escusar o juiz de ser pura e simplesmente aquele que castiga:

> Naturalmente, damos um veredicto, mas ainda que reclamado por um crime, vocês bem podem ver que para nós funciona como uma maneira de tratar um criminoso; punimos, mas é um modo de dizer que queremos obter a cura.

A justiça criminal hoje em dia só funciona e só se justifica por essa perpétua referência a outra coisa que não é ela mesma, por essa incessante reinscrição nos sistemas não jurídicos. Ela está votada a essa requalificação pelo saber.

Sob a suavidade ampliada dos castigos, podemos então verificar um deslocamento de seu ponto de aplicação; e através desse deslocamento, todo um campo de objetos recentes, todo um novo regime da verdade e uma quantidade de papéis até então inéditos no exercício da justiça criminal. Um saber, técnicas, discursos "científicos" se formam e se entrelaçam com a prática do poder de punir.

Objetivo deste livro: uma história correlativa da alma moderna e de um novo poder de julgar; uma genealogia do atual complexo científico-judiciário onde o poder de punir se apoia, recebe suas justificações e suas regras, estende seus efeitos e mascara sua exorbitante singularidade.

Mas a partir de onde se pode fazer essa história da alma moderna em julgamento? Se nos limitarmos à evolução das regras de direito ou dos processos penais, corremos o risco de valorizar como fato maciço, exterior, inerte e primeiro, uma mudança na sensibilidade coletiva, um progresso do humanismo, ou o desenvolvimento das ciências humanas. Para estudar, como fez Durkheim[18], apenas as formas sociais gerais, corremos o risco de colocar como princípio da suavização punitiva processos de individualização que são antes efeitos das novas táticas de poder e entre elas dos novos mecanismos penais. O presente estudo obedece a quatro regras gerais:

1) Não centrar o estudo dos mecanismos punitivos unicamente em seus efeitos "repressivos", só em seu aspecto de "sanção", mas recolocá-los na série completa dos efeitos positivos que eles podem induzir, mesmo se à primeira vista são marginais. Consequentemente, tomar a punição como uma função social complexa.

2) Analisar os métodos punitivos não como simples consequências de regras de direito ou como indicadores de estruturas sociais; mas como técnicas que têm sua especificidade no campo mais geral dos outros processos de poder. Adotar em relação aos castigos a perspectiva da tática política.

3) Em lugar de tratar a história do direito penal e a das ciências humanas como duas séries separadas cujo encontro teria sobre uma ou outra, ou sobre as duas talvez, um efeito, digamos, perturbador ou útil, verificar se não há uma matriz comum e se as duas não se originam de um processo de formação "epistemológico-jurídico"; em resumo, colocar a tecnologia do poder no princípio tanto da humanização da penalidade quanto do conhecimento do homem.

4) Verificar se esta entrada da alma no palco da justiça penal, e com ela a inserção na prática judiciária de todo um saber "científico", não é o efeito de uma transformação na maneira como o próprio corpo é investido pelas relações de poder.

Em suma, tentar estudar a metamorfose dos métodos punitivos a partir de uma tecnologia política do corpo onde se poderia ler uma história comum das relações de poder e das relações de objeto. De maneira que, pela análise da suavidade penal como técnica de poder, poderíamos compreender ao mesmo tempo como o homem, a alma, o indivíduo normal ou anormal vieram fazer

---

18. DURKHEIM, É. "Deux lois de l'évolution penale". *Année sociologique*. IV, 1899-1900.

a dublagem do crime como objetos da intervenção penal; e de que maneira um modo específico de sujeição pôde dar origem ao homem como objeto de saber para um discurso com *status* "científico".

Mas não tenho a pretensão de ter sido o primeiro a trabalhar nessa direção[19].

*

Do grande livro de Rusche e Kirchheimer[20] podemos guardar algumas referências essenciais. Abandonar em primeiro lugar a ilusão de que a penalidade é antes de tudo (se não exclusivamente) uma maneira de reprimir os delitos e que nesse papel, de acordo com as formas sociais, os sistemas políticos ou as crenças, ela pode ser severa ou indulgente, voltar-se para a expiação ou procurar obter uma reparação, aplicar-se em perseguir o indivíduo ou em atribuir responsabilidades coletivas. Analisar antes os "sistemas punitivos concretos", estudá-los como fenômenos sociais que não podem ser explicados unicamente pela armadura jurídica da sociedade nem por suas opções éticas fundamentais: recolocá-los em seu campo de funcionamento onde a sanção dos crimes não é o único elemento; mostrar que as medidas punitivas não são simplesmente mecanismos "negativos" que permitem reprimir, impedir, excluir, suprimir: mas que elas estão ligadas a toda uma série de efeitos positivos e úteis que elas têm por encargo sustentar (e nesse sentido, se os castigos legais são feitos para sancionar as infrações, pode-se dizer que a definição das infrações e sua repressão são feitas em compensação para manter os mecanismos punitivos e suas funções). Nessa linha, Rusche e Kirchheimer estabeleceram a relação entre os vários regimes punitivos e os sistemas de produção em que se efetuam: assim, numa economia servil, os mecanismos punitivos teriam como papel trazer mão de obra suplementar – e constituir uma escravidão "civil" ao lado da que é fornecida pelas guerras ou pelo comércio; com o feudalismo, e numa época em que a moeda e a produção estão pouco desenvolvidas, assistiríamos a um brusco crescimento dos castigos corporais – sendo o corpo na maior parte dos casos o único bem acessível; a casa de correção – o Hospital Geral, o Spinhuis ou Rasphuis – o trabalho obrigatório, a manufatura penal apareceriam com o desenvolvimento da economia de comércio. Mas como o sistema industrial exigia um mercado de mão de obra livre, a parte do trabalho obrigatório di-

---

19. De qualquer modo, ser-me-ia impossível medir por referências ou citações o que este livro deve a G. Deleuze e ao trabalho feito por ele com F. Guattari. Eu deveria igualmente citar muitas páginas do "psicanalismo" de R. Castel e dizer o quanto devo a P. Nora.

20. RUSCHE, G. & KIRCHHEIMER, O. *Punishment and Social Structures*. 1939.

minuiria no século XIX nos mecanismos de punição, e seria substituída por uma detenção com fim corretivo. Há sem dúvida muitas observações a fazer sobre essa correlação estrita.

Mas podemos sem dúvida ressaltar esse tema geral de que, em nossas sociedades, os sistemas punitivos devem ser recolocados em uma certa "economia política" do corpo: ainda que não recorram a castigos violentos ou sangrentos, mesmo quando utilizam métodos "suaves" de trancar ou corrigir, é sempre do corpo que se trata – do corpo e de suas forças, da utilidade e da docilidade delas, de sua repartição e de sua submissão. É certamente legítimo fazer uma história dos castigos com base nas ideias morais ou nas estruturas jurídicas. Mas se pode fazê-la com base numa história dos corpos, uma vez que só visam à alma secreta dos criminosos?

Os historiadores vêm abordando a história do corpo há muito tempo. Estudaram-no no campo de uma demografia ou de uma patologia históricas; encararam- no como sede de necessidades e de apetites, como lugar de processos fisiológicos e de metabolismos, como alvos de ataques microbianos ou de vírus: mostraram até que ponto os processos históricos estavam implicados no que se poderia considerar a base puramente biológica da existência; e que lugar se deveria conceder na história das sociedades a "acontecimentos" biológicos como a circulação dos bacilos, ou o prolongamento da duração da vida[21]. Mas o corpo também está diretamente mergulhado num campo político; as relações de poder têm alcance imediato sobre ele; elas o investem, o marcam, o dirigem, o supliciam, sujeitam-no a trabalhos, obrigam-no a cerimônias, exigem-lhe sinais. Este investimento político do corpo está ligado, segundo relações complexas e recíprocas, à sua utilização econômica; é, numa boa proporção, como força de produção que o corpo é investido por relações de poder e de dominação; mas em compensação sua constituição como força de trabalho só é possível se ele está preso num sistema de sujeição (onde a necessidade é também um instrumento político cuidadosamente organizado, calculado e utilizado); o corpo só se torna força útil se é ao mesmo tempo corpo produtivo e corpo submisso. Essa sujeição não é obtida só pelos instrumentos da violência ou da ideologia; pode muito bem ser direta, física, usar a força contra a força, agir sobre elementos materiais sem no entanto ser violenta; pode ser calculada, organizada, tecnicamente pensada, pode ser sutil, não fazer uso de armas nem do terror, e no entanto continuar a ser de ordem física. Quer dizer que pode haver um "saber" do corpo que não é exatamente a ciência de

---

21. LE ROY-LADURIE, V.E. "L'histoire immobile". *Annales*, mai.-jun. /1974.

seu funcionamento, e um controle de suas forças que é mais que a capacidade de vencê-las: esse saber e esse controle constituem o que se poderia chamar a tecnologia política do corpo. Essa tecnologia é difusa, claro, raramente formulada em discursos contínuos e sistemáticos; compõe-se muitas vezes de peças ou de pedaços; utiliza um material e processos sem relação entre si. O mais das vezes, apesar da coerência de seus resultados, ela não passa de uma instrumentação multiforme. Além disso seria impossível localizá-la, quer num tipo definido de instituição, quer num aparelho do Estado. Estes recorrem a ela; utilizam-na, valorizam-na ou impõem algumas de suas maneiras de agir. Mas ela mesma, em seus mecanismos e efeitos, se situa num nível completamente diferente. Trata-se de alguma maneira de uma microfísica do poder posta em jogo pelos aparelhos e instituições, mas cujo campo de validade se coloca de algum modo entre esses grandes funcionamentos e os próprios corpos com sua materialidade e suas forças.

Ora, o estudo desta microfísica supõe que o poder nela exercido não seja concebido como uma propriedade, mas como uma estratégia, que seus efeitos de dominação não sejam atribuídos a uma "apropriação", mas a disposições, a manobras, a táticas, a técnicas, a funcionamentos; que se desvende nele antes uma rede de relações sempre tensas, sempre em atividade, que um privilégio que se pudesse deter; que lhe seja dado como modelo antes a batalha perpétua que o contrato que faz uma cessão ou a conquista que se apodera de um domínio. Temos em suma que admitir que esse poder se exerce mais que se possui, que não é o "privilégio" adquirido ou conservado da classe dominante, mas o efeito de conjunto de suas posições estratégicas – efeito manifestado e às vezes reconduzido pela posição dos que são dominados. Esse poder, por outro lado, não se aplica pura e simplesmente como uma obrigação ou uma proibição, aos que "não têm"; ele os investe, passa por eles e por meio deles; apoia-se neles, do mesmo modo que eles, em sua luta contra esse poder, apoiam-se por sua vez nos pontos em que ele os alcança. O que significa que essas relações se aprofundam dentro da sociedade, que não se localizam nas relações do Estado com os cidadãos ou na fronteira das classes e que não se contentam em reproduzir ao nível dos indivíduos, dos corpos, dos gestos e dos comportamentos, a forma geral da lei ou do governo; que se há continuidade (realmente elas se articulam bem, nessa forma, de acordo com toda uma série de complexas engrenagens), não há analogia nem homologia, mas especificidade do mecanismo e de modalidade. Finalmente, não são unívocas; definem inúmeros pontos de luta, focos de instabilidade comportando cada um seus riscos de conflito, de lutas e de inversão pelo menos transitória da relação de forças. A derrubada desses "micropoderes" não obedece portanto à lei do tudo ou nada; ele não é adquirido de uma vez por todas por um novo controle dos aparelhos nem por um novo funcionamento ou uma destruição das instituições; em compensação nenhum de seus episódios localizados pode ser inscrito na história senão pelos efeitos por ele induzidos em toda a rede em que se encontra.

Seria talvez preciso também renunciar a toda uma tradição que deixa imaginar que só pode haver saber onde as relações de poder estão suspensas e que o saber só pode se desenvolver fora de suas injunções, suas exigências e seus interesses. Seria talvez preciso renunciar a crer que o poder enlouquece e que em compensação a renúncia ao poder é uma das condições para que se possa se tornar sábio. Temos antes que admitir que o poder produz saber (e não simplesmente favorecendo-o porque o serve ou aplicando-o porque é útil); que poder e saber estão diretamente implicados; que não há relação de poder sem constituição correlata de um campo de saber, nem saber que não suponha e não constitua ao mesmo tempo relações de poder. Essas relações de "poder-saber" não devem então ser analisadas a partir de um sujeito do conhecimento que seria ou não livre em redação ao sistema do poder; mas é preciso considerar ao contrário que o sujeito que conhece, os objetos a conhecer e as modalidades de conhecimentos são outros tantos efeitos dessas implicações fundamentais do poder-saber e de suas transformações históricas. Resumindo, não é a atividade do sujeito de conhecimento que produziria um saber, útil ou arredio ao poder, mas o poder-saber, os processos e as lutas que o atravessam e que o constituem, que determinam as formas e os campos possíveis do conhecimento.

Analisar o investimento político do corpo e a microfísica do poder supõe então que se renuncie – no que se refere ao poder – à oposição violência-ideologia, à metáfora da propriedade, ao modelo do contrato ou ao da conquista; no que se refere ao saber, que se renuncie à oposição do que é "interessado" e do que é "desinteressado", ao modelo do conhecimento e ao primado do sujeito. Dando à palavra um sentido diferente do que lhe era dado no século XVII por Petty e seus contemporâneos, poder-se-ia sonhar com uma "anatomia" política. Não seria o estudo de um Estado tomado como um "corpo" (com seus elementos, seus recursos e suas forças), mas não seria tampouco o estudo do corpo e do que lhe está conexo tomados como um pequeno Estado. Trataríamos aí do "corpo político" como o conjunto dos elementos materiais e das técnicas que servem de armas, de reforço, de vias de comunicação e de pontos de apoio para as relações de poder e de saber que investem os corpos humanos e os submetem fazendo deles objetos de saber.

Trata-se de recolocar as técnicas punitivas – quer elas se apossem do corpo no ritual dos suplícios, quer se dirijam à alma – na história desse corpo político. Considerar as práticas penais mais como um capítulo da anatomia política do que uma consequência das teorias jurídicas.

Kantorowitz[22] fez uma vez do "corpo do rei" uma análise notável: corpo duplo de acordo com a teologia jurídica formada na Idade Média, pois comporta além do elemento transitório que nasce e morre um outro que permanece através do tempo e se mantém como fundamento físico, mas intangível do reino; em torno dessa dualidade que esteve, em sua origem, próxima do modelo cristológico, organizam-se uma iconografia, uma teoria política da monarquia, mecanismos jurídicos que ao mesmo tempo distinguem e ligam a pessoa do rei e as exigências da Coroa, e todo um ritual que encontra na coroação, nos funerais, nas cerimônias de submissão, seus tempos mais fortes. Poderíamos imaginar no polo oposto o corpo do condenado; ele também tem seu estatuto jurídico; reclama seu cerimonial e impõe todo um discurso teórico, não para fundamentar o "mais poder" que afetava a pessoa do soberano, mas para codificar o "menos poder" que marca os que são submetidos a uma punição. Na região mais sombria do campo político, o condenado desenha a figura simétrica e invertida do rei. Seria preciso analisar o que se poderia chamar em homenagem a Kantorowitz o "mínimo corpo do condenado".

Se o suplemento de poder do lado do rei provoca o desdobramento de seu corpo, o poder excedente exercido sobre o corpo submetido do condenado não suscitou um outro tipo de desdobramento: o de um incorpóreo, de uma "alma", como dizia Mably. A história dessa microfísica do poder punitivo seria então uma genealogia ou uma peça para uma genealogia da "alma" moderna. A ver nessa alma os restos reativados de uma ideologia, antes reconheceríamos nela o correlativo atual de uma certa tecnologia do poder sobre o corpo. Não se deveria dizer que a alma é uma ilusão, ou um efeito ideológico, mas afirmar que ela existe, que tem uma realidade, que é produzida permanentemente, em torno, na superfície, no interior do corpo pelo funcionamento de um poder que se exerce sobre os que são punidos – de uma maneira mais geral sobre os que são vigiados, treinados e corrigidos, sobre os loucos, as crianças, os escolares, os colonizados, sobre os que são fixados a um aparelho de produção e controlados durante toda a existência. Realidade histórica dessa alma, que, diferentemente da alma representada pela teologia cristã, não nasce faltosa e merecedora de castigo, mas nasce antes de procedimentos de punição, de vigilância, de castigo e de coação. Esta alma real e incorpórea não é absolutamente substância; é o elemento onde se articulam os efeitos de um certo

---

22. KANTOROWITZ, E. *The King's Two Bodies*. 1959.

1. N. Andry. *A ortopedia ou a arte de prevenir e corrigir, nas crianças, as deformidades do corpo*, 1749.

2. Medalha comemorativa da primeira revista militar passada por Luís XIV, em 1666.
(B.N. Gabinete das medalhas). V. p. 167.

3, -4. P. Giffart. *A arte militar francesa*, 1696. V. p. 140.

FIGURE LXVI.

Reposez-vous sur vos armes.

CE commandement s'exécute en quatre temps : le premier, en étendant le bras droit vis-à-vis la cravatte, le mousquet planté droit sur sa crosse : le second temps, en laissant glisser le mousquet au dessous de la ceinture de la culotte, & en haussant la main gauche au bout du canon du mousquet : le troisième, en laissant tomber la crosse du mousquet : & le quatrième, en glissant la main droite pour la joindre à la main gauche.

FIGURE LXVI.

Reposez vous sur vos armes.

FIGURE LXX.

Reprenez vos mesches.

CE commandement s'exécute en quatre temps : le premier est, d'avancer la pointe du pied droit à quatre doigts de la mesche, ayant le bras droit étendu à la hauteur de la cravatte : le deuxième est, de baisser le corps en tenant le jarret roide, & le genouil droit un peu plié pour prendre la mesche dans les doigts de la main droite : le troisième temps est, de se relever droit en mettant le pied droit vis-à-vis du pied gauche, & en glissant la crosse du mousquet en dedans pour remettre la mesche dans les doigts de la main gauche : le quatrième temps est, de repousser son mousquet sur l'épaule, & d'étendre le bras droit le long de la cuisse.

FIGURE LXX.

Reprenez vos mêches

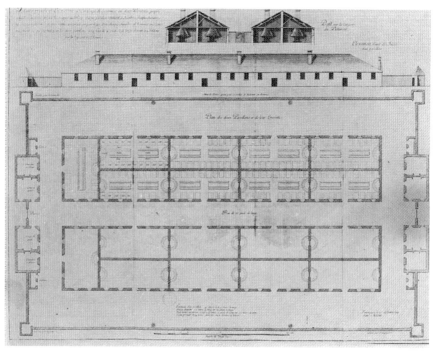

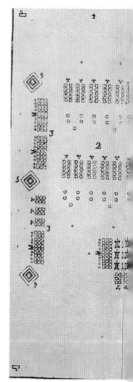

5, -6. Plantas que acompanhavam a Ordenação de 25 de setembro de 1719 sobre a construção dos quartéis. V. p. 130.

7. P.G. Joly de Maizeroy. *Teoria da Guerra*, 1777. Campo para dezoito batalhas e vinte e quatro esquadrões.
1) Acampamento da infantaria. 2) Da cavalaria. 3) Das tropas ligeiras. 4) Grandes guardas. 5) Alinhamento dos guardas do campo. 6) Quartel-general. 7) Parque da artilharia. 8) Parque dos viveres. 9) Reduto. V. p. 154.

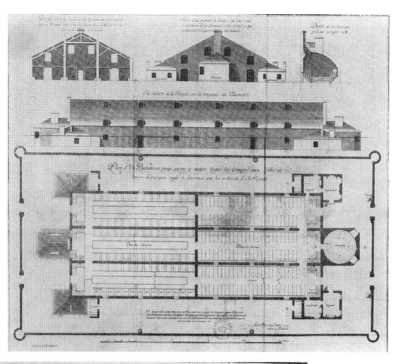
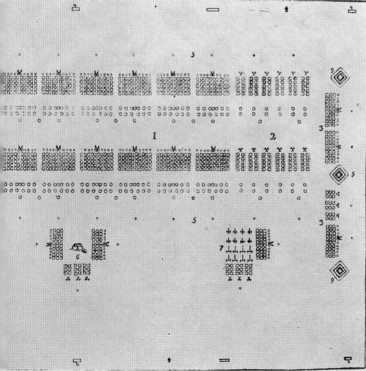

8. Modelo para caligrafia (Coleções históricas do INRDP). V. p. 139.

9. Colégio de Navarra. Desenhado e gravado por François-Nicolas Martinet, por volta de 1760. (Coleções históricas do INRDP). V. p. 131.

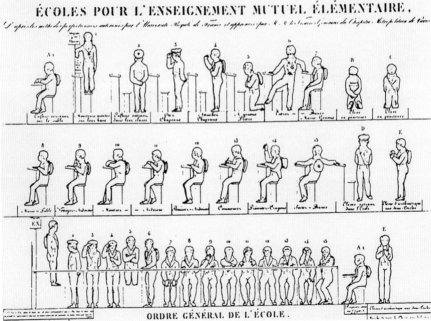

10, -11. Interior da Escola de Ensino Mútuo, situada na rua Port-Mahon, ao momento do exercício de caligrafia. Litografia de Hippolite Lecomte, 1818. (Coleções históricas do INRDP). V. p. 135.

12. B. Poyet. Projeto de hospital, 1786. V. p. 156.

13. J.F. de Neufforge. Projeto de hospital. Coletânea elementar de arquitetura (1757-1780). V. p. 156.

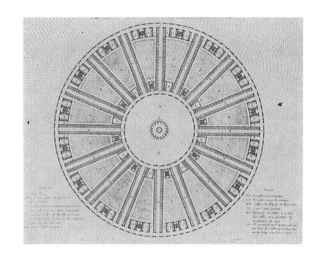

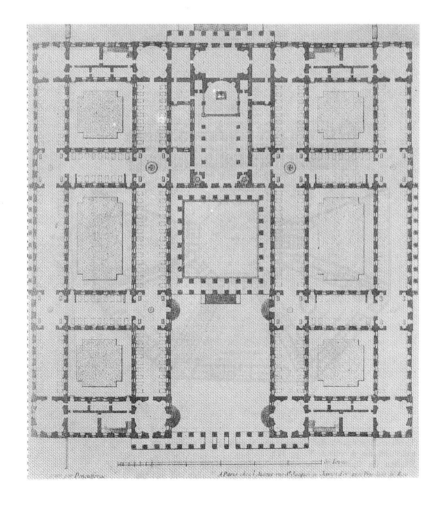

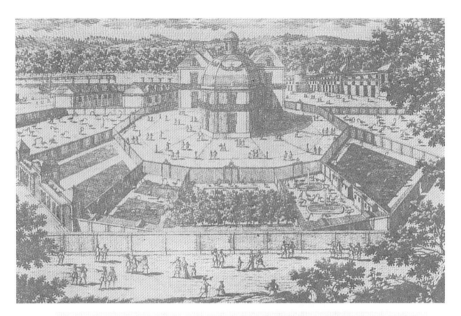

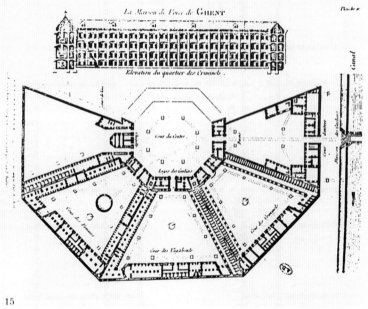

14. Jardim Zoológico de Versalhes, à época de Luís XIV, gravura de Aveline. V. p. 179.

15. Planta da Casa de Detenção de Gand, 1773. V. p. 108.

16. J.F. de Neufforge. Projeto de prisão, op. cit. V. p. 156.

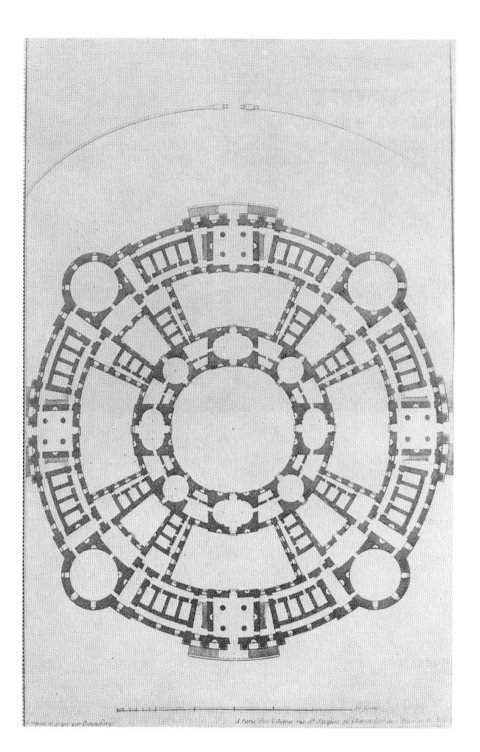

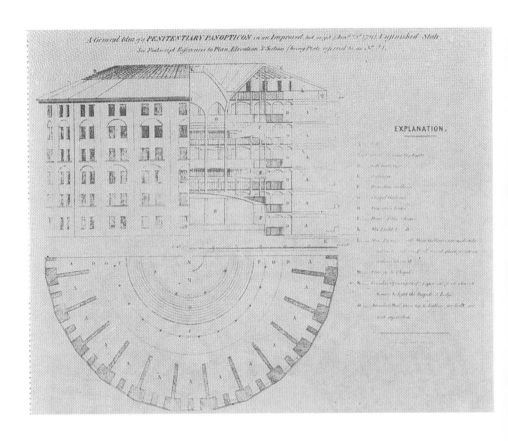

17. J. Bentham. Planta do Panopticon (*The Works of Jeremy Bentham*, ed. Bowring, t. IV, p. 172-173). V. p. 177.

18, -19. N. Harou-Romain. Projetos de penitenciárias, 1840. V. p. 222.

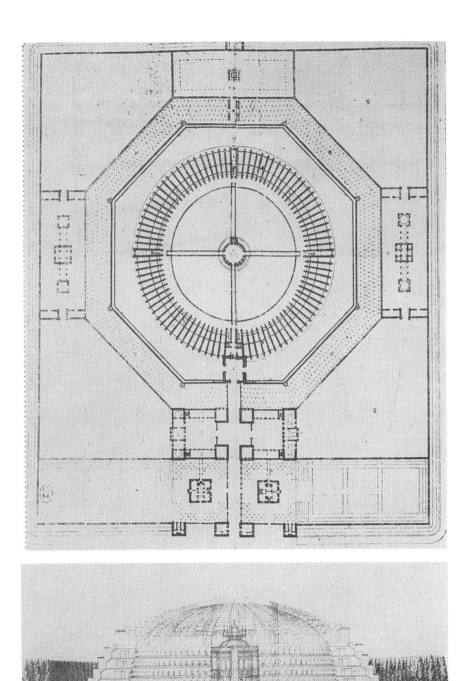

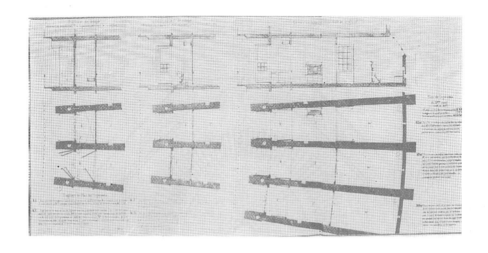

20. N. Harcu-Romain. Projeto de penitenciária, 1840. Planta e corte das celas. V. p. 222. Cada cela comporta uma entrada, um quarto, uma sala para trabalho e outra para lazer. Durante a prece, a porta da entrada permanece aberta, onde o prisioneiro se ajoelha (desenho central).

21. N. Harou-Romain. Projeto de penitenciária, 1840. Um detento, em sua cela, reza diante da torre central de vigilância. V. p. 222.

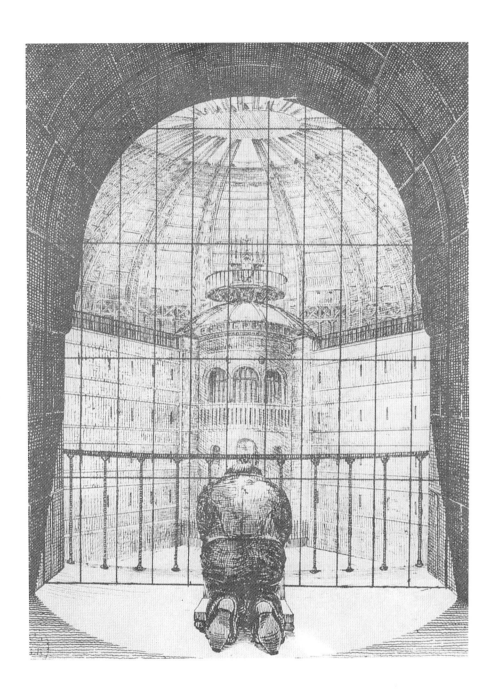

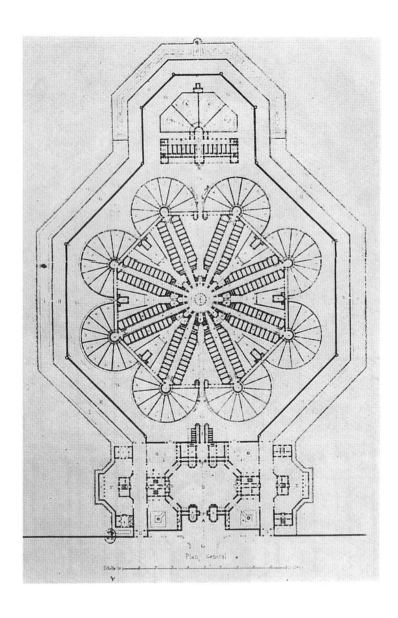

22. A. Blouet. Projeto de prisão celular para quinhentos e oitenta e cinco condenados, 1843. V. p. 222.

23. Planta da prisão de Mazas. V. p. 222.

24. Prisão de Petite Roquete. V. p. 222.

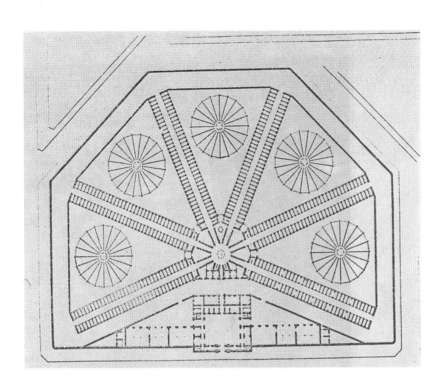

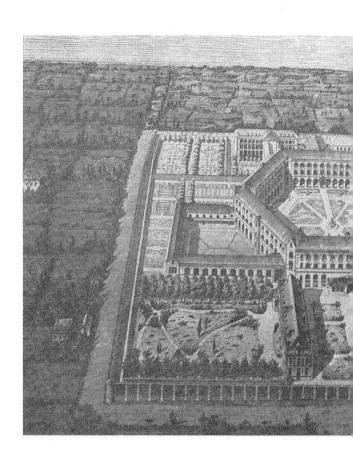

25. A Casa Central de Rennes, em 1877. V. p. 222.

26. Interior da penitenciária de Stateville, Estados Unidos, século XX. V. p. 222.

27. A hora de dormir na colônia de Mettray. V. p. 258.

28. Conferência sobre os males do alcoolismo, no auditório da prisão de Fresnes.

29. *Máquina a vapor para a rápida correção das meninas e dos meninos.* Avisamos aos pais e mães, tios, tias, tutores, tutoras, diretores e diretoras de internatos e, de modo geral, todas as pessoas que tenham crianças preguiçosas, gulosas, indóceis, desobedientes, briguentas, mexeriqueiras, faladoras, sem religião ou que tenham qualquer outro defeito, que o senhor Bicho-Papão e a senhora Tralha-Velha acabaram de colocar em cada distrito da cidade de Paris uma máquina semelhante à representada nesta gravura e recebem diariamente em seus estabelecimentos, de meio-dia às duas horas, crianças que precisem ser

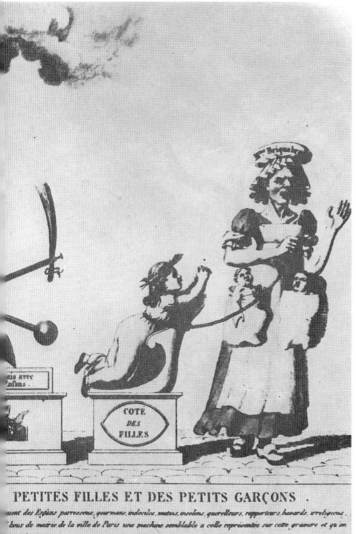

corrigidas. Os senhores Lobisomem, Carvoeiro Rotomago e Come-sem-Fome e as senhoras Pantera Furiosa, Caratonha-sem-Dó e Bebe-sem-Sede, amigos e parentes do senhor Bicho-Papão e da senhora Tralha-Velha, instalarão brevemente máquina semelhante, que será enviada às cidades das províncias e, eles mesmos, irão dirigir a execução. O baixo preço da correção dada pela máquina a vapor e seus surpreendentes efeitos levarão os pais a usá-la tanto quanto o exija o mau comportamento de seus filhos. Aceitam-se como internas crianças incorrigíveis, que são alimentadas a pão e água. Gravura do fim do século XVIII. (Coleções históricas do INRDP).

30. N. Andry. *A ortopedia ou a arte de prevenir e corrigir, nas crianças, as deformidades do corpo*, p. 1749.

tipo de poder e a referência de um saber, a engrenagem pela qual as relações de poder dão lugar a um saber possível, e o saber reconduz e reforça os efeitos de poder. Sobre essa realidade-referência, vários conceitos foram construídos e campos de análise foram demarcados: psique, subjetividade, personalidade, consciência etc. Sobre ela, técnicas e discursos científicos foram edificados; a partir dela, valorizaram-se as reivindicações morais do humanismo. Mas não devemos nos enganar: a alma, ilusão dos teólogos, não foi substituída por um homem real, objeto de saber, de reflexão filosófica ou de intervenção técnica. O homem de que nos falam e que nos convidam a liberar já é em si mesmo o efeito de uma sujeição bem mais profunda que ele. Uma "alma" o habita e o leva à existência, que é ela mesma uma peça no domínio exercido pelo poder sobre o corpo. A alma, efeito e instrumento de uma anatomia política; a alma, prisão do corpo.

*

Que as punições em geral e a prisão se originem de uma tecnologia política do corpo talvez me tenham ensinado mais pelo presente do que pela história. Nos últimos anos houve revoltas em prisões em muitos lugares do mundo. Os objetivos que tinham, suas palavras de ordem, seu desenrolar tinham certamente qualquer coisa de paradoxal. Eram revoltas contra toda uma miséria física que dura há mais de um século: contra o frio, contra a sufocação e o excesso de população, contra as paredes velhas, contra a fome, contra os golpes. Mas eram também revoltas contra as prisões-modelos, contra os tranquilizantes, contra o isolamento, contra o serviço médico ou educativo. Revoltas cujos objetivos eram só materiais? Revoltas contraditórias contra a decadência, e ao mesmo tempo contra o conforto; contra os guardas, e ao mesmo tempo contra os psiquiatras? De fato, tratava-se realmente dos corpos e de coisas materiais em todos esses movimentos: como se trata disso nos inúmeros discursos que a prisão tem produzido desde o começo do século XIX. O que provocou esses discursos e essas revoltas, essas lembranças e invectivas foram realmente essas pequenas, essas ínfimas coisas materiais. Quem quiser tem toda liberdade de ver nisso apenas reivindicações cegas ou suspeitar que haja aí estratégias estranhas. Tratava-se bem de uma revolta, ao nível dos corpos, contra o próprio corpo da prisão. O que estava em jogo não era o quadro rude demais ou ascético demais, rudimentar demais ou aperfeiçoado demais da prisão, era sua materialidade na medida em que ele é instrumento e vetor de poder; era toda essa tecnologia do poder sobre o corpo, que a tecnologia da "alma" – a dos educadores, dos psicólogos e dos psiquiatras – não consegue mascarar nem compensar, pela boa razão de que não passa de um de seus instrumentos. É desta prisão, com todos os investimentos políticos do corpo que ela reúne em sua arquitetura fechada que eu gostaria de fazer a história. Por puro anacronismo? Não, se entendemos com isso fazer a história do passado nos termos do presente. Sim, se entendermos com isso fazer a história do presente[23].

---

23. Só estudarei o nascimento da prisão no sistema penal francês. As diferenças entre os desenvolvimentos históricos e as instituições tornariam muito pesada a tarefa de entrar em detalhes e excessivamente esquemático o trabalho de fornecer o fenômeno de conjunto.

Capítulo II

A OSTENTAÇÃO DOS SUPLÍCIOS

A ordenação de 1670 regeu, até à Revolução, as formas gerais da prática penal. Eis a hierarquia dos castigos por ela descritos:

> A morte, a questão com reserva de provas, as galeras, o açoite, a confissão pública, o banimento.

As penas físicas tinham, portanto, uma parte considerável. Os costumes, a natureza dos crimes, o *status* dos condenados as faziam variar ainda mais.

> A pena de morte natural compreende todos os tipos de morte: uns podem ser condenados à forca, outros a ter a mão ou a língua cortada ou furada e ser enforcados em seguida; outros, por crimes mais graves, a ser arrebentados vivos e expirar na roda depois de ter os membros arrebentados; outros a ser arrebentados até a morte natural, outros a ser estrangulados e em seguida arrebentados, outros a ser queimados vivos, outros a ser queimados depois de estrangulados; outros a ter a língua cortada ou furada, e em seguida queimados vivos; outros a ser puxados por quatro cavalos, outros a ter a cabeça cortada, outros, enfim, a ter a cabeça quebrada[1]. [E Soulatges, de passagem, acrescenta que há também penas leves, de que a Ordenação não fala]: satisfação à pessoa ofendida, admoestação, repreensão, prisão temporária, abstenção de um lugar, e enfim as penas pecuniárias – multas ou confiscação.

Não devemos no entanto nos enganar. Entre esse arsenal de horror e a prática cotidiana da penalidade, a margem era grande. Os suplícios não constituíam as penas mais frequentes, longe disso. Sem dúvida para nossos olhos atuais a proporção de veredictos de morte, na penalidade da era clássica, pode parecer considerável: as decisões do Châtelet durante o período de 1755 a

---

1. SOULATGES, J.A. *Traité des crimes.* 1762, I, p. 169-171.

1785 comportam 9 a 10% de penas capitais – roda, forca ou fogueira[2]; em 260 sentenças, o Parlamento de Flandres pronunciou 39 condenações à morte, de 1721 a 1730 (e 26 em 500 entre 1781 e 1790[3]). Mas não se deve esquecer que os tribunais encontravam muitos meios de abrandar os rigores da penalidade regular, seja se recusando a levar adiante processos quando as infrações eram exageradamente castigadas, seja modificando a qualificação do crime; às vezes também o próprio poder real indicava não aplicar estritamente tal ordenação particularmente severa[4]. De qualquer modo, a maior parte das condenações era banimento ou multa: numa jurisprudência como a do Châtelet (que só conhecia delitos relativamente graves) o banimento representou, entre 1755 e 1785, mais da metade das penas aplicadas. Ora, grande parte dessas penas não corporais era acompanhada a título acessório de penas que comportavam uma dimensão de suplício: exposição, roda, coleira de ferro, açoite, marcação com ferrete; era a regra para todas as condenações às galeras ou ao equivalente para as mulheres – a reclusão no hospital; o banimento era muitas vezes precedido pela exposição e pela marcação com ferrete; a multa, às vezes, era acompanhada de açoite. Não só nas grandes e solenes execuções, mas também nessa forma anexa é que o suplício manifestava a parte significativa que tinha na penalidade; qualquer pena um pouco séria devia incluir alguma coisa do suplício.

Que é um suplício?

> Pena corporal, dolorosa, mais ou menos atroz [dizia Jaucourt]; e acrescentava: "é um fenômeno inexplicável a extensão da imaginação dos homens para a barbárie e a crueldade"[5].

Inexplicável, talvez, mas certamente não irregular nem selvagem. O suplício é uma técnica e não deve ser equiparado aos extremos de uma raiva sem lei. Uma pena, para ser um suplício, deve obedecer a três critérios principais: em primeiro lugar, produzir uma certa quantidade de sofrimento que se possa, se não medir exatamente, ao menos apreciar, comparar e hierarquizar; a morte é um suplício na medida em que ela não é simplesmente privação do direito de viver, mas a ocasião e o termo final de uma graduação calculada de sofrimentos: desde a decapitação – que reduz todos os sofrimentos a um só

---

2. Cf. artigo de PETROVITCH, P. *Crime et criminalité en France XVII-XVIIe siècles*, 1971, p. 226s.

3. DAUTRICOURT, P. *La criminalité et la répression au Parlement de Flandre*. 1721-1790 (1912).

4. É o que indicava Choiseul a respeito da declaração de 3 de agosto de 1764 sobre os vagabundos (*Mémoire expositif*, B.N. ms. 8129 fl. 128s.).

5. *Encyclopédie*, verbete suplício.

gesto e num só instante: o grau zero do suplício – até o esquartejamento que os leva quase ao infinito, por meio do enforcamento, da fogueira e da roda, na qual se agoniza muito tempo: a morte-suplício é a arte de reter a vida no sofrimento, subdividindo-a em "mil mortes" e obtendo, antes de cessar a existência, *the most exquisite agonises*[6]. O suplício repousa na arte quantitativa do sofrimento. Mas não é só: esta produção é regulada. O suplício faz correlacionar o tipo de ferimento físico, a qualidade, a intensidade, o tempo dos sofrimentos com a gravidade do crime, a pessoa do criminoso, o nível social de suas vítimas. Há um código jurídico da dor: a pena, quando é supliciante, não se abate sobre o corpo ao acaso ou em bloco: ela é calculada de acordo com regras detalhadas: número de golpes de açoite, localização do ferrete em brasa, tempo de agonia na fogueira ou na roda (o tribunal decide se é o caso de estrangular o paciente imediatamente, em vez de deixá-lo morrer, e ao fim de quanto tempo esse gesto de piedade deve intervir), tipo de mutilação a impor (mão decepada, lábios ou língua furados). Todos esses diversos elementos multiplicam as penas e se combinam de acordo com os tribunais e os crimes: "A poesia de Dante posta em leis", dizia Rossi; um longo saber físico-penal, em todo caso. Além disso, o suplício faz parte de um ritual. É um elemento na liturgia punitiva, e que obedece a duas exigências. Em relação à vítima, ele deve ser marcante: destina-se, ou pela cicatriz que deixa no corpo, ou pela ostentação de que se acompanha, a tornar infame aquele que é sua vítima; o suplício, mesmo se tem como função "purgar" o crime, não reconcilia; traça em torno, ou melhor, sobre o próprio corpo do condenado sinais que não devem se apagar; a memória dos homens, em todo caso, guardará a lembrança da exposição, da roda, da tortura ou do sofrimento devidamente constatados. E pelo lado da justiça que o impõe, o suplício deve ser ostentoso, deve ser constatado por todos, um pouco como seu triunfo. O próprio excesso das violências cometidas é uma das peças de sua glória: o fato de o culpado gemer ou gritar com os golpes não constitui algo de acessório e vergonhoso, mas é o próprio cerimonial da justiça que se manifesta em sua força. Por isso sem dúvida é que os suplícios se prolongam ainda depois da morte: cadáveres queimados, cinzas jogadas ao vento, corpos arrastados na grade, expostos à beira das estradas. A justiça persegue o corpo além de qualquer sofrimento possível.

O suplício penal não corresponde a qualquer punição corporal: é uma produção diferenciada de sofrimentos, um ritual organizado para a marcação das vítimas e a manifestação do poder que pune: não é absolutamente a

---

6. A expressão é de OLYFFE. *An Essay to Prevent Capital Crimes*. 1731.

exasperação de uma justiça que, esquecendo seus princípios, perdesse todo o controle. Nos "excessos" dos suplícios se investe toda a economia do poder.

*

O corpo supliciado se insere em primeiro lugar no cerimonial judiciário que deve trazer à luz a verdade do crime.

Na França, como na maior parte dos países europeus – com a notável exceção da Inglaterra –, todo o processo criminal, até à sentença, permanecia secreto: ou seja, opaco não só para o público, mas para o próprio acusado. O processo se desenrolava sem ele, ou pelo menos sem que ele pudesse conhecer a acusação, as imputações, os depoimentos, as provas. Na ordem da justiça criminal, o saber era privilégio absoluto da acusação. "O mais diligente e o mais secretamente que se puder fazer", dizia, a respeito da instrução, o edito de 1498. De acordo com a ordenação de 1670, que resumia, e em alguns pontos reforçava, a severidade da época precedente, era impossível ao acusado ter acesso às peças do processo, impossível conhecer a identidade dos denunciadores, impossível saber o sentido dos depoimentos antes de recusar as testemunhas, impossível fazer valer, até os últimos momentos do processo, os fatos justificativos, impossível ter um advogado, seja para verificar a regularidade do processo, seja para participar da defesa. Por seu lado, o magistrado tinha o direito de receber denúncias anônimas, de esconder ao acusado a natureza da causa, de interrogá-lo de maneira capciosa, de usar insinuações[7]. Ele constituía, sozinho e com pleno poder, uma verdade com a qual investia o acusado; e essa verdade, os juízes a recebiam pronta, sob a forma de peças e de relatórios escritos; para eles, esses documentos sozinhos comprovavam; só encontravam o acusado uma vez para interrogá-lo antes de dar a sentença. A forma secreta e escrita do processo confere com o princípio de que em matéria criminal o estabelecimento da verdade era para o soberano e seus juízes um direito absoluto e um poder exclusivo. Ayrault supunha que esse procedimento (já estabelecido no que tange ao essencial no século XVI) tinha por origem

> o medo dos tumultos, das gritarias e aclamações que o povo normalmente faz, o medo de que houvesse desordem, violência e impetuosidade contra as partes talvez até mesmo contra os juízes;

---

7. Até o século XVIII, longas discussões para se saber se, no decorrer das interrogações capciosas, era lícito ao juiz usar falsas promessas, mentiras, palavras de duplo sentido. Toda uma casuística da má-fé judiciária.

o rei quereria mostrar com isso que a "força soberana" de que se origina o direito de punir não pode em caso algum pertencer à "multidão"[8].

Diante da justiça do soberano, todas as vozes devem-se calar.

Mas o segredo não impedia que, para estabelecer a verdade, se devesse obedecer a certas regras. O segredo implicava mesmo na definição rigorosa de um modelo de demonstração penal. Toda uma tradição, que remontava ao meio ambiente medieval, mas que os juristas da Renascença haviam largamente desenvolvido, prescrevia o que deviam ser a natureza e a eficácia das provas. Ainda no século XVIII se encontravam regularmente distinções como as seguintes: as provas verdadeiras, diretas ou legítimas (os testemunhos por exemplo) e as provas indiretas, conjecturais, artificiais (por argumento); ou ainda as provas manifestas, as provas consideráveis, as provas imperfeitas ou ligeiras[9]; ou ainda: as provas "urgentes e necessárias" que não permitem duvidar da verdade do fato (são provas "plenas": assim duas testemunhas irrepreensíveis que afirmassem ter visto o acusado com uma espada nua e ensanguentada na mão, a sair do lugar onde, algum tempo depois, foi encontrado o corpo do morto marcado por golpes de espada); os indícios próximos ou provas semiplenas, que se podem considerar verdadeiras enquanto o acusado não as destruir com uma prova contrária (prova "semiplena", como uma só testemunha ocular, ou ameaças de morte que precedem um assassinato); enfim os indícios longínquos ou "adminículos", que consistem apenas no parecer dos homens (opinião pública, fuga do suspeito, sua perturbação ao ser interrogado etc.)[10]. Ora, essas distinções não são simplesmente sutilezas teóricas. Elas têm uma função operatória. Em primeiro lugar, porque cada um desses indícios, tomado em si mesmo e se permanece isolado, pode ter um tipo definido de efeito judiciário: as provas plenas podem acarretar qualquer condenação; as semiplenas podem acarretar penas físicas infamantes, mas nunca a morte; os indícios imperfeitos e leves bastam para fazer "decretar" o suspeito, para fazer contra ele investigações mais aprofundadas ou para lhe impor uma multa. Em segundo lugar, porque se combinam entre si de acordo com regras precisas de cálculo: duas provas semiplenas podem fazer uma prova completa: adminículos, desde que sejam vários e concordem, podem combinar-se para formar uma meia-prova; mas sozinhos, por numerosos que sejam, não podem equivaler a uma prova completa. Temos então uma aritmética penal meticulosa em muitos pontos, mas que deixa ainda margem a muitas discussões: podemos nos apoiar, para dar uma sentença capital, numa única prova

---

8. AYRAULT, P. *L'Ordre, formalité et Instruction Judiciaire*. 1576, L. III, cap. LXXII e LXXIX.

9. JOUSSE, D. *Traité de la justice criminelle*. Vol. I, 1771, p. 660.

10. MUYART DE VOUGLANS, P.F. *Institutes au droit criminei*. 1757, p. 345-347.

plena ou é preciso que ela seja acompanhada de outros indícios mais ligeiros? Dois indícios próximos são sempre equivalentes a uma prova plena? Não seria necessário admitir três deles ou combiná-los com os indícios longínquos? Há elementos que só podem ser indícios para certos crimes, em certas circunstâncias e em relação a certas pessoas (assim um testemunho é anulado se provém de um vagabundo; é, ao contrário, reforçado, se se trata "de uma pessoa de consideração" ou de um patrão a respeito de um delito doméstico). Aritmética modulada por uma casuística, que tem por função definir como se pode construir uma prova judicial. Por um lado esse sistema das "provas legais" faz da verdade no campo penal o resultado de uma arte complexa; obedece a regras que só os especialistas podem conhecer; e consequentemente reforça o princípio do segredo. "Não basta que o juiz tenha a convicção que qualquer homem razoável pode ter [...]. Nada mais errado que essa maneira de julgar que, na verdade, não passa de uma opinião mais ou menos fundamentada". Mas por outro lado ele cerceia o magistrado severamente; sem essa regularidade "qualquer julgamento de condenação seria temerário, e se pode dizer de certa maneira que é injusto mesmo se, na verdade, o acusado fosse culpado"[11]. Chegará o dia em que a singularidade dessa verdade judicial parecerá escandalosa: como se a justiça não tivesse que obedecer às regras da verdade comum: "Que se diria de uma meia-prova nas ciências demonstráveis? Que seria uma meia-prova geométrica ou algébrica?"[12] Mas não devemos esquecer que essas exigências formais da prova jurídica eram um modo de controle interno do poder absoluto e exclusivo de saber.

A informação penal escrita, secreta, submetida, para construir suas provas, a regras rigorosas, é uma máquina que pode produzir a verdade na ausência do acusado. E por essa mesma razão, embora no estrito direito isso não seja necessário, esse procedimento vai necessariamente tender à confissão. Por duas razões: em primeiro lugar, porque esta constitui uma prova tão forte que não há nenhuma necessidade de acrescentar outras, nem de entrar na difícil e duvidosa combinação dos indícios; a confissão, desde que feita na forma correta, quase desobriga o acusador do cuidado de fornecer outras provas (em todo caso, as mais difíceis). Em seguida, a única maneira para que esse procedimento perca tudo o que tem de autoridade unívoca, e se torne efetivamente uma vitória conseguida sobre o acusado, a única maneira para que a verdade

---

11. POULLAIN DU PARE. *Principes du droit français selon les coutumes de Bretagne*. 1767, 1771, t. XI, p. 112s. • ESMEIN, V.A. *Histoire de la procédure criminelle en France*. 1882, p. 260-283 • MITTERMAIER, K.J. *Traité de la preuve*. trad. 1848, p. 15-19.

12. SEIGNEUX DE CORREVON, G. *Essai sur l'usage, l'abus et les inconvénients de la torture*. 1768, p. 63.

exerça todo o seu poder, é que o criminoso tome sobre si o próprio crime e ele mesmo assine o que foi sábia e obscuramente construído pela informação.

> Não é bastante [como dizia Ayrault que não gostava nem um pouco desses processos secretos] que os maus sejam justamente punidos. É preciso, se possível, que eles mesmos se julguem e se condenem[13].

No interior do crime reconstituído por escrito, o criminoso que confessa vem desempenhar o papel de verdade viva. A confissão, ato do sujeito criminoso, responsável e que fala, é a peça complementar de uma informação escrita e secreta. Daí a importância dada à confissão por todo esse processo de tipo inquisitorial.

Daí também as ambiguidades de seu papel. Por um lado, tenta-se fazê-lo entrar no cálculo geral das provas; ressalta-se que ela não passa de uma delas; ela não é a *evidentia rei*; assim como a mais forte das provas, ela sozinha não pode levar à condenação, deve ser acompanhada de indícios anexos, e de presunções; pois já houve acusados que se declararam culpados de crimes que não tinham cometido; o juiz deverá então fazer pesquisas complementares, se só estiver de posse da confissão regular do culpado. Mas, por outro lado, a confissão ganha qualquer outra prova. Até certo ponto ela as transcende; elemento no cálculo da verdade, ela é também o ato pelo qual o acusado aceita a acusação e reconhece que esta é bem-fundamentada; transforma uma afirmação feita sem ele em uma afirmação voluntária. Pela confissão, o próprio acusado toma lugar no ritual de produção de verdade penal. Como já dizia o direito medieval, a confissão torna a coisa notória e manifesta. A esta primeira ambiguidade se sobrepõe uma segunda: investiga-se de novo a confissão como prova particularmente forte, que exige para levar à condenação apenas alguns indícios suplementares, que reduzem ao mínimo o trabalho de informação e a mecânica de demonstração; todas as formas possíveis de coerção serão utilizadas para obtê-la. Mas embora ela deva ser, no processo, a contrapartida viva e oral da informação escrita, a réplica desta, e como que sua autenticação por parte do acusado, será cercada de garantias e formalidades. Ela conserva alguma coisa de uma transação; por isso exige-se que seja "espontânea", que seja formulada diante do tribunal competente, que seja feita com toda consciência, que não trate de coisas impossíveis etc.[14] Pela confissão, o acusado se compromete em relação ao processo; ele assina a verdade da informação.

---

13. AYRAULT, P. *L'Ordre, formalité et instruction judiciaire*. L.I. cap. 14.

14. Nos catálogos das provas judiciárias, a confissão aparece pelo século XIII-XIV. Não é encontrada em Bernard de Pavie, mas em Hostiemis. Aliás a fórmula de Crater é característica: *"Aut legitime convictus aut sponte confessus"*.
No direito medieval a confissão só era válida se feita por um maior e diante do adversário. PH. LÉVY, V.J. *La Hiérarchie des preuves dans le droit savant du Moyen Age*. 1939.

Essa dupla ambiguidade da confissão (elemento de prova e contrapartida da informação; efeito de coação e transação semivoluntária) explica os dois grandes meios que o direito criminal clássico utiliza para obtê-la: o juramento que se pede ao acusado antes do interrogatório (ameaça por conseguinte de ser perjuro diante da justiça dos homens e diante da de Deus; e, ao mesmo tempo, ato ritual de compromisso); a tortura (violência física para arrancar uma verdade que, de qualquer maneira, para valer como prova, tem que ser em seguida repetida, diante dos juízes, a título de confissão "espontânea"). No fim do século XVIII, a tortura será denunciada como resto das barbáries de uma outra época: marca de uma selvageria denunciada como "gótica". É verdade que a prática da tortura remonta à Inquisição, é claro, e mais longe ainda do que os suplícios dos escravos. Mas ela não figura no direito clássico como sua característica ou mancha. Ela tem seu lugar estrito num mecanismo penal complexo em que o processo de tipo inquisitorial tem um lastro de elementos do sistema acusatório, em que a demonstração escrita precisa de um correlato oral; em que as técnicas da prova administrada pelos magistrados se misturam com os procedimentos de provas que eram desafios ao acusado; em que lhe é pedido – se necessário pela coação mais violenta – que desempenhe no processo o papel do parceiro voluntário; em que se trata em suma de produzir a verdade por um mecanismo de dois elementos – o do inquérito conduzido em segredo pela autoridade judiciária e o do ato realizado ritualmente pelo acusado. O corpo do acusado, corpo que fala e, se necessário, sofre, serve de engrenagem aos dois mecanismos; é por isso que, enquanto o sistema punitivo clássico não for totalmente reconsiderado, haverá muito poucas críticas radicais da tortura[15]. Com muito mais frequência, simples conselhos de prudência:

> O interrogatório é um meio perigoso de chegar ao conhecimento da verdade; por isso os juízes não devem recorrer a ela sem refletir. Nada é mais equívoco. Há culpados que têm firmeza suficiente para esconder um crime verdadeiro [...]; e outros, inocentes, a quem a força dos tormentos fez confessar crimes de que não eram culpados[16].

Pode-se a partir daí encontrar o funcionamento do interrogatório como suplício da verdade. Em primeiro lugar, o interrogatório não é uma maneira de arrancar a verdade a qualquer preço; não é absolutamente a louca tortura dos interrogatórios modernos; é cruel, certamente, mas não selvagem. Trata-se

---

15. A mais famosa dessas críticas é a de Nicolas: *Si la torture est un moyen à verifier les crimes*. 1682.

16. FERRIÈRE, Cl. *Dictionnaire de pratique*. 1740, t. II, p. 612.

de uma prática regulamentada, que obedece a um procedimento bem-definido, com momentos, duração, instrumentos utilizados, comprimentos das cordas, peso dos chumbos, número de cunhas, intervenções do magistrado que interroga, tudo segundo os diferentes hábitos, cuidadosamente codificados[17]. A tortura é um jogo judiciário estrito. E a esse título, mais longe do que as técnicas da Inquisição, ela se liga às antigas provas que se utilizavam nos processos acusatórios: ordálias, duelos judiciais, julgamentos divinos. Entre o juiz que ordena a tortura e o suspeito que é torturado, há ainda como uma espécie de justa: o "paciente" – é o termo pelo qual é designado o supliciado – é submetido a uma série de provas, de severidade graduada e que ele ganha "aguentando", ou perde confessando[18]. Mas o juiz não impõe a tortura sem, por seu lado, correr riscos (e não é só o perigo de ver morrer o suspeito); ele põe alguma coisa em jogo no torneio, que são os elementos de prova que já reuniu; pois a regra diz que, se o condenado "aguenta" e não confessa, o magistrado é obrigado a abandonar as acusações. O supliciado ganhou. Daí o hábito, que se introduzira para os casos mais graves, de impor suplício do interrogatório "com reserva de provas": nesse caso o juiz podia continuar, depois das torturas, a fazer valer as presunções reunidas; o suspeito não era inocentado por sua resistência; mas pelo menos devia ele à sua vitória não mais poder ser condenado à morte. O juiz conservava todas as cartas, menos a principal. *Omnia citra mortem*. Daí a recomendação que se faz muitas vezes aos juízes de não submeter a suplício do interrogatório um suspeito contra o qual há convicção suficiente dos crimes mais graves, pois, se ele viesse a resistir à tortura, o juiz não teria mais o direito de lhe infligir a pena de morte, que ele merece, entretanto; nessa justa, a justiça perderia: se as provas são suficientes

> para condenar tal culpado à morte [não se deve] arriscar a condenação ao destino e ao desenlace de um suplício de interrogatório provisório que não leva a nada; pois afinal é para o bem-estar e o interesse público castigar para escarmento os crimes graves, atrozes e capitais[19].

Sob a aparente pesquisa intensa de uma verdade urgente, encontramos na tortura clássica o mecanismo regulamentado de uma prova; um desafio físico que deve decidir sobre a verdade; se o paciente é culpado, os sofrimentos

---

17. Em 1729, Aguesseau mandou fazer uma pesquisa sobre os meios e as regras de tortura aplicados na França. Foi resumida por Joly de Fleury, B.N. Fonds Joly de Fleury, 258, vols. 322-328.

18. O primeiro grau do suplício era o espetáculo desses instrumentos. As crianças e os velhos de mais de setenta anos não tinham acesso a outro espetáculo além deste.

19. ROUSSEAUD DE LA COMBE, G. du. *Traité des matières criminelles*. 1741, p. 503.

impostos pela verdade não são injustos; mas ela é também uma prova de desculpa se ele for inocente. Sofrimento, confronto e verdade estão ligados uns aos outros na prática da tortura; trabalham em comum o corpo do paciente. A investigação da verdade pelo suplício do "interrogatório" é realmente uma maneira de fazer aparecer um indício, o mais grave de todos – a confissão do culpado; mas é também a batalha, é a vitória de um adversário sobre o outro que "produz" ritualmente a verdade. A tortura para fazer confessar tem alguma coisa de inquérito, mas tem também de duelo.

Do mesmo modo se misturam aí um ato de instrução e um elemento de punição. E esse não é um de seus menores paradoxos. Com efeito, ela é definida como uma maneira de completar a demonstração quando "não há penas suficientes no processo". E é classificada entre as penas; e uma pena tão grave que, na hierarquia das punições, a Ordenação de 1670 a insere logo depois da morte. Como pode uma pena ser utilizada como um meio, perguntar-se-á mais tarde. Como se pode fazer valer a título de castigo o que deveria ser um processo de demonstração? A razão está na maneira como, na época clássica, a justiça criminal fazia funcionar a demonstração da verdade. As diferentes partes da prova não constituíam outros tantos elementos neutros; não lhes cabia serem reunidas num feixe único para darem a certeza final da culpa. Cada indício trazia consigo um grau de abominação. A culpa não começava uma vez reunidas todas as provas: peça por peça, ela era constituída por cada um dos elementos que permitiam reconhecer um culpado. Assim, uma meia-prova não deixava inocente o suspeito enquanto não fosse completada: fazia dele um meio-culpado; o indício, apenas leve, de um crime grave, marcava alguém como "um pouco" criminoso. Enfim, a demonstração em matéria penal não obedecia a um sistema dualista; verdadeiro ou falso; mas um princípio de gradação contínua: um grau atingido na demonstração já formava um grau de culpa e implicava consequentemente num grau de punição. O suspeito, enquanto tal, merecia sempre um certo castigo; não se podia ser inocentemente objeto de suspeita. A suspeita implicava, ao mesmo tempo, da parte do juiz um elemento de demonstração, da parte do acusado a prova de uma certa culpa, e da parte da punição uma forma limitada de pena. Um suspeito que continuasse suspeito não estava inocentado por isso, mas era parcialmente punido. Quando se chegava a um certo grau de presunção, podia-se então legitimamente executar uma prática que tinha um duplo papel: começar a punir em razão das indicações já reunidas; e se servir deste início de pena para extorquir o resto de verdade que ainda faltava. A tortura judiciária, no século XVIII, funciona nessa estranha economia em que o ritual que produz a verdade caminha a par com o ritual que impõe a punição. O corpo interrogado no suplício constitui o ponto de aplicação do castigo e o lugar de extorsão da verdade. E do mesmo modo que a presunção é solidariamente um elemento de inquérito e um fragmento de culpa, o sofrimento regulado da tortura é ao mesmo tempo uma medida para punir e um ato de instrução.

*

Ora, curiosamente, essa engrenagem dos dois rituais através do corpo continua, feita a prova e formulada a sentença, na própria execução da pena. E o corpo do condenado é novamente uma peça essencial no cerimonial do castigo público. Cabe ao culpado levar à luz do dia sua condenação e a verdade do crime que cometeu. Seu corpo mostrado, passeado, exposto, supliciado, deve ser como o suporte público de um processo que ficara, até então, na sombra; nele, sobre ele, o ato de justiça deve-se tornar legível para todos. Essa manifestação atual e brilhante da verdade na execução pública das penas toma, no século XVIII, vários aspectos:

1) Fazer do culpado, em primeiro lugar, o arauto de sua própria condenação. Ele é encarregado, de algum modo, de proclamá-la, e dessa maneira, de atestar a verdade do que lhe foi reprovado: passeio pelas ruas, cartaz que lhe é pendurado nas costas, no peito ou na cabeça para lembrar a sentença; paradas em vários cruzamentos, leitura do documento de condenação, confissão pública à porta das igrejas, durante a qual o condenado reconhece solenemente seu crime:

> Descalço, de camisola, levando uma tocha, de joelhos, dizer e declarar que com maldade, horrivelmente, traidoramente e com intenção premeditada, ele havia cometido o crime detestável etc.;

exposição junto ao poste onde são lembrados os fatos e a sentença; mais uma vez, leitura da condenação ao pé do patíbulo; quer se trate simplesmente do pelourinho ou da fogueira e da roda, o condenado publica seu crime e a justiça que ele é obrigado a fazer a si mesmo, levando-os fisicamente sobre o corpo.

2) Prosseguir uma vez mais a cena da confissão. Dublar a proclamação forçada da confissão pública com um reconhecimento espontâneo e público. Estabelecer o suplício como momento da verdade. Fazer com que esses últimos instantes em que o culpado não tem mais nada a perder sejam ganhos para a luz plena da verdade. O tribunal podia mesmo decidir, depois da condenação, uma nova tortura para arrancar o nome dos eventuais cúmplices. Estava também previsto que no momento de subir ao cadafalso o condenado podia pedir um tempo para fazer novas revelações. O público esperava essa nova peripécia

da verdade. Muitos aproveitavam isso para ganhar um pouco de tempo, como Michel Barbier, culpado de ataque a mão armada:

> Olhou desafiadoramente o cadafalso dizendo que não era para ele que tinham erguido, já que era inocente; pediu primeiro para subir ao quarto onde apenas ficou a divagar durante meia hora, querendo sempre se justificar; depois, levado ao suplício, sobe ao patíbulo decididamente, mas quando se vê despojado das vestes e preso na cruz, pronto a receber os golpes de barra, pede para subir uma segunda vez ao quarto e lá finalmente confessa o crime e declara mesmo que era culpado de outro assassinato[20].

O verdadeiro suplício tem por função fazer brilhar a verdade; e nisso ele continua, até sob os olhos do público, o trabalho do suplício do interrogatório. Ele opõe à condenação a assinatura daquele que sofre. Um suplício bem-sucedido justifica a justiça, na medida em que publica a verdade do crime no próprio corpo do supliciado. Exemplo do bom condenado foi François Billiard, caixa-geral do correio, que em 1772 havia assassinado a mulher; o carrasco queria esconder-lhe o rosto para defendê-lo dos insultos:

> Não me infligiram, disse ele, essa pena que mereci para não ser visto pelo público [...] Usava ainda o traje de luto pela mulher [...] calçava escarpins novos, tinha frisado os cabelos e aplicara pó branco à pele, caminhava numa atitude tão modesta e imponente que as pessoas que haviam podido contemplá-lo mais de perto diziam que ele tinha que ser ou o cristão mais perfeito ou o maior de todos os hipócritas. O cartaz que levava no peito estava torto, notaram que ele mesmo o arrumava, sem dúvida para que pudesse ser lido mais facilmente[21].

A cerimônia penal, se cada um dos atores desempenha bem seu papel, tem a eficácia de uma longa confissão pública.

3) Prender o suplício no próprio crime; estabelecer de um para o outro relações decifráveis. Exposição do cadáver do condenado no local do crime, ou num dos cruzamentos mais próximos. Execução no próprio local em que o crime fora cometido – como aquele estudante que em 1723 matara várias pessoas e para quem o tribunal de Nantes decidiu erguer um cadafalso em frente à porta do albergue onde ele cometera os assassinatos[22]. Utilização de

---

20. HARDY, S.P. *Mes loisirs*. B.N., ms. 6680-87, t. IV, p. 80, 1778.

21. HARDY, S.P. *Mes loisirs*, t. 1, p. 327 (só o tomo I está impresso).

22. Arquivos municipais de Nantes, F.F. 124. PARFOURU, V.P. *Mémoires de la société archéologique d'Ille-et-Vilaine*. 1896, t. XXV.

suplícios "simbólicos", em que a forma da execução faz lembrar a natureza do crime: fura-se a língua dos blasfemadores, queimam-se os impuros, corta-se o punho que matou; às vezes faz-se o condenado ostentar o instrumento de seu crime – como Damiens, com a famosa faquinha que foi coberta com enxofre e amarrada à mão culpada para queimar ao mesmo tempo que ele. Como dizia Vico, essa velha jurisprudência foi "toda uma poética".

Enfim, encontramos às vezes a reprodução quase teatral do crime na execução do culpado: mesmos instrumentos, mesmos gestos. Aos olhos de todos, a justiça faz os suplícios repetirem o crime, publicando-o em sua verdade e anulando-o ao mesmo tempo na morte do culpado. Ainda no final do século XVIII, em 1772, encontram-se sentenças como a seguinte:

> Uma criada de Cambrai, que matara sua senhora, é condenada a ser levada ao lugar do suplício numa carroça "usada para retirar as imundícies em todas as encruzilhadas"; lá haverá uma forca a cujo pé será colocada a mesma poltrona onde estava sentada a senhora Laleu, sua patroa, quando foi assassinada; e sendo colocada lá, o executor da alta justiça lhe cortará a mão direita e em sua presença a jogará ao fogo, e lhe dará imediatamente depois quatro facadas com a faca utilizada por ela para assassinar a senhora Laleu, a primeira e a segunda na cabeça, a terceira no antebraço esquerdo, e a quarta no peito; feito o que, será pendurada e estrangulada na dita forca até à morte; e depois de duas horas seu cadáver será retirado, e a cabeça separada ao pé da dita forca sobre o dito cadafalso, com a mesma faca que ela utilizou para assassinar sua senhora, e a cabeça exposta sobre uma figura de vinte pés fora da porta da dita Cambrai, junto ao caminho que leva a Douai, e o resto do corpo posto num saco, e enterrado perto do dito poste, a dez pés de profundidade[23].

4) Enfim, a lentidão do suplício, suas peripécias, os gritos e o sofrimento do condenado têm, ao termo do ritual judiciário, o papel de uma derradeira prova. Como qualquer agonia, a que se desenrola no cadafalso diz uma certa verdade: mas com mais intensidade, na medida em que é pressionada pela dor; com mais rigor, pois está exatamente no ponto de junção do julgamento dos homens com o de Deus; com mais ostentação, pois se desenrola em público. O sofrimento do suplício prolonga o da tortura preparatória; nesta, entretanto, o jogo não estava feito e a vida podia ser salva; agora a morte é certa, trata-se de salvar a alma. O jogo eterno já começou; o suplício antecipa as penas do além; mostra o que são elas; ele é o teatro do inferno; os gritos do

---

23. In: DAUTRICOURT, P.O. Op. cit., p. 269s.

condenado, sua revolta, suas blasfêmias já significam seu destino irremediável. Mas as dores deste mundo podem valer também como penitência para aliviar os castigos do além; um martírio desses, se é suportado com resignação, Deus não deixará de levar em conta. A crueldade da punição terrestre é considerada como dedução da pena futura; nela se esboça a promessa do perdão. Mas se pode dizer ainda: um sofrimento tão vivo não seria sinal de que Deus abandonou o culpado nas mãos dos homens? E, longe de garantir uma futura absolvição, ele representa a danação iminente; enquanto que, se o condenado morre rápido, sem agonia prolongada, não é isso a prova de que Deus quis protegê-lo e impedir que ele caísse no desespero? Portanto, ambiguidade desse sofrimento que pode do mesmo modo significar a verdade do crime ou o erro dos juízes, a bondade ou a maldade do criminoso, a coincidência ou a divergência entre o julgamento dos homens e o de Deus. Daí essa extraordinária curiosidade que leva os espectadores a se comprimirem em torno do cadafalso e do sofrimento que este exibe; leem-se aí o crime e a inocência, o passado e o futuro, este mundo e o eterno. Momento de verdade que todos os espectadores interrogam: cada palavra, cada grito, a duração da agonia, o corpo que resiste, a vida que não quer ser arrancada, tudo isso vale por um sinal: o homem que viveu "seis horas na roda, não querendo que o executor, que o consolava e o encorajava sem dúvida por sua iniciativa, o deixasse um só instante"; o que morre "com os sentimentos mais cristãos, e demonstra o mais sincero arrependimento"; o que "expira na roda uma hora depois de lá ter sido posto; dizem que os espectadores de seu suplício ficaram comovidos com suas demonstrações exteriores de religião e de arrependimento"; o que revelara os mais claros sinais de contrição durante todo o trajeto até o cadafalso, e que, colocado vivo na roda, não cessa de "dar gritos pavorosos"; ou ainda a mulher que "conservara o sangue frio até o momento da leitura do julgamento, mas cuja cabeça começou então a ficar perturbada, e completamente louca, ao ser enforcada"[24].

O ciclo está fechado: da tortura à execução, o corpo produziu e reproduziu a verdade do crime. Ou melhor, ele constitui o elemento que, através de todo um jogo de rituais e de provas, confessa que o crime aconteceu, que ele mesmo o cometeu, mostra que o leva inscrito em si e sobre si, suporta a operação do castigo e manifesta seus efeitos da maneira mais ostensiva. O corpo várias vezes supliciado torce a realidade dos fatos e a verdade da informação, dos atos de processo e do discurso do criminoso, do crime e da punição. Peça essencial, consequentemente, numa liturgia penal em que deve constituir o

---

24. HARDY, S.P. *Mes loisirs*. T. 1, p. 13; t. IV, p. 42; t. V, p. 134.

parceiro de um processo organizado em torno dos direitos formidáveis do soberano, do inquérito e do segredo.

*

O suplício judiciário deve ser compreendido também como um ritual político. Faz parte, mesmo num modo menor, das cerimônias pelas quais se manifesta o poder.

A infração, segundo o direito da era clássica, além do dano que pode eventualmente produzir, além mesmo da regra que infringe, prejudica o direito do que faz valer a lei:

> Mesmo supondo que não haja prejuízo nem injúria ao indivíduo, se foi cometida alguma coisa proibida por lei, é um delito que exige reparação, porque o direito do superior é violado e é injuriar a dignidade de seu caráter[25].

O crime, além de sua vítima imediata, ataca o soberano; ataca-o pessoalmente, pois a lei vale como a vontade do soberano; ataca-o fisicamente, pois a força da lei é a força do príncipe. Pois,

> para que uma lei pudesse vigorar neste reino, era preciso necessariamente que emanasse diretamente do soberano, ou pelo menos que fosse confirmada com o selo de sua autoridade[26].

A intervenção do soberano não é portanto uma arbitragem entre dois adversários; é mesmo muito mais que uma ação para fazer respeitar os direitos de cada um; é uma réplica direta àquele que a ofendeu.

> O exercício do poder soberano na punição dos crimes é sem dúvida uma das partes essenciais na administração da justiça[27].

O castigo então não pode ser identificado nem medido como reparação do dano; deve haver sempre na punição pelo menos uma parte, que é a do príncipe; e, mesmo quando se combina com a reparação prevista, ela constitui o elemento mais importante da liquidação penal do crime. Ora, essa parte que toca ao príncipe, em si mesma, não é simples: ela implica, por um lado, na reparação do prejuízo que foi trazido ao reino (a desordem instaurada, o mau exemplo dado, são prejuízos consideráveis que não têm comparação com

---

25. RISI, P. *Observations sur les matières de jurisprudence criminelle*. 1768, p. 9, com referência a COCCEIUS. *Dissertationes ad Grotium*. XII, § 545.

26. MUYART DE VOUGLANS, P.F. *Les Lois criminelles de France*. 1780, p. XXXIV.

27. JOUSSE, D. *Traité de la justice criminelle*. 1777, p. VII.

o que é sofrido por um particular); mas implica também que o rei procure a vingança de uma afronta feita à sua pessoa.

O direito de punir será então como um aspecto do direito que tem o soberano de guerrear seus inimigos: castigar provém desse

> direito de espada, desse poder absoluto de vida ou de morte de que trata o direito romano ao se referir ao *merum imperium*, direito em virtude do qual o príncipe faz executar sua lei ordenando a punição do crime[28].

Mas o castigo é também uma maneira de buscar uma vingança pessoal e pública, pois na lei a força físico-política do soberano está de certo modo presente:

> Vemos pela própria definição da lei que ela tende não só a defender, mas também a vingar o desprezo de sua autoridade com a punição daqueles que vierem a violar suas defesas[29].

Na execução da pena mais regular, no respeito mais exato das formas jurídicas, reinam as forças ativas da vindita.

O suplício tem então uma função jurídico-política. É um cerimonial para reconstituir a soberania lesada por um instante. Ele a restaura manifestando-a em todo o seu brilho. A execução pública, por rápida e cotidiana que seja, se insere em toda a série dos grandes rituais do poder eclipsado e restaurado (coroação, entrada do rei numa cidade conquistada, submissão dos súditos revoltados): por cima do crime que desprezou o soberano, ela exibe aos olhos de todos uma força invencível. Sua finalidade é menos de estabelecer um equilíbrio que de fazer funcionar, até um extremo, a dissimetria entre o súdito que ousou violar a lei e o soberano todo-poderoso que faz valer sua força. Se a reparação do dano privado ocasionado pelo delito deve ser bem-proporcionada, se a sentença deve ser justa, a execução da pena é feita para dar não o espetáculo da medida, mas do desequilíbrio e do excesso; deve haver, nessa liturgia da pena, uma afirmação enfática do poder e de sua superioridade intrínseca. E esta superioridade não é simplesmente a do direito, mas a da força física do soberano que se abate sobre o corpo de seu adversário e o domina: atacando a lei, o infrator lesa a própria pessoa do príncipe: ela – ou pelo menos aqueles a quem ele delegou sua força – se apodera do corpo do condenado para mostrá-lo marcado, vencido, quebrado. A cerimônia punitiva é

---

28. MUYART DE VOUGLANS, P.F. *Les Lois criminelles de France*. 1780, p. XXXIV.
29. Ibid.

"aterrorizante". Os juristas do século XVIII, ao entrarem em polêmica com os reformadores, darão uma interpretação restritiva e "modernista" da crueldade física das penas: se são necessárias penas severas, é porque o exemplo deve ficar profundamente inscrito no coração dos homens. Na realidade, entretanto, o que até então sustentara essa prática dos suplícios não era a economia do exemplo, no sentido em que isso será entendido na época dos ideólogos (de que a representação da pena é mais importante do que o interesse pelo crime), mas a política do medo: tornar sensível a todos, sobre o corpo do criminoso, a presença encolerizada do soberano. O suplício não restabelecia a justiça; reativava o poder. No século XVII, e ainda no começo do XVIII, ele não era, com todo o seu teatro de terror, o resíduo ainda não extinto de uma outra época. Suas crueldades, sua ostentação, a violência corporal, o jogo desmesurado de forças, o cerimonial cuidadoso, enfim todo o seu aparato se engrenava no funcionamento político da penalidade.

Pode-se compreender a partir daí certas características da liturgia dos suplícios. E, antes de mais nada, a importância de um ritual que devia exibir seu fausto em público. Nada devia ser escondido desse triunfo da lei. Os episódios eram tradicionalmente os mesmos e no entanto as sentenças não deixavam de enumerá-los, de tal modo eles eram importantes no mecanismo penal; desfiles, paradas nos cruzamentos, permanência à porta das igrejas, leitura pública da sentença, ajoelhar-se, declarações em voz alta de arrependimento pela ofensa feita a Deus e ao rei. As questões de precedência e etiqueta eram muitas vezes reguladas pelo próprio tribunal:

> Os oficiais irão a cavalo segundo a ordem abaixo: a saber, à frente os dois sargentos de polícia; em seguida o paciente; depois deste, Bonfort e Le Corre caminharão juntos à sua esquerda, e darão lugar ao escrivão que os seguirá e desta maneira irão à praça pública do grande mercado em que será executado o julgamento[30].

Ora, esse cerimonial meticuloso é, de uma maneira muito explícita, não só judicial, mas militar. A justiça do rei se mostra como uma justiça armada. O gládio que pune o culpado é também o que destrói os inimigos. Todo um aparato militar cerca o suplício: sentinelas, arqueiros, policiais, soldados. Pois importa, evidentemente, impedir qualquer evasão ou ato de violência; importa prevenir também, da parte do povo, um movimento de simpatia para salvar os condenados, ou uma onda de indignação para matá-los imediatamente: importa igualmente lembrar que em todo crime há uma espécie de

---

30. In: CORRE, A. *Documents pour servir à l'histoire de la torture judiciaire en Bretagne.* 1896, p. 7.

sublevação contra a lei e que o criminoso é um inimigo do príncipe. Todas essas razões – quer sejam de precaução numa determinada conjuntura, ou de função no desenrolar de um ritual – fazem da execução pública mais uma manifestação de força do que uma obra de justiça; ou antes, é a justiça como força física, material e temível do soberano que é exibida. A cerimônia do suplício coloca em plena luz a relação de força que dá poder à lei.

Como ritual da lei armada, em que o príncipe se mostra ao mesmo tempo, e de maneira indissociável, sob o duplo aspecto de chefe de justiça e chefe de guerra, a execução pública tem duas faces: uma de vitória, outra de luta. De um lado, ela é o desfecho entre o criminoso e o soberano, cujo resultado é conhecido antecipadamente; ela deve manifestar o poder sem medidas do soberano sobre aqueles que ele reduziu à impotência. A dissimetria, o irreversível desequilíbrio das forças faziam parte das funções do suplício. Um corpo liquidado, reduzido a poeira e jogado ao vento, um corpo destruído parte por parte pelo poder infinito do soberano, constitui o limite não só ideal, mas real do castigo. Atesta esse fato o famoso suplício de la Massola, aplicado em Avignon, e que foi um dos primeiros a excitar a indignação dos contemporâneos: suplício aparentemente paradoxal, pois se desenrola quase inteiramente depois da morte, e a justiça não faz outra coisa que estender sobre um cadáver seu teatro magnífico, a louvação ritual de suas forças: o condenado é amarrado a um poste, com os olhos vendados; em toda a volta, sobre o cadafalso, estacas com ganchos de ferro.

> O confessor fala com o paciente ao ouvido, e depois que ele lhe dá a bênção, imediatamente o executor, com uma maça de ferro, das que são usadas nos matadouros, descarrega um golpe com toda a força na têmpora do infeliz, que cai morto: no mesmo instante, o *mortis exactor* lhe corta o pescoço com uma grande faca, banhando-se de sangue: num espetáculo horrível para os olhos; corta-lhe os nervos até os dos calcanhares, e em seguida abre-lhe o ventre de onde tira o coração, o fígado, o baço, os pulmões, pendurando-os num gancho de ferro, e o corta e disseca em pedaços que põe em outros ganchos à medida que vai cortando, assim como se faz com os de um animal. Quem puder que olhe uma coisa dessas[31].

Na forma lembrada explicitamente do açougue, a destruição infinitesimal do corpo equivale aqui a um espetáculo: cada pedaço é exposto no balcão.

---

31. BRUNEAU, A. *Observations et maximes sur les matières criminelles*. 1715, p. 259.

O suplício se realiza num grandioso cerimonial de triunfo: mas comporta também, como núcleo dramático em seu desenrolar monótono, uma cena de confronto de inimigos: é a ação imediata e direta do carrasco sobre o corpo do "paciente". Ação codificada, é claro, pois o costume, e muitas vezes de maneira explícita, a sentença, prescrevem os principais episódios. Esta ação, no entanto, conserva alguma coisa da batalha. O executor não é simplesmente aquele que aplica a lei, mas o que exibe a força; é o agente de uma violência aplicada à violência do crime, para dominá-la. Desse crime ele é o adversário material e físico. Adversário ora digno de piedade, ora encarniçado. Damhoudère se queixava, bem como muitos contemporâneos seus, de que os carrascos praticavam

> toda espécie de crueldade para com os pacientes malfeitores, maltratando-os, com empurrões e pontapés e matando-os como se tivessem animais sob suas mãos[32].

E durante muito tempo esse hábito persistirá[33]. Há também alguma coisa de desafio e de justa na cerimônia do suplício. Se o carrasco triunfa, se consegue fazer saltar com um golpe a cabeça que lhe mandaram abater, ele

> a mostra ao povo, põe-na no chão e saúda em seguida o público que o ovaciona muito, batendo palmas[34].

Ao contrário, se ele fracassa, se não consegue matar como devia, é passível de punição. Foi o caso do carrasco de Damiens, que, como não soubesse esquartejá-lo de acordo com as regras, teve que cortá-lo com a faca; confiscaram, em proveito dos pobres, os cavalos do suplício que lhe tinham sido prometidos. Alguns anos mais tarde, o carrasco de Avignon fizera sofrer demais os três bandidos, aliás temíveis, que devia enforcar; os espectadores se aborrecem; denunciam-no; para puni-lo e também para subtraí-lo à vindita popular, é preso[35]. E, por trás dessa punição do carrasco inábil, encontramos uma tradição, ainda bem próxima: ela dizia que o condenado seria perdoado se a execução fracassasse. Era um costume claramente estabelecido em certas

---

32. DAMHOUDÈRE, J. de. *Pratique judiciaire és causes civiles*. 1572, p. 219.

33. *A Gazette des tribunaux* de 06/07/1837 descreve, segundo o *Journal de Gloucester*, o comportamento "atroz e asqueroso" de um executor que, depois de ter enforcado um condenado, "tomou o cadáver pelos ombros, fê-lo voltar-se sobre si mesmo com violência e lhe bateu várias vezes, dizendo: 'Palhaço, está morto que chega?' Depois, voltando-se para a multidão, disse em tom de troça as frases mais indecentes".

34. Cena anotada por T.S. Gueulette, quando da execução do policial Montigny em 1737. Cf. ANCHEL, R. *Crimes et châtiments au XVIIIᵉ siècle*. 1933, p. 62-69.

35. Cf. DUHAMEL, L. *Les exécutions capitales à Avignon*. 1890, p. 25.

regiões[36]. Muitas vezes o povo esperava que tal tradição fosse aplicada, e às vezes protegia um condenado que dessa maneira acabava escapando à morte. Para fazer desaparecer tanto o costume quanto a expectativa, foi preciso lembrar o adágio: "a força não perde sua presa"; foi necessário o cuidado de introduzir nas sentenças capitais instruções explícitas: "pendurado e estrangulado até a morte", "até à extinção da vida". E jurista como Serpillon ou Blackstone insistem em pleno século XVIII no fato de que o fracasso do carrasco não deve significar que o condenado salvou a vida[37]. Havia algo da prova e do julgamento de Deus que ainda se podia perceber na cerimônia da execução. Em sua confrontação com o condenado, o executor era um pouco como o campeão do rei. Campeão entretanto não condenável e condenado: a tradição dizia, parece, que quando as cartas do carrasco haviam sido lacradas, não eram postas na mesa, mas jogadas à terra. Conhecem-se todas as proibições que cercam esse "ofício muito necessário", mas "contrário à natureza"[38]. Apesar de o carrasco ser, em certo sentido, o gládio do rei, partilhava da infâmia do adversário. O poder soberano que o obrigava a matar, e que agia através dele, não estava presente nele: não se identificava com sua fúria. E justamente nunca aparecia com tanta ostentação do que ao sustar eventualmente com uma carta de indulto o gesto do executor. O pouco tempo que comumente separava a sentença da execução (muitas vezes algumas horas) fazia com que geralmente a remissão interviesse no último momento. Mas a cerimônia, com a lentidão de seus lances, havia sido organizada para permitir essa eventualidade[39]. Os condenados a esperavam e, para fazer durar as coisas, pretendiam ainda, ao pé do cadafalso, ter revelações a fazer. O povo, quando a desejava, lembrava-a aos gritos, procurando retardar o último momento, observando se o mensageiro vinha trazer a carta com lacre de cera verde, e, se necessário, sugeriam que ele estava chegando (foi o que aconteceu no momento em que eram executados os condenados por sublevação popular ocasionada por raptos de crianças, em

---

36. Na Borgonha, por exemplo, cf. CHASSANÉE. *Consuetudo Burgundi*, fl. 55.

37. SERPILLON, F. *Code criminel*. 1767, t. III, p. 1.100. Blackstone: "É evidente que se um criminoso condenado a ser enforcado até que sobrevenha a morte escapa a esta por inabilidade do executor em algum ponto, o xerife tem que renovar a execução porque a sentença não foi executada; e que se as pessoas se deixassem levar por essa falsa compaixão, abrir-se-ia a porta a uma infinidade de tramoias" (*Commentaire sur le Code criminel d'Angleterre*. 1776, p. 201), trad. francesa.

38. LOYSEAU, Ch. *Cinq livres du droit des offices*. ed. de 1616, p. 80s.

39. HARDY, V.S.P. 30/01/1769, p. 125 do volume impresso; 14/12/1779, p. 229 • ANCHEL, R. *Crimes et châtiments au XVIIIᵉ siècle*. p. 162s., conta a história de Antoine Bulleteix que já está ao pé do cadafalso, quando chega um cavaleiro trazendo o famoso pergaminho. Gritam "viva o Rei"; levam Bulleteix para a taverna, enquanto o escrivão recolhe dinheiro para ele no chapéu.

3 de agosto de 1750). O soberano está presente à execução, não só como o poder que vinga a lei, mas como o poder que é capaz de suspender tanto a lei quanto a vingança. Só ele como senhor deve decidir se lava as mãos ou as ofensas que lhe foram feitas; embora tenha conferido aos tribunais o cuidado de exercer seu poder de justiça, ele não o alienou; conserva-o integralmente para suspender a pena ou fazê-la valer.

Deve-se conceber o suplício, tal como é ritualizado ainda no século XVIII, como um agente político. Ele entra logicamente num sistema punitivo, em que o soberano, de maneira direta ou indireta, exige, resolve e manda executar os castigos, na medida em que ele, através da lei, é atingido pelo crime. Em toda infração há um *crimen majestatis*, e no menor dos criminosos um pequeno regicida em potencial. E o regicida, por sua vez, não é nem mais nem menos que o criminoso total e absoluto, pois em vez de atacar, como qualquer delinquente, uma decisão ou uma vontade particular do poder soberano ele ataca seu princípio na pessoa física do príncipe. A punição do regicida deveria ser soma de todos os suplícios possíveis. Seria a vingança infinita: as leis francesas, em todo caso, não previam pena fixa para essa espécie de monstruosidade. Foi preciso inventar a de Ravaillac combinando entre si as mais cruéis que tinham sido praticadas na França. Queriam imaginar ainda mais atrozes para Damiens. Houve projetos, mas foram considerados menos perfeitos. Retomou-se então a cena de Ravaillac. E temos que reconhecer que foram moderados, comparados com os suplícios que em 1584 o assassino de Guilherme de Orange teve que suportar, entregue a uma vingança sem fim.

> No primeiro dia, ele foi levado à praça onde encontrou uma caldeira d'água fervente, onde foi enfiado o braço com o qual desferira o golpe. No dia seguinte, o braço foi cortado, e, tendo caído a seus pés, chutou-o lá de cima do cadafalso sem pestanejar; no terceiro, foi atenazado, na frente, nos mamilos e na parte dianteira do braço; no quarto, foi igualmente atenazado nos braços por trás e nas nádegas; e assim consecutivamente, esse homem foi martirizado pelo espaço de dezoito dias. [No último, foi posto na roda e atado. Ao fim de seis horas ainda pedia água, que não lhe deram.] Finalmente pediram ao magistrado que autorizasse liquidá-lo por estrangulamento para que sua alma não desesperasse e se perdesse[40].

*

40. BRANTÔME. *Mémoires. La vie des hommes illustres.* ed. de 1722, t. II, p. 191s.

Não há dúvida de que a existência dos suplícios se ligava a alguma coisa bem diferente dessa organização interna. Rusche e Kirchheimer têm razão de ver aí o efeito de um regime e produção em que as forças de trabalho, e portanto o corpo humano, não têm a utilidade nem o valor de mercado que lhes serão conferidos numa sociedade de tipo industrial. É certo também que o "desprezo" pelo corpo se refere a uma atitude geral em relação à morte; e nessa atitude, poder-se-ia ler tanto os valores próprios ao cristianismo quanto uma situação demográfica e de certo modo biológica: as devastações da doença e da fome, os morticínios periódicos das epidemias, a enorme mortalidade infantil, a precariedade dos equilíbrios bioeconômicos – tudo isso tornava a morte familiar e provocava em torno dela rituais para integrá-la, torná-la aceitável e dar sentido à sua agressão permanente. Seria necessário também, para analisar esse longo período de legalidade dos suplícios, referir-se a fatos de conjuntura; não devemos esquecer que a ordenação de 1670, que regulou a justiça criminal até às vésperas da Revolução, agravara ainda em certos pontos o rigor dos antigos éditos: Pussort, que, entre os comissários encarregados de preparar os textos, representava as intenções do rei, a impusera dessa maneira, apesar de certos magistrados como Lamoignon: a multiplicidade das sublevações ainda no meio da era clássica, a ameaça de iminentes guerras civis, a vontade do rei de fazer valer seu poder em prejuízo dos parlamentos explicam em grande parte a persistência de um regime penal "duro".

Para explicar o emprego do suplício como penalidade não faltam razões gerais e de algum modo externas, que esclarecem a possibilidade e a longa persistência das penas físicas, a fraqueza e o caráter bastante isolado dos protestos feitos. Mas, sobre esse fundo, é preciso fazer aparecer sua função precisa. O suplício se inseriu tão fortemente na prática judicial, porque é revelador da verdade e agente do poder. Ele promove a articulação do escrito com o oral, do secreto com o público, do processo de inquérito com a operação de confissão; permite que o crime seja reproduzido e voltado contra o corpo visível do criminoso; faz com que o crime, no mesmo horror, se manifeste e se anule. Faz também do corpo do condenado o local de aplicação da vindita soberana, o ponto sobre o qual se manifesta o poder, a ocasião de afirmar a dissimetria das forças. Veremos mais adiante que a relação verdade-poder é essencial a todos os mecanismos de punição, e se encontra nas práticas contemporâneas da penalidade – mas com uma forma totalmente diversa e com efeitos muito diferentes. O iluminismo logo há de desqualificar os suplícios reprovando-lhes a "atrocidade". Termo pelo qual os suplícios eram muitas vezes caracterizados sem intenção crítica pelos próprios juristas. Talvez a noção de "atrocidade" seja uma das que melhor designam a economia do suplício na antiga prática penal. A atrocidade é em primeiro lugar um caráter próprio a certos grandes crimes: ela se refere ao número de leis naturais e positivas, divinas ou humanas, que eles violam, à ostentação escandalosa ou, ao contrário, à esperteza secreta com que foram cometidos, ao nível social e ao *status* dos que são seus autores e vítimas, à desordem que implicam ou ocasionam, ao horror que suscitam. Mas, na medida em que a punição põe em cena, aos olhos de todos, o crime em toda a sua severidade, deve assumir essa atrocidade: deve trazê-la à luz por meio de confissões, discursos, inscrições que a tornem pública; deve reproduzi-la em cerimônias que a apliquem ao corpo do culpado sob forma de humilhação e de sofrimento. A atrocidade é essa parte do crime que o castigo torna em suplício para fazer brilhar em plena luz: figura inerente ao mecanismo que produz, no próprio coração da punição, a verdade visível do crime. O suplício faz parte do procedimento que estabelece a realidade do que é punido. Mas não é só: a atrocidade de um crime é também a violência do desafio lançado ao soberano: é o que vai provocar da parte dele uma réplica que tem por função ir mais longe que essa atrocidade, dominá-la, vencê-la por um excesso que a anula. A atrocidade que paira sobre o suplício desempenha portanto um duplo papel: sendo princípio da comunicação do crime com a pena, ela é por outro lado a exasperação do castigo em relação ao crime. Realiza ao mesmo tempo a ostentação da verdade e do poder; é o ritual do inquérito que termina e da cerimônia onde triunfa o soberano. E ela os une no corpo supliciado. A prática punitiva do século XIX procurará pôr o máximo de distância possível entre a pesquisa "serena" da verdade e a violência que não se pode eliminar inteiramente da punição. Será feito o possível para marcar a heterogeneidade que separa o crime que deve ser sancionado e o castigo imposto pelo poder público. Entre a verdade e a punição só deverá haver agora uma relação de consequência legítima. Que o poder que sanciona não se macule mais por um crime maior que o que ele quis castigar. Que fique inocente da pena que inflige. "Tratemos de proscrever tais suplícios. Eram dignos só dos monstros coroados que governaram os romanos"[41]. Mas de acordo com a prática penal da época anterior, a proximidade do crime e do soberano no crime, a mistura que se fazia entre a "demonstração" e o castigo, não provinham de uma confusão bárbara: o que então se realizava era o mecanismo da atrocidade e suas ligações necessárias. A atrocidade da expiação organizava a redução ritual da infâmia pelo todo-poderoso.

Que o erro e a punição se intercomuniquem e se liguem sob a forma de atrocidade não era a consequência de uma lei de talião obscuramente admi-

---

41. C.E. de Pastoret, a respeito da pena dos regicidas, *Des lois pénales*. Vol. II, 1790, p. 61.

tida. Era o efeito, nos ritos punitivos, de uma certa mecânica do poder: de um poder que não só não se furta a se exercer diretamente sobre os corpos, mas se exalta e se reforça por suas manifestações físicas; de um poder que se afirma como poder armado, e cujas funções de ordem não são inteiramente desligadas das funções de guerra; de um poder que faz valer as regras e as obrigações como laços pessoais cuja ruptura constitui uma ofensa e exige vingança; de um poder para o qual a desobediência é um ato de hostilidade, um começo de sublevação, que não é em seu princípio muito diferente da guerra civil; de um poder que não precisa demonstrar por que aplica suas leis, mas quem são seus inimigos, e que forças descontroladas os ameaçam; de um poder que, na falta de uma vigilância ininterrupta, procura a renovação de seu efeito no brilho de suas manifestações singulares; de um poder que se retempera ostentando ritualmente sua realidade de superpoder.

*

Ora, entre todas as razões pelas quais os castigos que reivindicarão a honra de ser "humanos" substituirão as penas que não tinham vergonha de ser "atrozes", há uma que devemos analisar imediatamente, pois é inerente ao próprio suplício: ao mesmo tempo elemento de seu funcionamento e princípio de sua perpétua desordem.

Nas cerimônias do suplício, o personagem principal é o povo, cuja presença real e imediata é requerida para sua realização. Um suplício que tivesse sido conhecido, mas cujo desenrolar houvesse sido secreto, não teria sentido. Procurava-se dar o exemplo não só suscitando a consciência de que a menor infração corria sério risco de punição; mas provocando um efeito de terror pelo espetáculo do poder tripudiando sobre o culpado:

> Em matéria criminal, o ponto mais difícil é a imposição da pena: é o objetivo e o fim do processo, e o único fruto, pelo exemplo e pelo terror, quando é bem-aplicada ao culpado[42].

Mas nessa cena de terror o papel do povo é ambíguo. Ele é chamado como espectador: é convocado para assistir às exposições, às confissões públicas; os pelourinhos, as forcas e os cadafalsos são erguidos nas praças públicas ou à beira dos caminhos; os cadáveres dos supliciados muitas vezes são colocados bem em evidência perto do local de seus crimes. As pessoas não só têm que saber, mas também ver com seus próprios olhos. Porque é necessário que tenham

---

42. BRUNEAU, A. *Observations et maximes sur les affaires criminelles*. 1715. Prefácio não paginado da primeira parte.

medo; mas também porque devem ser testemunhas e garantias da punição, e porque até certo ponto devem tomar parte nela. Ser testemunhas é um direito que eles têm e reivindicam; um suplício escondido é um suplício de privilegiado, e muitas vezes suspeita-se que não se realize em toda a sua severidade. Todos protestam quando no último instante se retira a vítima aos olhares dos espectadores. O caixa-geral do correio, exposto porque matara a mulher, é em seguida subtraído à multidão;

> fazem-no subir numa carruagem de praça; se não estivesse bem-escoltado, teria sido difícil defendê-lo dos maus-tratos da população que queria justiçá-lo[43].

Quando a mulher Lescombat é enforcada, tiveram a cautela de lhe esconder o rosto com uma "espécie de coifa"; ela leva um "lenço sobre o colo e a cabeça, o que faz o público murmurar muito e dizer que não era a Lescombat"[44]. O povo reivindica seu direito de constatar o suplício e quem é supliciado[45]. Tem direito também de tomar parte. O condenado, depois de ter andado muito tempo, exposto, humilhado, várias vezes lembrado do horror de seu crime, é oferecido aos insultos, às vezes aos ataques dos espectadores. Na vingança do soberano, a do povo era chamada a se insinuar. Não que esta seja o fundamento daquela e que o rei deva à sua maneira traduzir a vindita do povo; é antes o povo que deve trazer sua participação ao rei quando este vai se "vingar de seus inimigos", até e principalmente quando esses inimigos estão no meio do povo. Há um tal qual "serviço de cadafalso" que o povo deve à vingança do rei. "Serviço" que fora previsto pelas velhas ordenações; o edito de 1347 sobre os blasfemadores previa que seriam expostos no pelourinho

> desde a primeira hora da manhã até à da morte. E se poderá lhes jogar nos olhos lama e outras sujeiras, sem pedra ou outra coisa que fira [...]. Na segunda vez, em caso de reincidência, queremos que seja posto no pelourinho em dia de mercado solene, e que o lábio superior seja fendido e que apareçam os dentes.

Sem dúvida, na época clássica, essa forma de participação ao suplício já não é mais que uma tolerância, que se procura limitar: por causa das barbaridades que provoca e da usurpação que faz do poder de punir. Mas ela perten-

---

43. HARDY, S.P. *Mes loisirs*. Vol. I, impresso, p. 328.

44. GUEULETTE, S.P. apud ANCHEL, R. *Crimes et châtiments au XVIIIe siècle*, p. 70s.

45. Na primeira vez em que a guilhotina foi utilizada, a *Chronique de Paris* conta que o povo se queixava porque não via nada e cantava: "Queremos nossas forcas de volta" (LAURENCE, V.J. *A History of Capital Punishment*. 1432, p. 71s.).

cia muito intimamente à economia geral dos suplícios e não podia por isso ser totalmente reprimida. Ainda se veem no século XVIII cenas como a do suplício de Montigny; enquanto o carrasco executava o condenado, as peixeiras de La Halle andavam com um boneco ao qual decepavam a cabeça[46]. E várias vezes foi preciso "proteger" da multidão os criminosos que eram obrigados a desfilar lentamente no meio dela – ao mesmo tempo para escarmento e alvo, ameaça eventual e presa prometida e ao mesmo tempo proibida. O soberano, ao chamar a multidão para a manifestação de seu poder, tolerava um instante as violências que ele permitia como sinal de fidelidade, mas às quais opunha imediatamente os limites de seus próprios privilégios.

Ora, é nesse ponto que o povo, atraído a um espetáculo feito para aterrorizá-lo, pode precipitar sua recusa do poder punitivo, e às vezes sua revolta. Impedir uma execução que se considera injusta, arrancar um condenado às mãos do carrasco, obter à força seu perdão, eventualmente perseguir e assaltar os executores, de qualquer maneira maldizer os juízes e fazer tumulto contra a sentença, isso tudo faz parte das práticas populares que contrariam, perturbam e desorganizam muitas vezes o ritual dos suplícios. Claro, isto sucede com frequência, quando as condenações sancionam revoltas; foi o que sucedeu aos sequestros de crianças quando a multidão queria impedir a execução de três supostos amotinados, condenados à forca no cemitério Saint-Jean "porque há menos saídas e desfiladeiros para guardar[47]; o carrasco amedrontado soltou um dos condenados; os arqueiros atiraram. Foi o caso depois da sublevação dos trigos em 1775; ou ainda em 1786, quando os trabalhadores diaristas, depois de ter marchado sobre Versalhes, começaram a libertar os seus que tinham sido presos. Mas fora desses casos, em que o processo de agitação é provocado anteriormente e por razões que não se referem a uma medida de

---

46. GUEULETTE, T.S. apud ANCHEL, R. p. 63. A cena se passa em 1737.

47. ARGENSON, Marquês de. *Journal et mémoires*. Vol. VI, p. 241. Cf. o *Journal* de Barbier, t. IV, p. 455. Um dos primeiros episódios desse caso é aliás muito característico da agitação popular no século XVIII em torno da justiça penal. O tenente-geral de polícia, Berryer, mandara recolher "as crianças libertinas e vadias"; os policiais só consentem em devolvê-las aos pais "à força de dinheiro"; murmura-se que é para servir aos prazeres do rei. A multidão, que apanhou um denunciante, o massacra "com uma desumanidade até o último excesso", e o "arrasta depois de morto, com a corda no pescoço, até a porta do senhor Berryer". Ora, esse denunciante era um ladrão que deveria ter sido posto na roda com seu companheiro Baffiat, se não tivesse aceito o papel de denunciante da polícia; o conhecimento que tinha dos fios de todas as intrigas tornavam-no apreciado pela polícia; e ele era "muito estimado" em sua nova profissão. Temos aí um exemplo muito carregado: um movimento de revolta, provocado por um meio de repressão relativamente novo, e que não é a justiça penal, mas a polícia; um caso dessa colaboração técnica entre delinquentes e policiais, que se torna sistemática a partir do século XVIII, um motim em que o povo se encarrega de supliciar um condenado que escapou indevidamente ao cadafalso.

justiça penal, encontramos muitos exemplos em que a agitação é provocada diretamente por um veredicto e uma execução. Pequenas, mas inúmeras "emoções de cadafalso".

Em suas formas mais elementares, essas agitações começam com os encorajamentos, as aclamações às vezes, que acompanham o condenado até a execução. Durante toda a sua longa caminhada, ele é sustentado pela "compaixão dos que têm coração sensível, e os aplausos, a admiração, a inveja dos que são cruéis e duros"[48]. Se a multidão se comprime em torno do cadafalso, não é simplesmente para assistir ao sofrimento do condenado ou excitar a raiva do carrasco: é também para ouvir aquele que não tem mais nada a perder maldizer os juízes, as leis, o poder, a religião. O suplício permite ao condenado essas saturnais de um instante, em que nada mais é proibido nem punível. Ao abrigo da morte que vai chegar, o criminoso pode dizer tudo, e os assistentes aclamá-lo.

> Se houvesse anais para registrar escrupulosamente as últimas palavras dos supliciados, e se tivesse a coragem de percorrê-los, se se perguntasse a essa vil população reunida por uma curiosidade cruel em torno dos cadafalsos, ela responderia que não há culpado amarrado à roda que não morra acusando o céu da miséria que o levou ao crime, reprovando a barbárie de seus juízes, maldizendo o ministério dos altares que os acompanha e blasfemando contra Deus de que ele é o instrumento[49].

Há nessas execuções, que só deveriam mostrar o poder aterrorizante do príncipe, todo um aspecto de carnaval em que os papéis são invertidos, os poderes ridicularizados e os criminosos transformados em heróis. A infâmia se transforma no contrário; a coragem deles, seus gritos e lamentos só podem preocupar a lei. Fielding observa com pesar:

> Quando se vê tremer um condenado, não se pensa na vergonha. E menos ainda se ele é arrogante[50].

Para o povo que aí está e olha, sempre existe, mesmo na mais extremada vingança do soberano, pretexto para uma revanche.

Ainda mais se a condenação é considerada injusta. E se vê levar à morte um homem do povo, por um crime que teria custado, a alguém mais bem-nas-

---

48. FIELDING, H. An Inquiry. In: *The Causes of the Late Increase of Robbers*. 1751, p. 61.

49. BOUCHER D'ARGIS, A. *Observations sur les lois criminelles*. 1781, p. 128s. Boucher d'Argis era conselheiro no Châtelet.

50. FIELDING, H. op. cit., p. 41.

cido ou mais rico, uma pena relativamente leve. Parece que certas práticas da justiça penal não eram mais suportadas no século XVIII – e talvez desde há muito tempo – pelas camadas profundas da população. O que facilmente dava lugar pelo menos a começos de agitação. Já que os mais pobres – observa um magistrado – não têm possibilidade de serem ouvidos na justiça[51], eles podem intervir fisicamente, onde quer que ela se manifeste publicamente, onde quer que eles sejam chamados como testemunhas e quase coadjutores dessa justiça, entrando violentamente no mecanismo punitivo e redistribuindo os efeitos dele; repetindo em outro sentido a violência dos rituais punitivos. Agitação contra a diferença das penas segundo as classes sociais: em 1781, o cura de Champré foi morto pelo senhor do local, que muitos querem fazer passar por louco;

> os camponeses furiosos, porque eram extremamente ligados ao seu pastor, pareceram primeiro dispostos a ir aos últimos excessos contra seu senhor, cujo castelo ameaçaram incendiar [...]. Todo mundo reclamava com razão contra a indulgência do ministério que retirava à justiça os meios de punir um crime tão abominável[52].

Agitação também contra as penas excessivamente pesadas para os delitos frequentes e considerados pouco graves (latrocínio com arrombamento); ou contra castigos que punem certas infrações ligadas a condições sociais, como o furto doméstico; a pena de morte para esse crime provocava muito descontentamento, porque os criados eram numerosos, e era difícil para eles, nesse assunto, provar sua inocência, podiam ser facilmente vítimas da maldade dos patrões e a indulgência de certos senhores que fechavam os olhos tornava mais iníqua a sorte dos servidores acusados, condenados e enforcados. A execução desses criados muitas vezes dava lugar a protestos[53]. Houve uma pequena revolta em Paris em 1761 por causa de uma criada que roubara um pedaço de tecido do patrão. Apesar da restituição, apesar das súplicas, este não quis retirar a queixa: no dia da execução, o pessoal do bairro impede o enforcamento, invade a loja do comerciante, e a saqueia; a empregada é finalmente perdoada; mas uma mulher, que quase picotara a agulhadas o mau patrão, é banida por três anos[54].

---

51. DUPATY, C. *Mémoire pour trois hommes condamnés à la roue*. 1786, p. 247.

52. HARDY, S.P. *Mes loisirs*. 14/01/1781, t. IV, p. 394.

53. Sobre o descontentamento provocado por esse tipo de condenação, cf. HARDY. *Mes loisirs*. T. I, p. 319; t. III, p. 227s.; t. IV, p. 180.

54. Transmitido por ANCHEL, R. *Crimes et châtiments, au XVIII⁶ siècles*. 1937, p. 226.

No século XVIII se recordam os grandes casos judiciais em que a opinião das pessoas esclarecidas intervém junto com a dos filósofos e certos magistrados: Calas, Sirven, o cavaleiro de La Barre. Mas se fala menos de todas essas agitações populares em torno da prática punitiva. Raramente com efeito elas ultrapassaram o âmbito de uma cidade, às vezes de um bairro. Tiveram entretanto real importância. Porque esses movimentos, partindo de baixo, se propagaram, chamaram a atenção de gente mais bem-colocada, que, ao chamar a atenção para eles, lhes deram uma nova dimensão (assim, nos anos que precederam a Revolução, os casos de Catherine Espinas, falsamente acusada de parricídio em 1785; os três condenados à roda de Chaumont para quem Dupaty, em 1786, escrevera sua famosa memória, ou daquela Marie Françoise Salmon, que o parlamento de Rouen em 1782 condenara à fogueira, como envenenadora, mas que em 1786 continuava sem ser executada). E também porque essas agitações conservaram em torno da justiça penal e de suas manifestações, que deveriam ter sido exemplares, uma inquietação permanente. Quantas vezes, para manter a calma em volta dos cadafalsos, foi necessário tomar providências "penosas para o povo" e precauções "humilhantes para a autoridade"?[55] Via-se bem que o grande espetáculo das penas corria o risco de retornar através dos mesmos a quem se dirigia. O pavor dos suplícios na realidade acendia focos de ilegalismo: nos dias de execução, o trabalho era interrompido, as tabernas ficavam cheias, lançavam-se injúrias ou pedras ao carrasco, aos policiais e aos soldados; procurava-se apossar do condenado, para salvá-lo ou para melhor matá-lo; brigava-se, e os ladrões não tinham ocasião melhor que o aperto e a curiosidade em torno do cadafalso[56]. Mas principalmente – e aí é que esses inconvenientes se tornavam um perigo político – em nenhuma outra ocasião do que nesses rituais, organizados para mostrar o crime abominável e o poder invencível, o povo se sentia mais próximo dos que sofriam a pena; em nenhuma outra ocasião ele se sentia mais ameaçado, como eles, por uma violência legal sem proporção nem medida. A solidariedade de toda uma camada da população com os que chamaríamos pequenos delinquentes – vagabundos, falsos mendigos, maus pobres, batedores de carteira, receptadores, passadores – se manifestou com muita continuidade; atestam esse fato a resistência ao policiamento, a caça aos denunciantes, os ataques

---

55. ARGENSON, Marquês de. *Journal et Mémoires*. T. VI, p. 241.

56. Hardy relata numerosos casos desses: assim como o roubo considerável cometido na própria casa onde o tenente encarregado do setor criminal estava instalado para assistir a uma execução. *Mes loisirs*. T. IV, p. 56.

contra as sentinelas ou os inspetores[57]. E era a ruptura dessa solidariedade que visava sempre mais a repressão penal e policial. Muito mais do que o poder soberano podia essa solidariedade sair reforçada da cerimônia dos suplícios, dessa festa incerta onde a violência era instantaneamente reversível. E os reformadores do século XVIII e XIX não esquecerão que as execuções, no fim das contas, simplesmente não assustavam o povo. Um de seus primeiros apelos foi exigir a suspensão delas.

Para definir o problema político trazido pela intervenção popular na ação do suplício, basta citar duas cenas. Uma data do fim do século XVII: situa-se em Avignon. Aí encontramos os principais elementos do teatro do tormento: confrontação física do carrasco e do condenado, a inversão da justa: o executor perseguido pelo povo, o condenado salvo pelos revoltosos e a violenta reviravolta da maquinaria penal. Ia ser enforcado um assassino chamado Pierre du Fort: várias vezes ele "prendeu os pés nos degraus" e não pôde ficar suspenso no vazio.

> Vendo isso o carrasco lhe cobriu o rosto com seu gibão e lhe batia por baixo do joelho, sobre o estômago e a barriga. Vendo o povo que ele o fazia sofrer demais e pensando mesmo que o degolava com uma baioneta – tomado de compaixão pelo paciente e de fúria contra o carrasco, jogou pedras contra ele; enquanto isto, o carrasco abriu as duas escadas e jogou a vítima para baixo, saltando-lhe sobre os ombros e pisando-a enquanto a mulher do dito carrasco o puxava pelos pés por baixo da forca. Fizeram-lhe sair sangue da boca. Mas a chuva de pedras contra ele aumentou, houve até algumas que atingiram o enforcado na testa, o que obrigou o carrasco a subir a escada, de onde desceu com tanta precipitação que caiu no meio dela, e deu com a cabeça no chão. E a multidão se lançou sobre ele. Este se levantou com uma baioneta na mão, ameaçando matar quem se aproximasse; mas, depois de cair e se levantar várias vezes, apanhou muito do povo que o emporcalhou e o afogou no riacho, arrastando-o em seguida com grande paixão e fúria até à universidade e de lá até o cemitério dos Cordeliers. Seu criado, igualmente surrado, com a cabeça e o corpo machucados, foi levado ao hospital onde morreu alguns dias depois. Entretanto, alguns forasteiros e desconhecidos subiram a escada e cortaram a corda do enforcado, enquanto outros o recebiam por baixo depois de ter ficado pendurado o tempo maior que um grande *Miserere*. E, ao mesmo tempo, quebraram a forca, e o povo fez em pedaços a escada do carrasco [...].

---

57. RICHET, V.D. *La France moderne*. 1974, p. 118s.

As crianças atiraram a forca com grande precipitação no Ródano. (Quanto ao supliciado, foi transportado para um cemitério) para não ser apanhado pela justiça e de lá para a Igreja de Saint-Antoine. [O arcebispo lhe concedeu o perdão, mandou transportá-lo para o hospital e recomendou aos oficiais que tomassem com ele um cuidado todo especial. Enfim, acrescenta o redator da ata], mandamos fazer uma roupa nova, dois pares de meias, sapatos, vestimo-lo de novo da cabeça aos pés. Os nossos confrades lhe deram camisas, calções, luvas, e uma peruca[58].

A outra cena se situa em Paris, um século mais tarde. Foi em 1775, logo depois da revolta sobre os trigos. A tensão, muito forte no povo, faz com que se deseje uma execução "limpa". Entre o cadafalso e o público, cuidadosamente mantido à distância, uma dupla fileira de soldados vigia, de um lado a execução iminente, de outro a revolta possível. O contato está rompido: suplício público, mas onde a parte do espetáculo é neutralizada, ou melhor, reduzida à intimidação abstrata. Ao abrigo das armas, numa praça vazia, a justiça sobriamente executa. Se ela mostra a morte que dá, é de cima e de longe:

> Só às três horas da tarde tinham sido colocadas as duas forcas, de 18 pés de altura e sem dúvida para maior exemplo. Desde as duas horas, a praça de Grève e todos os arredores tinham sido guarnecidos por destacamentos das diferentes tropas, tanto a pé quanto a cavalo; os suíços e as guardas francesas continuavam suas patrulhas nas ruas adjacentes. Não foi permitida a entrada de ninguém na Grève durante a execução, e em toda a volta se via uma dupla fileira de soldados, com a baioneta no fuzil, enfileirados de costas uns para os outros, de maneira que uns olhassem o exterior e outros o interior da praça; os dois infelizes [...] gritavam ao longo do caminho que eram inocentes, e continuavam a protestar da mesma maneira subindo na escada[59].

No abandono da liturgia dos suplícios, que papel tiveram os sentimentos de humanidade para com os condenados? Houve de todo modo, de parte do poder, um medo político diante do efeito desses rituais ambíguos.

*

58. DUHAMEL, L. *Les Exécutions capitales à Avignon au XVIIIe siècle*. 1890, p. 5s. Cenas desse gênero ainda se passaram no século XIX; J. Laurence cita algumas em *A History of Capital Punishment*. 1932, p. 195-198 e p. 56.

59. HARDY, S.P. *Mes loisirs*. T. III, 11/05/1775, p. 67.

Tal equívoco aparece claramente no que se poderia chamar "discurso de cadafalso". O rito da execução previa que o próprio condenado proclamasse sua culpa reconhecendo-a publicamente de viva voz, pelo cartaz que levava, e também pelas declarações que sem dúvida era obrigado a fazer. No momento da execução parece que lhe deixavam além disso tomar a palavra, não para clamar sua inocência, mas para atestar seu crime e a justiça de sua condenação. As crônicas reportam um bom número de discursos desse gênero. Discursos reais? Sem dúvida, num certo número de casos. Discursos fictícios que em seguida se faziam circular para exemplo e exortação? Foi sem dúvida ainda o caso mais frequente. Que crédito dar ao que se conta, por exemplo, da morte de Marion Le Goff, famosa chefe de quadrilha na Bretanha em meados do século XVIII? Ela teria gritado do alto do cadafalso:

> Pai e mãe que me ouvem, guardai e ensinai bem vossos filhos; fui em minha infância mentirosa e preguiçosa; comecei roubando uma faquinha de seis réis [...] depois assaltei mascates, mercadores de gado; enfim comandei uma quadrilha de ladrões e por isso estou aqui. Dizei isso a vossos filhos e que ao menos lhes sirva de exemplo[60].

Tal discurso se parece demais, até nos termos, da moral tradicionalmente encontrada nos folhetins, nos pasquins e na literatura popular, para que não seja apócrifo. Mas a existência do gênero "últimas palavras de um condenado" é em si mesma significativa. A justiça precisava que sua vítima autenticasse de algum modo o suplício que sofria. Pedia-se ao criminoso que consagrasse ele mesmo sua própria punição proclamando o horror de seus crimes; faziam-no dizer, como Jean-Dominique Langlade, três vezes assassino:

> Escutai todos minha ação horrível, infame e lamentável, cometida na cidade de Avignon, onde minha lembrança é execrável, ao violar sem humanidade os direitos sagrados da amizade[61].

De um certo ponto de vista, o folhetim e o canto do morto são a continuação do processo; ou, antes, eles continuam o mecanismo pelo qual o suplício fazia passar a verdade secreta e escrita do processo para o corpo, para o gesto e as palavras do criminoso. A justiça precisava desses apócrifos para se fundamentar na verdade. Suas decisões eram assim cercadas de todas essas "provas" póstumas. Acontecia também que eram publicadas narrativas de crimes e de vidas infames, a título de pura propaganda, antes de qualquer processo e para forçar a mão de uma justiça que se suspeitava de ser excessiva-

---

60. CORRE, A. *Documents de criminologie rétrospective*. 1896, p. 257.
61. In: DUHAMEL, L., p. 32.

mente tolerante. A fim de desacreditar os contrabandistas, a "Compagnie des Fermes" publicava "boletins" contando os crimes deles: em 1768, contra um certo Montagne que estava à frente de um bando, ela distribui folhetins de que diz o próprio redator:

> Foram-lhe atribuídos alguns roubos cuja verdade é bastante incerta [...]; representaram Montagne como uma besta fera, uma segunda hiena que tinha que ser caçada; como as cabeças no Auvergne andavam quentes, a ideia pegou[62].

Mas o efeito e o uso dessa literatura eram equívocos. O condenado se tornava herói pela enormidade de seus crimes largamente propalados, e às vezes pela afirmação de seu arrependimento tardio. Contra a lei, contra os ricos, os poderosos, os magistrados, a polícia montada ou a patrulha, contra o fisco e seus agentes, ele aparecia como alguém que tivesse travado um combate em que todos se reconheciam facilmente. Os crimes proclamados elevavam à epopeia lutas minúsculas que as trevas acobertavam todos os dias. Se o condenado era mostrado arrependido, aceitando o veredicto, pedindo perdão a Deus e aos homens por seus crimes, era visto purificado; morria, à sua maneira, como um santo. Mas até sua irredutibilidade lhe dava grandeza: não cedendo aos suplícios, mostrava uma força que nenhum poder conseguia dobrar:

> No dia da execução, poucos acreditarão nisto: viram-me sem emoção a fazer confissão pública, sentei-me enfim sobre a cruz sem mostrar nenhum temor[63].

Herói negro ou criminoso reconciliado, defensor do verdadeiro direito ou força indomável, o criminoso dos folhetins, das novelas, dos almanaques, das bibliotecas azuis[64], representa sob a moral aparente do exemplo que não deve ser seguido toda uma memória de lutas e confrontos. Já houve condenados que, depois da morte, se tornaram uma espécie de santos, de memória venerada e túmulo respeitado[65]. Alguns passaram quase inteiramente para o lado do

---

62. Arquivos do Puy-de-Dôme. In: JUILLARD, M. *Brigandage et contrabande en haute Auvergne au XVIIIᵉ siècle*. 1937, p. 24.

63. Queixa de J.D. Langlade, executado em Avignon a 12/04/1768.

64. "Biblioteca azul" era uma coleção de livros populares de capa azul, geralmente adaptações de romances medievais de cavalaria [N.T.].

65. Foi o caso de Tanguy executado na Bretanha por volta de 1940. É verdade que antes de ser condenado ele começara uma longa penitência ordenada pelo confessor. Conflito entre a justiça civil e a penitência religiosa. Cf. sobre o assunto CORRE, A. *Documents de criminologie rétrospective*. 1895, p. 21. Corre se refere a TREVEDY. *Une promenade à la montagne de justice et à la tombe Tanguy*.

herói positivo. Para outros, a glória e a abominação não estavam dissociadas, mas coexistiam muito tempo ainda, numa figura reversível. Em toda essa literatura de crimes, que prolifera em torno de algumas grandes silhuetas[66], não se deve ver certamente nem uma "expressão popular" em estado puro, nem tampouco uma ação combinada de moralização e propaganda, vinda de cima; era um lugar em que se encontravam dois investimentos da prática penal – uma espécie de frente de luta em torno do crime, de sua punição e lembrança. Se esses relatos podem ser impressos e postos em circulação, é certamente porque se esperam deles efeitos de controle ideológico[67], fábulas verídicas da pequena história. Mas se são recebidos com tanta atenção, se fazem parte das leituras de base das classes populares, é porque elas aí encontram não só lembranças, mas pontos de apoio; o interesse de "curiosidade" é também um interesse político. De modo que esses textos podem ser lidos como discursos com duas faces nos fatos que contam, na divulgação que dão a eles e na glória que conferem a esses criminosos designados como "ilustres", e sem dúvida nas próprias palavras que empregam (seria preciso estudar o uso de categorias como as de "desgraça", "abominações", ou os qualificativos de "famoso", "lamentável", em relatos como "História da vida, grandes roubos e espertezas de Guilleri e seus companheiros e seu fim lamentável e desgraçado"[68].

É preciso sem dúvida aproximar dessa literatura as "emoções de cadafalso", onde se defrontavam através do corpo do supliciado o poder que condenava e o povo que era testemunha, participante, a vítima eventual e "eminente" daquela execução. A sequência de uma cerimônia que canalizava mal as relações de poder que pretendia ritualizar. Foi invadido por uma massa de discursos, que continuava o mesmo confronto; a proclamação póstuma dos crimes justificava a justiça, mas também glorificava o criminoso. Por isso os reformadores do sistema penal logo pediram a supressão desses folhetins[69]. Por isso houve, no meio do povo, um tão grande interesse por aquilo que desempenhava um pouco o papel da epopeia menor e cotidiana das ilegalida-

---

66. Aqueles que R. Mandrou chama os dois grandes: Cartouche e Mandrin, a quem se deve acrescentar Guilleri (*De la culture populaire aux XVIIᵉ et XVIIIᵉ siècles*. 1964, p. 112). Na Inglaterra, Jonathan Wild, Jack Sheppard, Claude Duval tinham um papel bastante semelhante.

67. A impressão e a difusão dos almanaques, folhetins etc., estava em princípio sob rígido controle.

68. Encontramos esse título tanto na Biblioteca Azul da Normandia quanto na de Troyes (cf. HELOT, R. *La Bibliothèque bleue en Normandie*. 1928).

69. Cf. por ex. LACRECELLE: "Para satisfazer essa necessidade de emoções fortes que nos atormenta, para aprofundar a impressão de um grande exemplo, deixam-se circular essas histórias horrorosas; então os poetas do povo delas se apoderam divulgando-as por toda parte. Alguma família um dia ouve cantar à sua porta o crime e o suplício de seus filhos" (*Discours sur les peines infamantes*. 1784, p. 106).

des. Por isso eles perderam importância à medida que se modificou a função política da ilegalidade popular.

E desapareceram à medida que se desenvolveu uma literatura do crime totalmente diferente: uma literatura em que o crime é glorificado, mas porque é uma das belas-artes, porque só pode ser obra de seres de exceção, porque revela a monstruosidade dos fortes e dos poderosos, porque a perversidade é ainda uma maneira de ser privilegiado: do romance negro a Quincey, ou do *Château d'Otrante* a Baudelaire, há toda uma reescrita estética do crime, que é também a apropriação da criminalidade sob formas aceitáveis. É, aparentemente, a descoberta da beleza e da grandeza do crime; na realidade é a afirmação de que a grandeza também tem direito ao crime e se torna mesmo privilégio dos que são realmente grandes. Os belos assassinatos não são para os pobres coitados de ilegalidade. Quanto à literatura policial, a partir de Gaboriau, ela dá sequência a esse primeiro deslocamento: por suas astúcias, sutilezas e extrema vivacidade de sua inteligência, o criminoso se tornou insuspeitável; e a luta entre dois puros espíritos – o de assassino e o detetive – constituirá a forma essencial do confronto. Estamos muito longe daqueles relatos que detalhavam a vida e as más ações do criminoso, que o faziam confessar ele mesmo seus crimes e que contavam com minúcias o suplício sofrido: passou-se da exposição dos fatos ou da confissão ao lento processo da descoberta; do momento do suplício à fase do inquérito; do confronto físico com o poder à luta intelectual entre o criminoso e o inquisidor. Não são simplesmente os folhetins que desaparecem ao nascer a literatura policial; é a glória do malfeitor rústico, e é a sombria heroicização pelo suplício. O homem do povo agora é simples demais para ser protagonista das verdades sutis. Nesse novo gênero, não há mais heróis populares nem grandes execuções; os criminosos são maus, mas inteligentes; e se há punição, não há sofrimento. A literatura policial transpõe para outra classe social aquele brilho de que o criminoso fora cercado. São os jornais que trarão à luz nas colunas dos crimes e ocorrências diárias a mornidão sem epopeia dos delitos e punições. Está feita a divisão: que o povo se despoje do antigo orgulho de seus crimes: os grandes assassinatos se tornaram o jogo silencioso dos sábios.

Segunda parte

PUNIÇÃO

Capítulo I

A PUNIÇÃO GENERALIZADA

> Que as penas sejam moderadas e proporcionais aos delitos, que a de morte só seja imputada contra os culpados assassinos, e sejam abolidos os suplícios que revoltem a humanidade[1].

O protesto contra os suplícios é encontrado em toda parte na segunda metade do século XVIII: entre os filósofos e teóricos do direito; entre juristas, magistrados, parlamentares; nos *chaiers de doléances*[2] e entre os legisladores das assembleias. É preciso punir de outro modo: eliminar essa confrontação física entre soberano e condenado; esse conflito frontal entre a vingança do príncipe e a cólera contida do povo, por intermédio do supliciado e do carrasco. O suplício se tornou rapidamente intolerável. Revoltante, visto da perspectiva do povo, onde ele revela a tirania, o excesso, a sede de vingança e o "cruel prazer de punir"[3]. Vergonhoso, considerado da perspectiva da vítima, reduzida ao desespero e da qual ainda se espera que bendiga "o céu e seus juízes por quem parece abandonada"[4]. Perigoso, de qualquer modo, pelo apoio que nele encontram, uma contra a outra, a violência do rei e a do povo. Como se o poder soberano não visse, nessa emulação de atrocidades, um desafio que ele mesmo lança e que poderá ser aceito um dia: acostumado a "ver correr sangue", o povo aprende rápido que "só pode se vingar com sangue"[5]. Nessas cerimônias que são objeto de tantas investidas adversas, percebem-se o choque

---

1. É assim que a chancelaria em 1789 resume a posição geral dos *cahiers de doléances* quanto aos suplícios. SELLIGMAN, V.E. *La Justice sous la Révolution*. T. 1, 1901, e DESJARDIN, A. Les *Cahiers des Etats généraux et la justice criminelle*. 1883, p. 13-20.

2. *Cahiers de doléances*, cadernos dos delegados aos Estados Gerais de 1789 em que se registravam seus pedidos [N.T.].

3. VILLENEUVE, J. Petion de. "Discurso na Constituinte". *Archives parlementaires*. T. XXVI, p. 641.

4. BOUCHER D'ARGIS, A. *Observations sur les lois criminelles*. 1781, p. 125.

5. LACHÈZE. "Discurso na Constituinte". 03/06/1791, *Archives Parlementaires*. T. XXVI.

e a desproporção entre a justiça armada e a cólera do povo ameaçado. Nessa relação Joseph de Maistre reconhecerá um dos mecanismos fundamentais do poder absoluto: o carrasco forma a engrenagem entre o príncipe e o povo; a morte que ele leva é como a dos camponeses escravizados que construíram São Petersburgo por cima dos pântanos e das pestes: ela é princípio de universalidade; da vontade singular do déspota, ela faz uma lei para todos, e de cada um desses corpos destruídos, uma pedra para o Estado; que importa que atinja inocentes! Nessa mesma violência, ritual e dependente do caso, os reformadores do século XVIII denunciaram, ao contrário, o que excede, de um lado e de outro, o exercício legítimo do poder: a tirania, segundo eles, se opõe à revolta; elas se reclamam reciprocamente. Duplo perigo. É preciso que a justiça criminal puna em vez de se vingar.

Essa necessidade de um castigo sem suplício é formulada primeiro como um grito do coração ou da natureza indignada: no pior dos assassinos, uma coisa pelo menos deve ser respeitada quando punimos: sua "humanidade". Chegará o dia, no século XIX, em que esse "homem", descoberto no criminoso, se tornará o alvo da intervenção penal, o objeto que ela pretende corrigir e transformar, o domínio de uma série de ciências e de práticas estranhas – "penitenciárias", "criminológicas". Mas, nessa época das Luzes, não é como tema de um saber positivo que o homem é posto como objeção contra a barbárie dos suplícios, mas como limite de direito, como fronteira legítima do poder de punir. Não o que ela tem de atingir se quiser modificá-lo, mas o que ela deve deixar intacto para estar em condições de respeitá-lo. *Noli me tangere.* Marca o ponto de parada imposto à vingança do soberano. O "homem" que os reformadores puseram em destaque contra o despotismo do cadafalso é também um homem-medida: não das coisas, mas do poder.

O problema, portanto, é: Como esse homem-limite serviu de objeção à prática tradicional dos castigos? De que maneira ele se tornou a grande justificação moral do movimento de reforma? Por que esse horror tão unânime pelos suplícios e tal insistência lírica por castigos que fossem "humanos"? Ou, o que dá no mesmo, como se articulam um sobre o outro, numa única estratégia, esses dois elementos sempre presentes na reivindicação de uma penalidade suavizada: "medida" e "humanidade"? São esses elementos, tão necessários e no entanto tão incertos, tão confusos e ainda tão associados na mesma relação duvidosa, que encontramos hoje, sempre que abordamos o problema de uma economia dos castigos. Tem-se a impressão de que o século XVIII abriu a crise dessa economia e propôs para resolvê-la a lei fundamental de que o castigo deve ter a "humanidade" como "medida", sem poder dar um sentido definitivo considerado, entretanto, incontornável. É preciso então contar o nascimento e a primeira história dessa enigmática "suavidade".

*

Glorificam-se os grandes "reformadores" – Beccaria, Servan, Dupaty ou Lacretelle, Duport, Pastoret, Target, Bergasse; os redatores dos *Cahiers* e os Constituintes – por terem imposto essa suavidade a um aparato judiciário e a teóricos "clássicos" que, já no fim do século XVIII, a recusavam, e com um rigor argumentado[6].

Temos, entretanto, que recolocar essa reforma num processo que os historiadores isolaram recentemente ao estudar os arquivos judiciários: o afrouxamento da penalidade no decorrer do século XVIII, ou, de maneira mais precisa, o duplo movimento pelo qual, durante esse período, os crimes parecem perder violência, enquanto as punições, reciprocamente, reduzem em parte sua intensidade, mas à custa de múltiplas intervenções. Desde o fim do século XVII, com efeito, nota-se uma diminuição considerável dos crimes de sangue e, de um modo geral, das agressões físicas; os delitos contra a propriedade parecem prevalecer sobre os crimes violentos; o roubo e a vigarice sobre os assassinatos, os ferimentos e golpes; a delinquência difusa, ocasional, mas frequente das classes mais pobres é substituída por uma delinquência limitada e "hábil"; os criminosos do século XVII são "homens prostrados, mal-alimentados, levados pelos impulsos e pela cólera, criminosos de verão"; os do XVIII, "velhacos, espertos, matreiros que calculam", criminalidade de "marginais"[7]; modifica-se enfim a organização interna da delinquência: os grandes bandos de malfeitores (assaltantes formados em pequenas unidades armadas, tropas de contrabandistas que faziam fogo contra os agentes do Fisco, soldados licenciados ou desertores que vagabundeiam juntos) tendem a se dissociar; mais bem-caçados, sem dúvida, obrigados a se fazer menores para passar despercebidos – não mais que um punhado de homens, muitas vezes – contentam-se com operações mais furtivas, com menor demonstração de forças e menores riscos de massacres.

> A liquidação física ou o deslocamento institucional de grandes quadrilhas [...] deixa, depois de 1755, o campo livre para uma delinquência antipropriedade que agora se mostra individualista ou passa a ser

---

6. Cf. particularmente a polêmica de Muyart de Vouglans contra Beccaria. *Réfutation du Traité des délits et des peines*. 1766.

7. CHAUNU, P. *Annales de Normandie*. 1962, p. 236, e 1966, p. 107s.

exercida por grupos bem pequenos, compostos de ladrões de capote ou batedores de carteira: em número não superior a quatro pessoas[8].

Um movimento global faz derivar a ilegalidade do ataque aos corpos para o desvio mais ou menos direto dos bens; e da "criminalidade de massa" para uma "criminalidade das bordas e margens", reservada por um lado aos profissionais. Tudo se passa como se tivesse havido uma baixa progressiva do nível das águas – "um desarmamento das tensões que reinam nas relações humanas... um melhor controle dos impulsos violentos"[9] – e como se as práticas ilegais tivessem afrouxado o cerco sobre o corpo e se tivessem dirigido a outros alvos. Suavização dos crimes antes da suavização das leis. Ora, essa transformação não pode ser separada de vários processos que lhe armam uma base; e em primeiro lugar, como nota P. Chaunu, de uma modificação no jogo das pressões econômicas, de uma elevação geral do nível de vida, de um forte crescimento demográfico, de uma multiplicação das riquezas e das propriedades e "da necessidade de segurança que é uma consequência disso"[10]. Além disso constata-se, no decorrer do século XVIII, que a justiça se torna de certo modo mais pesada, e seus textos, em vários pontos, agravam a severidade: na Inglaterra, dos 223 crimes capitais que se encontravam definidos no começo do século XIX, 156 haviam sido durante os últimos cem anos[11]; na França a legislação sobre a vadiagem fora renovada e agravada várias vezes desde o século XVII; um exercício mais apertado e mais meticuloso da justiça tende a levar em conta toda uma pequena delinquência que antigamente ela deixava mais facilmente escapar:

> Ela se torna no século XVIII mais lenta, mais pesada, mais severa com o roubo, cuja frequência relativa aumentou, e contra o qual toma agora ares burgueses de justiça de classe[12];

---

8. LE ROY-LADURIE, E. In: *Contrepoint*. 1973.

9. MOGENSEN, N.W. *Aspects de la société augeronne aux XVIIe et XVIIIe siècles*. 1971. Tese datilografada, p. 326. O autor mostra que, na região de Auge, os crimes de violência são quatro vezes menos numerosos nas vésperas da Revolução que no fim do reinado de Luís XIV. De uma maneira geral os trabalhos dirigidos por Pierre Chaunu sobre a criminalidade na Normandia demonstram esse aumento da fraude à custa da violência. Cf. artigos de B. Boutelet, de J. Cl. Gégot e V. Boucheron nos *Annales de Normandie* de 1962, 1966 e 1971. Para Paris, cf. PETROVITCH, P. In: *Crime er criminalité en France aux XVIIe et XVIIIe siècles*. 1971. Mesmo fenômeno, parece, na Inglaterra; cf. HIBBERT, Ch. *The roots of evil*. 1966, p. 72; e TOBIAS, J. *Crime and industrial society*. 1967, p. 37.

10. CHAUNU, P. *Annales de Normandie*. 1971, p. 56.

11. BUXTON, T.F. *Parliamentary Debate*. 1819, XXXIX.

12. LE ROY-LADURIE, E. *Contrepoint*. 1973. O estudo de A. Farge, sobre o roubo de alimentos em Paris no século XVIII *Le vol l'aliments à Paris au XVIIIe siècle*, 1974, confirma essa tendência:

o crescimento na França principalmente, mas mais ainda em Paris, de um aparelho policial que impedia o desenvolvimento de uma criminalidade organizada e a céu aberto, desloca-a para formas mais discretas. E a esse conjunto de precauções deve-se acrescentar a crença, bastante generalizada, num aumento incessante e perigoso dos crimes. Enquanto os historiadores de hoje constatam uma diminuição das grandes quadrilhas de malfeitores, Le Trosne, por sua vez, os via se abater, como nuvens de gafanhotos, sobre todo o campo francês: "São insetos vorazes que devastam diariamente a subsistência dos agricultores. São, para falar claramente, tropas inimigas espalhadas pela superfície do território que nele vivem à vontade, como num país conquistado, e retiram verdadeiras contribuições a título de esmola": custariam, para os camponeses mais pobres, mais que o imposto direto (*taille*): pelo menos um terço onde o tributo é mais alto[13]. A maior parte dos observadores sustenta que a delinquência aumenta; é claro que os partidários de maior rigor é que o afirmam; afirmam-no também os que pensam que uma justiça mais comedida em suas violências seria mais eficaz, menos disposta a recuar por si mesma diante de suas próprias consequências[14]; afirmam-no os magistrados que pretendem que o número de processos é excessivo: "a miséria do povo e a corrupção dos costumes multiplicaram os crimes e os culpados"[15]; mostra-o em todo caso a prática real dos tribunais.

> Já é mesmo a era revolucionária e imperial que é anunciada pelos últimos anos do Antigo Regime. Chamará a atenção, nos processos de 1782-1789, o aumento dos perigos. Severidade em relação aos pobres, recusa combinada de testemunho, aumento recíproco das desconfianças, dos ódios e medos[16].

Na verdade, a passagem de uma criminalidade de sangue para uma criminalidade de fraude faz parte de todo um mecanismo complexo, onde figuram o desenvolvimento da produção, o aumento das riquezas, uma valorização jurídica e moral maior das relações de propriedade, métodos de vigilância mais

---

de 1750 a 1755, 5% das sentenças baseadas nisso levam às galés, mas 15% de 1775 a 1790: "a severidade dos tribunais se acentua com o tempo... pesa uma ameaça sobre os valores úteis à sociedade que se pretende organizada e respeitadora da propriedade" (p. 130-142).

13. LE TROSNE, G. *Mémoires sur les vagabonds*. 1764, p. 4.

14. Cf. por exemplo, DUPATY, C. *Mémoire justificatif pour trois hommes condamnés à la roue*. 1786, p. 247.

15. Um dos presidentes da Câmara de la Tournelle, dirigindo-se ao rei, em 2 de agosto de 1768, apud FARGE, A. p. 66.

16. CHAUNU, P. *Anales de Normandie*. 1966, p. 108.

77

rigorosos, um policiamento mais estreito da população, técnicas mais bem-ajustadas de descoberta, de captura, de informação: o deslocamento das práticas ilegais é correlato de uma extensão e de um afinamento das práticas punitivas.

Será uma transformação geral de atitude, uma "mudança que pertence ao campo do espírito e da subconsciência?"[17] Talvez. Com maior certeza e mais imediatamente, porém, significa um esforço para ajustar os mecanismos de poder que enquadram a existência dos indivíduos: significa uma adaptação e harmonia dos instrumentos que se encarregam de vigiar o comportamento cotidiano das pessoas, sua identidade, atividade, gestos aparentemente sem importância; significa uma outra política a respeito dessa multiplicidade de corpos e forças que uma população representa. O que se vai definindo não é tanto um respeito novo pela humanidade dos condenados – os suplícios ainda são frequentes, mesmo para os crimes leves – quanto uma tendência para uma justiça mais desembaraçada e mais inteligente para uma vigilância penal mais atenta do corpo social. De acordo com um processo circular quando se eleva o limiar da passagem para os crimes violentos, também aumenta a intolerância aos delitos econômicos, os controles ficam mais rígidos, as intervenções penais se antecipam mais e se tornam mais numerosas.

Ora, se confrontamos esse processo com o discurso crítico dos reformadores, vemos uma notável coincidência estratégica. Realmente, o que eles atacam na justiça tradicional, antes de estabelecer os princípios de uma nova penalidade, é mesmo o excesso de castigo, mas um excesso que está ainda mais ligado a uma irregularidade que a um abuso do poder de punir. A 24 de março de 1790, Thouret abre na Constituinte a discussão sobre a nova organização do poder judiciário. Poder que, em sua opinião, está "desnaturado" de três maneiras na França. Por uma apropriação privada: vendem-se os ofícios do juiz; transmitem-se por herança; têm valor comercial e a justiça feita é, por isso, onerosa. Por uma confusão entre dois tipos de poder: o que presta justiça e formula uma sentença aplicando a lei e o que faz a própria lei. Enfim, pela existência de toda uma série de privilégios que tornam incerto o exercício da justiça: há tribunais, processos, partes litigantes, até delitos que são "privilegiados" e se situam fora do direito comum[18]. Isso não passa de uma das inúmeras formulações de críticas velhas de pelo menos meio século e que denunciam, todas, nessa desnaturação, o princípio de uma justiça irregular. A justiça penal é irregular em primeiro lugar pela multiplicidade das instâncias

---

17. A expressão é de MOGENSEN, N.W. Op. cit.

18. *Archives parlementaires*. T. XII, p. 344.

que estão encarregadas de realizá-la, sem nunca constituir uma pirâmide única e contínua[19]. Mesmo deixando de lado as jurisdições religiosas, é necessário considerar as descontinuidades, as sobreposições e os conflitos entre as diferentes justiças: as dos senhores que são ainda importantes para a repressão dos pequenos delitos; as do rei que são elas mesmas numerosas e malcoordenadas (as cortes soberanas estão em constante conflito com os bailados [*bailliages*] e principalmente com os tribunais presidiais [*présidiaux*] recentemente criados como instâncias intermediárias); as que, de direito ou de fato, estão a cargo de instâncias administrativas (como os intendentes) ou policiais (como os prebostes e os chefes de polícia); a que se deveria ainda acrescentar o direito que tem o rei ou seus representantes de tomar decisões de internamento ou de exílio fora de qualquer procedimento regular. Essas instâncias múltiplas, por sua própria superabundância, se neutralizam e são incapazes de cobrir o corpo social em toda a sua extensão. A confusão torna essa justiça penal paradoxalmente lacunosa. Lacunosa devido às diferenças de costumes e de procedimentos, apesar da Ordenação Geral de 1670; lacunosa pelos conflitos internos de competência; lacunosa pelos interesses particulares – políticos ou econômicos – que a cada instante é levada a defender; lacunosa enfim devido às intervenções do poder real que pode impedir o curso regular e austero da justiça, pelos perdões, comutações, evocações em conselho ou pressões diretas sobre os magistrados.

A má economia do poder e não tanto a fraqueza ou a crueldade é o que ressalta da crítica dos reformadores. Poder excessivo nas jurisdições inferiores que podem – ajudadas pela pobreza e pela ignorância dos condenados – negligenciar as apelações de direito e mandar executar sem controle sentenças arbitrárias; poder excessivo do lado de uma acusação à qual são dados quase sem limite meios de prosseguir, enquanto que o acusado está desarmado diante dela, o que leva os juízes a ser, às vezes severos demais, às vezes, por reação, indulgentes demais; poder excessivo para os juízes que podem se contentar com provas fúteis se são "legais" e que dispõem de uma liberdade bastante grande na escolha da pena; poder excessivo dado à "gente do rei", não só em relação aos acusados, mas também aos outros magistrados; poder excessivo enfim exercido pelo rei, pois ele pode suspender o curso da justiça, modificar suas decisões, cassar os magistrados, revogá-los ou exilá-los, substituí-los por juízes por comissão real. A paralisia da justiça está ligada menos a um enfraquecimento que a uma distribuição malregulada do poder, a sua concentração

---

19. Sobre esse assunto pode-se consultar, entre outros, LINGUET, S. *Nécessité d'une réforme dans l'administration de la justice*. 1764, ou BOUCHER D'ARGIS, A. *Cahier d'un magistrat*. 1789.

em um certo número de pontos e aos conflitos e descontinuidades que daí resultam.

Ora, essa disfunção do poder provém de um excesso central: o que se poderia chamar o "superpoder" monárquico que identifica o direito de punir com o poder pessoal do soberano. Identificação teórica que faz do rei a *fons justitiae*, mas cujas consequências práticas são verificáveis até no que parece se opor a ele e limitar seu absolutismo. É porque o rei, por razões de tesouraria, se arroga o direito de vender ofícios de justiça que lhe "pertencem" que ele tem diante de si magistrados, proprietários de seus cargos, não só indóceis, mas ignorantes, interesseiros, prontos ao compromisso. É porque cria constantemente novos ofícios que ele multiplica os conflitos de poder e de atribuição. É porque exerce um poder muito rigoroso sobre sua "gente" e lhes confere um poder quase discricionário que ele intensifica os conflitos na magistratura. É por ter posto a justiça em concorrência com um excesso de procedimentos de urgência (jurisdições dos prebostes ou dos chefes de polícia) ou com medidas administrativas, que ele paralisa a justiça regular, que a torna às vezes indulgente e incerta, mas às vezes precipitada e severa[20].

Não são tanto, ou não são só os privilégios da justiça, sua arbitrariedade, sua arrogância arcaica, seus direitos sem controle que são criticados; mas antes a mistura entre suas fraquezas e seus excessos, entre seus exageros e suas lacunas, e sobretudo o próprio princípio dessa mistura, o superpoder monárquico. O verdadeiro objetivo da reforma, e isso desde suas formulações mais gerais, não é tanto fundar um novo direito de punir a partir de princípios mais equitativos; mas estabelecer uma nova "economia" do poder de castigar, assegurar uma melhor distribuição dele, fazer com que não fique concentrado demais em alguns pontos privilegiados, nem partilhado demais entre instâncias que se opõem; que seja repartido em circuitos homogêneos que possam ser exercidos em toda parte, de maneira contínua e até o mais fino grão do corpo social[21]. A reforma do direito criminal deve ser lida como uma estratégia para o remanejamento do poder de punir, de acordo com modalidades que

---

20. A respeito dessa crítica sobre o "excesso de poder" e sua má distribuição no aparelho judiciário, cf. particularmente DUPATY, C. *Lettres sur la procédure criminelle*. 1788. • LACRETELLE, P.L. de. "Dissertation sur le ministère public". *Discours sur le préjugé des peines infamantes*. 1784. • TARGET, G. *L'Esprit des cahiers présentés aux Etats généraux*. 1789.

21. Cf. N. Bergasse, a respeito do poder judiciário: "É preciso que, desprovido de qualquer atividade contra o regime político do Estado, e não tendo nenhuma influência sobre as vontades que concorrem para formar esse regime ou para mantê-lo, ele disponha, para proteger todos os indivíduos e todos os direitos, de tal força que, todo-poderosa para defender e socorrer, ela se torne absolutamente nula, logo que, mudando seu objetivo, se tenderá utilizá-la para oprimir" (*Rapport à la Constituante sur le pouvoir judiciaire*. 1789, p. 11s.).

o tornam mais regular, mais eficaz, mais constante e mais bem detalhado em seus efeitos; enfim, que aumentem os efeitos diminuindo o custo econômico (ou seja, dissociando-o do sistema da propriedade, das compras e vendas, da venalidade tanto dos ofícios quanto das próprias decisões) e seu custo político (dissociando-o do arbitrário do poder monárquico). A nova teoria jurídica da penalidade engloba na realidade uma nova "economia política" do poder de punir. Compreende-se então por que essa "reforma" não teve um ponto de origem único. Não foram os mais esclarecidos dos expostos à ação da justiça, nem os filósofos inimigos do despotismo e amigos da humanidade, não foram nem os grupos sociais opostos aos parlamentares que suscitaram a reforma. Ou, antes, não foram só eles; no mesmo projeto global de uma nova distribuição do poder de punir e de uma nova repartição de seus efeitos, vêm encontrar seu lugar muitos interesses diferentes. A reforma não foi preparada fora do aparato judiciário e contra todos os seus representantes; foi preparada, e no essencial, de dentro, por um grande número de magistrados e a partir de objetivos que lhes eram comuns e dos conflitos de poder que os opunham uns aos outros. Os reformadores não eram a maioria, entre os magistrados, naturalmente, mas foram legistas que idealizaram os princípios gerais da reforma: um poder de julgar sobre o qual não pesasse o exercício imediato da soberania do príncipe; que fosse independente da pretensão de legislar; que não tivesse ligação com as relações de propriedade; e que, tendo apenas as funções de julgar, exerceria plenamente esse poder. Em uma palavra, fazer com que o poder de julgar não dependesse mais de privilégios múltiplos, descontínuos, contraditórios da soberania às vezes, mas de efeitos continuamente distribuídos do poder público. Esse princípio geral define uma estratégia de conjunto que deu ensejo a muitos combates diferentes. Os de filósofos como Voltaire e de publicistas como Brissot ou Marat; mas também os de magistrados cujos interesses eram, entretanto, bem diversos: Le Trosne, conselheiro no tribunal presidial de Orléans, e Lacretelle, advogado geral no parlamento; Target que, com os parlamentos, se opõe à reforma de Maupeou; mas também J.N. Moreau, que sustenta o poder real contra os parlamentares; Servan e Dupaty, magistrados um como o outro, mas em conflito com os colegas etc.

Durante todo o século XVIII, dentro e fora do sistema judiciário, na prática penal cotidiana como na crítica das instituições, vemos se formar uma nova estratégia para o exercício do poder de castigar. E a "reforma" propriamente dita, tal como ela se formula nas teorias de direito ou que se esquematiza nos projetos, é a retomada política ou filosófica dessa estratégia, com seus objetivos primeiros: fazer da punição e da repressão das ilegalidades uma função regular, coextensiva à sociedade; não punir menos, mas punir melhor; punir talvez com uma severidade atenuada, mas para punir com mais universalidade e necessidade; inserir mais profundamente no corpo social o poder de punir.

*

A conjuntura que viu nascer a reforma não é portanto a de uma nova sensibilidade, mas a de outra política em relação às ilegalidades.

Podemos dizer esquematicamente que, no Antigo Regime, os diferentes estratos sociais tinham cada um sua margem de ilegalidade tolerada: a não aplicação da regra, a inobservância de inúmeros éditos ou ordenações eram condição do funcionamento político e econômico da sociedade. Traço que não é particular ao Antigo Regime? Sem dúvida. Mas essa ilegalidade era tão profundamente enraizada e tão necessária à vida de cada camada social, que tinha de certo modo sua coerência e economia próprias. Ora se revestia de uma forma absolutamente estatutária – que fazia dela não tanto uma ilegalidade quanto uma isenção regular: eram os privilégios concedidos aos indivíduos e às comunidades. Ora tinha a forma de uma inobservância maciça e geral que fazia com que durante dezenas de anos, séculos às vezes, ordenações podiam ser publicadas e renovadas constantemente sem nunca chegar à aplicação. Ora se tratava de desuso progressivo que dava lugar às vezes a súbitas reativações. Ora de um consentimento mudo do poder, de uma negligência ou simplesmente da impossibilidade efetiva de impor a lei e reprimir os infratores. As camadas mais desfavorecidas da população não tinham privilégios, em princípio, mas gozavam, no que lhes impunham as leis e os costumes, de margens de tolerância, conquistadas pela força ou pela obstinação; e essas margens eram para elas condição tão indispensável de existência que muitas vezes estavam prontas a se sublevar para defendê-las; as tentativas periodicamente feitas para reduzi-las, alegando velhas regras ou subutilizando os processos de repressão, provocavam sempre agitações populares, do mesmo modo que as tentativas para reduzir certos privilégios agitavam a nobreza, o clero e a burguesia.

Ora, essa ilegalidade necessária e de que cada camada social exercia formas específicas estava envolvida numa série de paradoxos. Em suas regiões inferiores, encontrava-se com a criminalidade, de que era difícil distingui-la juridicamente, senão moralmente: da ilegalidade fiscal à ilegalidade aduaneira, ao contrabando, ao saque, à luta armada contra os agentes do fisco, depois contra os próprios soldados, à revolta enfim, havia uma continuidade, onde as fronteiras eram difíceis de marcar; ou ainda a vadiagem (severamente punida nos termos de ordenações quase nunca aplicadas) com tudo o que comportava de rapinas, de roubos qualificados, de assassinatos às vezes, servia como meio favorável para os desempregados, os operários que haviam deixado irregular-

82

mente os patrões, os criados que tinham alguma razão para fugir do emprego, os aprendizes maltratados, os soldados desertores, todos os que queriam escapar ao alistamento forçado. De modo que a criminalidade se fundamentava numa ilegalidade mais vasta, à qual as camadas populares estavam ligadas como a condições de existência; e inversamente, essa ilegalidade era um fator perpétuo de aumento da criminalidade. Daí uma ambiguidade nas atitudes populares: por um lado o criminoso – principalmente quando se tratava de um contrabandista ou de um camponês perseguido pelas extorsões de um senhor – gozava de uma valorização espontânea: reencontrava-se, em suas violências, o fio de velhas lutas; mas por outro lado aquele que, ao abrigo de uma ilegalidade aceita pela população, cometia crimes à custa desta, o mendigo vagabundo, por exemplo, que roubava e assassinava, tornava-se facilmente objeto de um ódio particular: ele voltara contra os mais desfavorecidos uma ilegalidade que estava integrada em suas condições de existência. Assim se associavam aos crimes a glorificação e o anátema; a ajuda efetiva e o medo se alternavam em relação a essa população movediça, da qual todos se sentiam tão próximos e temerosos de que dela podia nascer o crime. A ilegalidade popular envolvia o núcleo da criminalidade que era ao mesmo tempo sua forma extrema e o perigo interno.

Ora, entre essa ilegalidade de baixo e as das outras castas sociais, não havia exatamente convergência, nem oposição fundamental. De maneira geral as diversas ilegalidades próprias a cada grupo tinham umas com as outras relações que eram ao mesmo tempo de rivalidade, de concorrência, de conflitos de interesse, e de apoio recíproco, de cumplicidade: a recusa por parte dos camponeses em pagar certos foros estatais ou eclesiásticos não era obrigatoriamente malvista pelos proprietários de terras: a não aplicação pelos artesãos dos regulamentos de fábrica era muitas vezes encorajada pelos novos empresários; o contrabando – prova-o a história de Mandrin, recebido por toda a população, acolhido nos castelos e protegido pelos parlamentares – tinha amplo apoio. Enfim, no século XVII as diferentes rejeições do fisco fizeram as camadas da população entre si afastadas se coligarem em graves revoltas. Em suma, o jogo recíproco das ilegalidades fazia parte da vida política e econômica da sociedade. Mais ainda: na brecha diariamente alargada pela ilegalidade popular ocorrera um certo número de transformações (por exemplo, o desuso dos regulamentos de Colbert, as inobservâncias das barreiras alfandegárias no reino, o deslocamento das práticas corporativas); ora, dessas transformações a burguesia tivera necessidade; e sobre elas fundamentara uma parte do crescimento econômico. A tolerância se tornava então estímulo.

Mas na segunda metade do século XVIII o processo tende a se inverter. Primeiro com o aumento geral da riqueza, mas também com o grande crescimento demográfico, o alvo principal da ilegalidade popular tende a ser não mais em primeira linha os direitos, mas os bens: a pilhagem, o roubo, tendem a substituir o contrabando e a luta armada contra os agentes do fisco. E nessa medida os camponeses, os colonos, os artesãos são muitas vezes a vítima principal. Le Trosne sem dúvida exagerava apenas uma tendência real quando descrevia os camponeses que sofriam com as extorsões dos vagabundos, mais ainda que antigamente com as exigências dos feudais: os ladrões agora se teriam abatido sobre eles como uma nuvem de insetos nocivos, devorando as colheitas, arrasando os celeiros[22]. Podemos dizer que se abriu progressivamente no século XVIII uma crise da ilegalidade popular; e nem os movimentos do início da Revolução (em torno da recusa dos direitos senhoriais), nem aqueles mais tardios aos quais acresciam a luta contra os direitos dos proprietários, o protesto político e religioso, a recusa do recrutamento na realidade não o restabeleceram em sua forma antiga e acolhedora. Além do mais, se uma boa parte da burguesia aceitou, sem muitos problemas, a ilegalidade dos direitos, ela a suportava mal quando se tratava do que considerava seus direitos de propriedade. Nada mais característico a esse respeito que o problema da delinquência no campo no fim do século XVIII e principalmente a partir da Revolução[23]. A passagem a uma agricultura intensiva exerce sobre os direitos de uso, sobre as tolerâncias, sobre as pequenas ilegalidades aceitas, uma pressão cada vez mais cerrada. Além do mais, adquirida em parte pela burguesia, despojada dos encargos feudais que sobre ela pesavam, a propriedade da terra se tornou uma propriedade absoluta: todas as tolerâncias que o campesinato adquirira ou conservara (abandono de antigas obrigações ou consolidação de práticas irregulares: direito de pasto livre[24], de recolher lenha etc.) são agora perseguidas pelos novos proprietários que lhes dão a posição de infração pura e simples (provocando dessa forma, na população, uma série de reações em cadeia, cada vez mais ilegais, ou, se quisermos, cada vez mais criminosas: quebra de cercas, roubo ou massacre de gado, incêndios, violências, assassinatos[25]. A ilegalidade dos direitos, que muitas vezes assegurava a sobrevivência dos

---

22. LETROSNE, G. *Mémoire sur les vagabonds*. 1764, p. 4.

23. BERCÉ, Y.-M. *Croquants et nupieds*. 1974, p. 161.

24. *Droit de vaine pâture*: direito de levar o gado a pastar nos pastos naturais e não cercados dos outros, depois da primeira colheita do feno [N.T.].

25. FESTY, V.O. *Les délits ruraux et leur répression sous la Révolution et le Consulat*. 1956. • AGULHON, M. *La vie sociale en Provence* (1970).

mais despojados, tende, com o novo estatuto da propriedade, a se tornar uma ilegalidade de bens. Será então necessário puni-la.

E essa ilegalidade, se é malsuportada pela burguesia na propriedade imobiliária, é intolerável na propriedade comercial e industrial: o desenvolvimento dos portos, o aparecimento de grandes armazéns onde se acumulam mercadorias, a organização de oficinas de grandes dimensões (com uma massa considerável de matéria-prima, de ferramentas, de objetos fabricados, que pertencem ao empresário e são difíceis de vigiar) exigem também uma repressão rigorosa da ilegalidade. A maneira pela qual a riqueza tende a investir, segundo escalas quantitativas totalmente novas, nas mercadorias e nas máquinas supõe uma intolerância sistemática e armada à ilegalidade. O fenômeno é evidentemente muito sensível onde o desenvolvimento é mais intenso. Dessa urgência em reprimir as inúmeras práticas de ilegalidade, Colquhoun procurara dar provas em números só para a cidade de Londres: segundo as estimativas dos empresários e seguradoras, o roubo de produtos importados da América e depositados às margens do Tâmisa subia, em média, a 250.000 libras; ao todo, roubavam-se cerca de 500.000 cada ano só no porto de Londres (e isso sem levar em conta os arsenais); a que se deviam acrescentar 700.000 libras para a própria cidade. E nessa pilhagem permanente, três fenômenos, segundo Colquhoun, deviam ser considerados: a cumplicidade e muitas vezes a participação ativa dos empregados, dos vigias, dos contramestres e dos trabalhadores: "todas as vezes que estiver reunida no mesmo lugar uma grande quantidade de trabalhadores, haverá necessariamente muitos maus elementos"; a existência de toda uma organização de comércio ilícito; que começa nas oficinas ou nas docas, passa em seguida pelos receptadores – receptadores por atacado especializados num certo tipo de mercadorias e receptadores de varejo, cujas vitrines só oferecem "uma miserável exposição de velhos ferros, trapos, roupas em mau estado", enquanto o depósito da loja esconde "munições navais de grande valor, cavilhas e pregos de cobre, pedaços de ferro fundido e de metais preciosos, de produção das Índias Ocidentais, móveis e bagagens comprados de trabalhadores de todo tipo" – depois por revendedores e mascates que espalham longe, no campo, o produto dos roubos[26]; enfim, a fabricação de dinheiro falso (haveria, disseminadas por toda a Inglaterra, 40 a 50 fábricas de dinheiro falso trabalhando permanentemente). Mas o que facilita essa imensa empresa de depredação e ao mesmo tempo de concorrência é todo um conjunto de tolerâncias: algumas valem como espécies de direitos adquiridos

---

26. COLQUHOUN, P. *Traité ur la police de Londres*. Tradução de 1807, t. 1. Nas páginas 153-182 e 292-339, Colquhoun expõe muito detalhadamente esses recursos.

(direito, por exemplo, de recolher em torno do navio os pedaços de ferro e as pontas de corda ou de revender as varreduras de açúcar); outras são da ordem da aceitação moral: a analogia que essa pilhagem mantém, no espírito de seus autores, com o contrabando os "familiariza com essa espécie de delitos cuja enormidade não sentem"[27].

É portanto necessário controlar e codificar todas essas práticas ilícitas. É preciso que as infrações sejam bem-definidas e punidas com segurança, que nessa massa de irregularidades toleradas e sancionadas de maneira descontínua com ostentação sem igual seja determinado o que é infração intolerável, e que lhe seja infligido um castigo de que ela não poderá escapar. Com as novas formas de acumulação de capital, de relações de produção e de estatuto jurídico da propriedade, todas as práticas populares que se classificavam, seja numa forma silenciosa, cotidiana, tolerada, seja numa forma violenta, na ilegalidade dos direitos, são desviadas à força para a ilegalidade dos bens. O roubo tende a se tornar a primeira das grandes escapatórias à legalidade, nesse movimento que vai de uma sociedade da apropriação jurídico-política a uma sociedade da apropriação dos meios e produtos do trabalho. Ou para dizer as coisas de outra maneira: a economia das ilegalidades se reestruturou com o desenvolvimento da sociedade capitalista. A ilegalidade dos bens foi separada da ilegalidade dos direitos. Divisão que corresponde a uma oposição de classes, pois, de um lado, a ilegalidade mais acessível às classes populares será a dos bens – transferência violenta das propriedades; de outro a burguesia, então, se reservará a ilegalidade dos direitos: a possibilidade de desviar seus próprios regulamentos e suas próprias leis; de fazer funcionar todo um imenso setor da circulação econômica por um jogo que se desenrola nas margens da legislação – margens previstas por seus silêncios, ou liberadas por uma tolerância de fato. E essa grande redistribuição das ilegalidades se traduzirá até por uma especialização dos circuitos judiciários; para as ilegalidades de bens – para o roubo – os tribunais ordinários e os castigos; para as ilegalidades de direitos – fraudes, evasões fiscais, operações comerciais irregulares – jurisdições especiais com transações, acomodações, multas atenuadas etc. A burguesia se reservou o campo fecundo da ilegalidade dos direitos. E, ao mesmo tempo em que essa separação se realiza, afirma-se a necessidade de uma vigilância constante que se faça essencialmente sobre essa ilegalidade dos bens. Afirma-se a necessidade de se desfazer da antiga economia do poder de punir que tinha como princípios a multiplicidade confusa e lacunosa das instâncias, uma repartição e uma concentração de poder correlatas com uma inércia de fato e uma inevitável

---

27. Ibid., p. 297s.

tolerância, castigos ostensivos em suas manifestações e incertos em sua aplicação. Afirma-se a necessidade de definir uma estratégia e técnicas de punição em que uma economia da continuidade e da permanência substituirá a da despesa e do excesso. Em suma, a reforma penal nasceu no ponto de junção entre a luta contra o superpoder do soberano e a luta contra o infrapoder das ilegalidades conquistadas e toleradas. E se foi outra coisa que o resultado provisório de um encontro de pura circunstância, é porque entre esse superpoder e esse infrapoder se estendia uma rede de relações. A forma da soberania monárquica, ao mesmo tempo que colocava do lado do soberano a sobrecarga de um poder brilhante, ilimitado, pessoal, irregular e descontínuo, deixava do lado dos súditos lugar livre para uma ilegalidade constante; esta era como a correlata daquele tipo de poder. Se bem que atacar as diversas prerrogativas do soberano era atacar ao mesmo tempo o funcionamento das ilegalidades. Os dois objetivos estavam em continuidade. E, segundo as circunstâncias ou as táticas particulares, os reformadores faziam passar um na frente do outro. Le Trosne, o fisiocrata que foi conselheiro no tribunal presidial de Orléans, pode servir de exemplo aqui. Em 1764, ele publica uma memória sobre a vadiagem: viveiro de ladrões e assassinos "que vivem no meio da sociedade sem serem seus membros", que fazem "uma verdadeira guerra contra todos os cidadãos", que estão entre nós "naquele estado que se supõe ter existido antes do estabelecimento da sociedade civil". Contra eles, pede as mais severas penas (e estranha, significativamente, que se tenha mais indulgência para com eles que para com os contrabandistas); quer que a polícia seja reforçada, que a cavalaria os persiga ajudada pela população vítima de seus roubos; pede que essas pessoas inúteis e perigosas "sejam adquiridas pelo Estado e lhe pertençam como escravos a seus senhores"; e, se for o caso, que se organizem batidas coletivas nos bosques para desentocá-los, sendo dado um salário a cada um que fizer uma captura: "Pois dá-se uma recompensa de 10 libras por uma cabeça de lobo. Um vagabundo é infinitamente mais perigoso para a sociedade"[28]. Em 1777, em *Vues sur la justice criminelle*, o mesmo Le Trosne pede que sejam reduzidas as prerrogativas da parte pública, que os acusados sejam considerados inocentes até a eventual condenação, que o juiz seja um justo árbitro entre eles e a sociedade, que as leis sejam "fixas, constantes, determinadas da maneira mais precisa", de modo que os súditos saibam "a que se expõem" e que os magistrados não sejam mais que o "órgão da lei"[29]. Para Le Trosne, como para tantos outros na mesma época, a luta pela delimitação do poder de punir

---

28. LE TROSNE, G. *Mémoire sur les vagabonds*. 764, p. 8, 50, 54, 61s.
29. Id., *Vues sur la justice criminelle*. 1777, p. 31, 37, 103-106.

se articula diretamente com a exigência de submeter a ilegalidade popular a um controle mais estrito e mais constante. Compreende-se que a crítica dos suplícios tenha tido tanta importância na reforma penal: pois era uma figura onde se uniam, de modo visível, o poder ilimitado do soberano e a ilegalidade sempre desperta do povo. A humanidade das penas é a regra que se dá a um regime de punições que deve fixar limites a um e à outra. O "homem" que se pretende fazer respeitar na pena à forma jurídica e moral que se dá a essa dupla delimitação.

Mas se é verdade que a reforma, como teoria penal e como estratégia do poder de punir, foi ideada no ponto de coincidência desses dois objetivos, sua estabilidade futura se deveu ao fato de que o segundo ocupou, por muito tempo, um lugar prioritário. Foi porque a pressão sobre as ilegalidades populares se tornou na época da Revolução, depois no Império, finalmente durante todo o século XIX, um imperativo essencial, que a reforma pôde passar da condição de projeto à de instituição e conjunto prático. Quer dizer que se, aparentemente, a nova legislação criminal se caracteriza por uma suavização das penas, uma codificação mais nítida, uma considerável diminuição do arbitrário, um consenso mais bem-estabelecido a respeito do poder de punir (na falta de uma partilha mais real de seu exercício), ela é apoiada basicamente por uma profunda alteração na economia tradicional das ilegalidades e uma rigorosa coerção para manter seu novo ajustamento. Um sistema penal deve ser concebido como um instrumento para gerir diferencialmente as ilegalidades, não para suprimi-las a todas.

*

Deslocar o objetivo e mudar sua escala. Definir novas táticas para atingir um alvo que agora é mais tênue, mas também mais largamente difuso no corpo social. Encontrar novas técnicas às quais ajustar as punições e cujos efeitos adaptar. Colocar novos princípios para regularizar, afinar, universalizar a arte de castigar. Homogeneizar seu exercício. Diminuir seu custo econômico e político aumentando sua eficácia e multiplicando seus circuitos. Em resumo, constituir uma nova economia e uma nova tecnologia do poder de punir: tais são sem dúvida as razões de ser essenciais da reforma penal no século XVIII.

No nível dos princípios, essa nova estratégia é facilmente formulada na teoria geral do contrato. Supõe-se que o cidadão tenha aceito de uma vez por todas, com as leis da sociedade, também aquela que poderá puni-lo. O criminoso aparece então como um ser juridicamente paradoxal. Ele rompeu o pacto, é portanto inimigo da sociedade inteira, mas participa da punição que se exerce sobre ele. O menor crime ataca toda a sociedade; e toda a sociedade – inclusive o criminoso – está presente na menor punição. O castigo penal é então uma função generalizada, coextensiva ao corpo social e a cada um de seus elementos. Coloca-se então o problema da "medida" e da economia do poder de punir.

Efetivamente a infração lança o indivíduo contra todo o corpo social; a sociedade tem o direito de se levantar em peso contra ele, para puni-lo. Luta desigual: de um só lado todas as forças, todo o poder, todos os direitos. E tem mesmo que ser assim, pois aí está representada a defesa de cada um. Constitui-se assim um formidável direito de punir, pois o infrator se torna o inimigo comum. Até mesmo pior que um inimigo, é um traidor, pois ele desfere seus golpes dentro da sociedade. Um "monstro". Sobre ele, como não teria a sociedade um direito absoluto? Como deixaria ela de pedir sua supressão pura e simples? E se é verdade que o princípio dos castigos deve estar subscrito no pacto, não é necessário, logicamente, que cada cidadão aceite a pena extrema para aqueles dentre eles que os atacam como organização?

> Todo malfeitor, atacando o direito social, torna-se, por seus crimes, rebelde e traidor da pátria; a conservação do Estado é então incompatível com a sua; um dos dois tem que perecer, e, quando se faz perecer o culpado, é menos como cidadão que como inimigo[30].

O direito de punir se deslocou da vingança do soberano à defesa da sociedade. Mas ele se encontra então recomposto com elementos tão fortes, que se torna quase mais temível. O malfeitor foi arrancado a uma ameaça, por natureza, excessiva, mas é exposto a uma pena que não se vê o que pudesse limitar. Volta de um terrível superpoder. E com a necessidade de colocar um princípio de moderação ao poder do castigo.

> Quem não tem arrepios de horror ao ver na história tantos tormentos horríveis e inúteis, inventados e usados friamente por monstros que se davam o nome de sábios[31]? [Ou ainda]: As leis me chamam para o castigo do maior dos crimes. Vou com todo o furor que ele me inspirou. Mas como? Meu furor ainda o ultrapassa [...]. Deus, que imprimistes em nossos corações a aversão à dor por nós mesmos

---

30. ROUSSEAU, J.-J. *Contrat Social*. Livro II, cap. V. Deve-se notar que essas ideias de Rousseau foram usadas na Constituinte por certos deputados que queriam manter um sistema de penas muito rigoroso. E curiosamente os princípios do *Contrat* puderam servir para sustentar a velha correspondência de atrocidade entre crime e castigo. "A proteção devida aos cidadãos exige que as penas sejam medidas de acordo com a atrocidade dos crimes e que não se sacrifique, em nome da humanidade, a própria humanidade" (Mougins de Roquefort que cita a passagem em questão do *Contrat Social*, Discurso na Constituinte, *Archives Parlementaires*, t. XXVI, p. 637).

31. BECCARIA. *Des délits et des peines*. Ed. 1856, p. 87.

e nossos semelhantes, são então esses seres que criastes tão fracos e sensíveis que inventaram suplícios tão bárbaros, tão refinados?[32]

O princípio da moderação das penas, mesmo quando se trata de castigar o inimigo do corpo social, se articula em primeiro lugar como um discurso do coração. Melhor, ele jorra como um grito do corpo que se revolta ao ver ou ao imaginar crueldades demais. A formulação do princípio de que a penalidade deve permanecer "humana" é feita, entre os reformadores, na primeira pessoa. Como se exprimisse imediatamente a sensibilidade daquele que fala; como se o corpo do filósofo ou do teórico viesse, entre a fúria do carrasco e do supliciado, afirmar sua própria lei e impô-la finalmente a toda a economia das penas. Lirismo que manifesta a impotência em encontrar o fundamento racional de um cálculo penal? Entre o princípio contratual que rejeita o criminoso para fora da sociedade e a imagem do monstro "vomitado" pela natureza, onde encontrar um limite, senão na natureza humana que se manifesta, não no rigor da lei, não na ferocidade do delinquente, mas na sensibilidade do homem razoável que faz a lei e não comete crimes.

Mas esse recurso à "sensibilidade" não traduz exatamente uma impossibilidade teórica. Ele traz em si, na realidade, um princípio de cálculo. O corpo, a imaginação, o sofrimento, o coração a respeitar não são, na verdade, os do criminoso que deve ser punido, mas os dos homens que, tendo subscrito o pacto, têm o direito de exercer contra ele o poder de se unir. O sofrimento que deve ser excluído pela suavização das penas é o dos juízes ou dos espectadores com tudo o que pode acarretar de endurecimento, de ferocidade trazida pelo hábito, ou, ao contrário, de piedade indevida, de indulgência sem fundamento:

> Misericórdia para essas almas doces e sensíveis sobre quem esses horríveis suplícios exercem uma espécie de tortura[33].

O que se precisa moderar e calcular são os efeitos de retorno do castigo sobre a instância que pune e o poder que ela pretende exercer.

Aí está a raiz do princípio de que se deve aplicar só punições "humanas", sempre, a um criminoso que pode muito bem ser um traidor e um monstro, entretanto. Se a lei agora deve tratar "humanamente" aquele que está "fora da natureza" (enquanto que a justiça de antigamente tratava de maneira desumana o "fora da lei"), a razão não se encontra numa humanidade profunda que o criminoso esconda em si, mas no controle necessário dos efeitos de poder.

---

32. DE LACRETELLE, PL. *Discours sur le préjugé des peines infamantes*. 1784, p. 129.
33. Ibid., p. 131.

Essa racionalidade "econômica" é que deve medir a pena e prescrever as técnicas ajustadas. "Humanidade" é o nome respeitoso dado a essa economia e a seus cálculos minuciosos. "Em matéria de pena o mínimo é ordenado pela humanidade e aconselhado pela política"[34].

Para compreendermos essa tecnopolítica da punição, tomemos o caso-limite, o último dos crimes: um delito hediondo, enorme, que violasse ao mesmo tempo todas as leis mais respeitadas. Aconteceria em circunstâncias tão extraordinárias, dentro de um segredo tão profundo, tão desmedidamente, e como que no limite tão extremo de qualquer possibilidade, que só poderia ser o único e em todo caso o último de sua espécie: ninguém nunca poderia imitá-lo; ninguém poderia segui-lo como exemplo, nem mesmo se escandalizar por que tivesse sido cometido. Seria fadado a desaparecer sem deixar vestígio. Esse apólogo[35] da "extremidade do crime" é um pouco, na nova penalidade, o que era a falta original na antiga: a forma pura em que aparece a razão das penas.

Um crime como esse deveria ser punido? De acordo com que medida? Que utilidade poderia ter seu castigo na economia do poder de punir? Seria útil na medida em que poderia reparar o "mal feito à sociedade"[36] Ora, se deixarmos de lado o dano propriamente material – que embora irreparável como num assassinato é de pouca extensão na escala de uma sociedade inteira – o prejuízo que um crime traz ao corpo social é a desordem que introduz nele: o escândalo que suscita, o exemplo que dá, a incitação a recomeçar se não é punido, a possibilidade de generalização que traz consigo. Para ser útil, o castigo deve ter como objetivo as consequências do crime, entendidas como a série de desordens que este é capaz de abrir.

> A proporção entre a pena e a qualidade do delito é determinada pela influência que o pacto violado tem sobre a ordem social[37].

---

34. DUPORT, A. "Discurso na Constituinte, 22 de dezembro de 1789". *Archives parlementaires*. T. X, p. 744. Poderíamos no mesmo sentido citar os vários concursos propostos no fim do século XVIII pelas sociedades e academias científicas: como fazer "que a suavidade das instruções e das penas se concilie com a certeza de um castigo pronto e exemplar e que a sociedade civil encontre a maior segurança possível, para a liberdade e a humanidade" (*Société économique de Berne*. 1777). Marat respondeu com seu *Plan de législation criminelle*. Quais são os "meios de suavizar o rigor das leis penais na França sem prejudicar a segurança pública" (Academia de Châlons-sur-Marne, 1780; os premiados foram Brissot e Bernardi); "tenderá a extrema severidade das leis a diminuir o número e a enormidade dos crimes numa nação depravada?" (Academia de Marselha, 1786; o premiado foi Eymar).

35. TARGET, G. "Observations sur le projet du Code pénal". In: LOCRÉ. *La Législation de la France*. T. XXIX, p. 7s. Encontrado numa forma invertida em Kant.

36. PASTORET, C.E. de. *Des lois pénales*. Vol. II, 1790, p. 21.

37. FILANGIERI, G. *La Science de la législation*. Trad. 1786, t. IV, p. 214.

Ora, essa influência de um crime não está forçosamente em proporção direta com sua atrocidade; um crime que apavora a consciência tem muitas vezes um efeito menor que um delito que todo mundo tolera e se sente capaz de imitar por sua conta. Raridade dos grandes crimes; perigo, em compensação, dos pequenos delitos familiares que se multiplicam. Não procurar consequentemente uma relação qualitativa, entre o crime e sua punição, uma equivalência de horror:

> Podem os gritos de um infeliz entre tormentos retirar do seio do passado que não volta mais uma ação já cometida?[38]

Calcular uma pena em função não do crime, mas de sua possível repetição. Visar não à ofensa passada, mas à desordem futura. Fazer de tal modo que o malfeitor não possa ter vontade de recomeçar, nem possibilidade de ter imitadores[39]. Punir será então uma arte dos efeitos; mais que opor a enormidade da pena à enormidade da falta, é preciso ajustar uma à outra as duas séries que seguem o crime: seus próprios efeitos e os da pena. Um crime sem dinastia não clama castigo. Tampouco – segundo outra versão do mesmo apólogo – às vésperas de se dissolver e desaparecer, uma sociedade não teria o direito de erguer cadafalsos. O último dos crimes só pode ficar sem punição.

Velha concepção. Não era preciso esperar a reforma do século XVIII para definir essa função exemplar do castigo. Que a punição olhe para o futuro, e que uma de suas funções mais importantes seja prevenir, era, há séculos, uma das justificações correntes do direito de punir. Mas a diferença é que a prevenção que se esperava como um efeito do castigo e de seu brilho – portanto, de seu descomedimento – tende a se tornar agora o princípio de sua economia, e a medida de suas justas proporções. É preciso punir exatamente o suficiente para impedir. Deslocamento então na mecânica do exemplo: numa penalidade de suplício, o exemplo era a réplica do crime; devia, por uma espécie de manifestação geminada, mostrá-lo e mostrar ao mesmo tempo o poder soberano que o dominava; numa penalidade calculada pelos seus próprios efeitos, o exemplo deve-se referir ao crime, mas da maneira mais discreta possível; indicar a intervenção do poder, mas com a máxima economia, e no caso ideal impedir qualquer reaparecimento posterior de um e outro. O exemplo não

---

38. BECCARIA. *Des délits et des peines*. 1856, p. 87.

39. BARNAVE, A. Discurso na Constituinte: "A sociedade não vê nas punições que inflige o gozo bárbaro de fazer sofrer um ser humano; vê nelas a precaução necessária para prevenir crimes semelhantes, para afastar da sociedade os males que ameaçam atentar contra ela" (*Archives parlementaires*. T. XXVII, 6/06/1791, p. 9).

é mais um ritual que manifesta, é um sinal que cria obstáculo. Através dessa técnica dos sinais punitivos, que tende a inverter todo o campo temporal da ação penal, os reformadores pensam dar ao poder de punir um instrumento econômico, eficaz, generalizável por todo o corpo social, que possa codificar todos os comportamentos e consequentemente reduzir todo o domínio difuso das ilegalidades. A semiotécnica com que se procura armar o poder de punir repousa sobre cinco ou seis regras mais importantes.

Regra da quantidade mínima: Um crime é cometido porque traz vantagens. Se, à ideia do crime, fosse ligada a ideia de uma desvantagem um pouco maior, ele deixaria de ser desejável.

> Para que o castigo produza o efeito que se deve esperar dele, basta que o mal que causa ultrapasse o bem que o culpado retirou do crime[40].

Podemos, é preciso admitir uma proximidade da pena e do crime; mas não mais na antiga forma, em que o suplício devia equivaler ao crime em intensidade, com um suplemento que marcava o "mais-poder" do soberano que realizava sua vingança legítima; é uma quase equivalência ao nível dos interesses: um pouco mais de interesse em evitar a pena que em arriscar o crime.

Regra da idealidade suficiente: Se o motivo de um crime é a vantagem que se representa com ele, a eficácia da pena está na desvantagem que se espera dela. O que ocasiona a "pena" na essência da punição não é a sensação do sofrimento, mas a ideia de uma dor, de um desprazer, de um inconveniente – a "pena" da ideia da "pena". A punição não precisa portanto utilizar o corpo, mas a representação. Ou antes, se ela tem que utilizar o corpo, isto o será na medida em que ele não é tanto o sujeito de um sofrimento quanto o objeto de uma representação: a lembrança de uma dor pode impedir a reincidência, do mesmo modo que o espetáculo, mesmo artificial, de uma pena física pode prevenir o contágio do crime. Mas não é a dor em si que será instrumento da técnica punitiva. Portanto, de nada adianta fazer ostentação dos patíbulos, por tempo o mais prolongado possível, e exceto nos casos em que se trate de suscitar uma representação eficaz. Eliminação do corpo como sujeito da pena, mas não forçosamente como elemento num espetáculo. A recusa aos suplícios que, no limiar da teoria, só encontrara uma formulação lírica, encontra aqui a possibilidade de se articular racionalmente. É a representação da pena que deve ser maximizada, e não sua realidade corpórea.

---

40. BECCARIA. *Traité des délits et des peines*, p. 89.

Regra dos efeitos laterais: A pena deve ter efeitos mais intensos naqueles que não cometeram a falta; em suma, se pudéssemos ter certeza de que o culpado não poderia recomeçar, bastaria convencer os outros de que ele fora punido. Intensificação centrífuga dos efeitos que conduz ao paradoxo de que, no cálculo das penas, o elemento menos interessante ainda é o culpado (exceto se é passível de reincidência). Esse paradoxo Beccaria ilustrou no castigo que propunha no lugar da pena de morte: escravidão perpétua. Pena fisicamente mais cruel que a morte? Absolutamente, dizia ele. Pois a dor da escravidão, para o condenado, está dividida em tantas parcelas quantos instantes de vida lhe restam; pena indefinidamente divisível, pena eleática, muito menos severa que o castigo capital, que logo se equipara ao suplício. Em compensação, para os que veem ou se representam esses escravos, o sofrimento que suportam se resume numa só ideia; todos os instantes da escravidão se contraem numa representação que se torna então mais assustadora que a ideia da morte. É a pena economicamente ideal: é mínima para o que a sofre (e que, reduzido à escravidão, não poderá reincidir) e máxima para os que a imaginam.

> Entre as penas e na maneira de aplicá-las em proporção com os delitos, devemos escolher os meios que causarão no espírito do povo a impressão mais eficaz e mais durável, e ao mesmo tempo a menos cruel sobre o corpo do culpado[41].

Regra da certeza perfeita: É preciso que, à ideia de cada crime e das vantagens que se esperam dele, esteja associada a ideia de um determinado castigo, com as desvantagens precisas que dele resultam; é preciso que, de um a outro, o laço seja considerado necessário e nada possa rompê-lo. Esse elemento geral de certeza que deve dar eficácia ao sistema punitivo implica um certo número de medidas precisas. Que as leis que definem os crimes e prescrevem as penas sejam perfeitamente claras, "a fim de que cada membro da sociedade possa distinguir as ações criminosas das ações virtuosas"[42]. Que essas leis sejam publicadas, e cada qual possa ter acesso a elas; que se acabem as tradições orais e os costumes, mas se elabore uma legislação escrita, que seja "o monumento estável do pacto social", que se imprimam textos para conhecimento de todos: "Só a imprensa pode tornar todo o público e não alguns particulares depositários do código sagrado das leis"[43]. Que o monarca renuncie a seu direito

---

41. BECCARIA. *Des délits et des peines*, p. 87.
42. BRISSOT, J.P. *Théorie des lois criminelles*. 1781, t. 1, p. 24.
43. BECCARIA. *Des délits et des peines*, p. 26.

de misericórdia, para que a força que está presente na ideia da pena não seja atenuada pela esperança dessa intervenção:

> Se deixamos ver aos homens que o crime pode ser perdoado e que o castigo não é sua continuação necessária, nutrimos neles a esperança da impunidade [...] que as leis sejam inexoráveis, os executores inflexíveis[44].

E principalmente que nenhum crime cometido escape ao olhar dos que têm que fazer justiça; nada torna mais frágil o instrumento das leis que a esperança de impunidade; como se poderia estabelecer no espírito dos jurisdicionados um laço estreito entre um delito e uma pena, se viesse afetá-lo um certo coeficiente de improbabilidade? Não seria preciso tornar a pena tanto mais temível por sua violência quanto ela deixa menos a temer por sua pouca certeza? Mais que imitar assim o antigo sistema e ser "mais severo, é preciso ser mais vigilante"[45]. Daí a ideia de que o instrumento de justiça seja acompanhado por um órgão de vigilância que lhe seja diretamente ordenado, e permita impedir os crimes, ou, se não cometidos, prender seus autores; polícia e justiça devem andar juntas como duas ações complementares de um mesmo processo – a polícia assegurando "a ação da sociedade sobre cada indivíduo", a justiça, "os direitos dos indivíduos contra a sociedade[46]; assim, cada crime virá à luz do dia, e será punido com toda certeza. Mas é preciso além disso que os processos não fiquem secretos, que sejam conhecidas por todos as razões pelas quais um acusado foi condenado ou absolvido, e que cada um possa reconhecer as razões de punir:

> Que o magistrado pronuncie em alta voz sua opinião, que seja obrigado a reproduzir em seu julgamento o texto da lei que condena o culpado [...] que os processos que se ocultam misteriosamente na escuridão dos cartórios sejam abertos a todos os cidadãos que se interessam pelo destino dos condenados[47].

Regra da verdade comum. Sob esse princípio de grande banalidade se esconde uma transformação de importância. O antigo sistema das provas legais,

---

44. BECCARIA. Ibid. Cf. tb. BRISSOT: "Se a misericórdia é justa, a lei é má; onde a legislação é boa, as misericórdias não passam de crimes contra a lei" (*Théorie des lois criminelles.* 1781, t. 1, p. 200).

45. MABLY, G. de. *De la législation, Oeuvres complètes.* 1789, t. IX, p. 327. Cf. tb. VATTEL: "É menos a atrocidade das penas que a exatidão na exigência que retém todos no dever" (*Le Droit des gens.* 1768, p. 163).

46. DUPORT, A. "Discurso na Constituinte". *Archives parlementaires.* p. 45, t. XXI.

47. MABLY, G. de. *De la législation, Oeuvres completes.* 1789. T. IX, p. 348.

o uso da tortura, a extorsão da confissão, a utilização do suplício, do corpo e do espetáculo para a reprodução da verdade haviam durante muito tempo isolado a prática penal das formas comuns da demonstração: as meias-provas faziam meias-verdades e meios-culpados, frases arrancadas pelo sofrimento tinham valor de autentificação, uma presunção acarretava um grau de pena. Sistema cuja heterogeneidade em relação ao regime ordinário da prova só constituiu realmente um escândalo no dia em que o poder de punir teve necessidade, para sua própria economia, de um clima de certeza irrefutável. Como ligar de maneira absoluta no espírito dos homens a ideia do crime e a do castigo, se a realidade do castigo não acompanha, em todos os casos, a realidade do delito? Estabelecer esta última, com toda evidência, e de acordo com meios válidos para todos, torna-se uma tarefa primeira. A verificação do crime deve obedecer aos critérios gerais de qualquer verdade. O julgamento judiciário, nos argumentos que utiliza, nas provas que traz, deve ser homogêneo ao julgamento puro e simples. Abandono, então, das provas legais; rejeição da tortura, necessidade de uma demonstração completa para fazer uma verdade justa, retirada de qualquer correlação entre os graus da suspeita e os da pena. Como uma verdade matemática, a verdade do crime só poderá ser admitida uma vez inteiramente comprovada. Segue-se que, até à demonstração final de seu crime, o acusado deve ser reputado inocente; e que, para fazer a demonstração, o juiz deve usar não formas rituais, mas instrumentos comuns, essa razão de todo mundo, que é também a dos filósofos e cientistas:

> Em teoria, considero o magistrado como um filósofo que se propõe a descobrir uma verdade interessante [...]. Sua sagacidade o fará compreender todas as circunstâncias e relações, aproximar ou separar o que deve sê-lo para julgar sadiamente[48].

O inquérito, exercício da razão comum, despoja-se do antigo modelo inquisitorial para acolher o outro muito mais flexível (e duplamente reconhecido pela ciência e o senso comum) da pesquisa empírica. O juiz será como um "piloto que navega entre os rochedos":

> Quais serão as provas ou de que indícios poder-nos-emos contentar? É o que nem eu nem ninguém ainda ousou determinar em geral; estando as circunstâncias sujeitas a variar ao infinito, devendo as provas e os indícios se deduzir dessas circunstâncias, é necessário que os indícios e as provas mais claros variem proporcionalmente[49].

---

48. SEIGNEUX DE CORREVON, G. *Essai sur l'usage de la torture*. 1768, p. 49.

49. RISI, P. *Observations de jurisprudence criminelle*. trad. 1758, p. 53.

Agora a prática penal vai-se encontrar submetida a um regime comum da verdade, ou antes a um regime complexo em que se misturam para formar a "íntima convicção" do juiz elementos heterogêneos de demonstração científica, de evidências sensíveis e de senso comum. A justiça penal, se conserva formas que garantem sua equidade, pode-se abrir agora às verdades de todos os ventos, desde que sejam evidentes, bem-estabelecidas, aceitáveis por todos. O ritual judiciário não é mais em si mesmo formador de uma verdade partilhada. É recolocado no campo de referência das provas comuns. Estabelece-se então, com a multiplicidade dos discursos científicos, uma relação difícil e infinita, que a justiça penal hoje ainda não está apta a controlar. O senhor de justiça não é mais senhor de sua verdade.

Regra da especificação ideal: Para que a semiótica penal recubra bem todo o campo das ilegalidades que se quer reduzir, todas as infrações têm que ser qualificadas; têm que ser classificadas e reunidas em espécies que não deixem escapar nenhuma ilegalidade. É então necessário um código, e que seja suficientemente preciso para que cada tipo de infração possa estar claramente presente nele. A esperança da impunidade não pode se precipitar no silêncio da lei. É necessário um código exaustivo e explícito, que defina os crimes, fixando as penas[50]. Mas o mesmo imperativo de cobertura integral pelos efeitos-sinais da punição obriga a ir mais longe. A ideia de um mesmo castigo não tem a mesma força para todo mundo; a multa não é temível para o rico, nem a infâmia a quem já está exposto. A nocividade de um delito e seu valor de indução não são os mesmos, de acordo com o *status* do infrator; o crime de um nobre é mais nocivo para a sociedade que o de um homem do povo[51]. Enfim, já que o castigo quer impedir a reincidência, ele tem que levar bem em conta o que é o criminoso em sua natureza profunda, o grau presumível de sua maldade, a qualidade intrínseca de sua vontade:

> De dois homens que cometeram o mesmo crime, em que proporção é menos culpado aquele que mal tinha o necessário com relação àquele a quem sobrava o supérfluo? De dois perjuros, em que medida é mais criminoso aquele em que se procurou, desde a infância, imprimir sentimentos de honra com relação àquele que, abandonado à natureza, nunca recebeu educação?[52]

---

50. Sobre esse tema cf., entre outros, LINGUER, S. *Nécessité d'une réforme de l'administration de la justice criminelle*. 1764, p. 8.

51. LACRETELLE, P.-L. de. *Discours sur les peines infamamantes*. 1784, p. 144.

52. MARAT, J.-P. *Plan de législation criminelle*. 1780, p. 34.

Vemos aí ao mesmo tempo a necessidade de uma classificação paralela dos crimes e dos castigos e a necessidade de uma individualização das penas, em conformidade com as características singulares de cada criminoso. Essa individualização vai representar um peso muito grande em toda a história do direito penal moderno; aí está sua fundamentação; sem dúvida em termos de teoria do direito e do acordo com as exigências da prática cotidiana, ela está em oposição radical com o princípio da codificação; mas do ponto de vista de uma economia do poder de punir, e das técnicas através das quais se pretende pôr em circulação, em todo o corpo social, sinais de punição exatamente ajustados, sem excessos nem lacunas, sem "gasto" inútil de poder, mas sem timidez, vê-se bem que a codificação do sistema delitos-castigos e a modulação do par criminoso-punição vão a par e se chamam um ao outro. A individualização aparece como o objetivo derradeiro de um código bem-adaptado.

Ora, essa individualização é muito diferente, em natureza, das modulações da pena que se encontravam na jurisprudência antiga. Esta – e nesse ponto ela estava de acordo com a prática penitenciária cristã – usava duas séries de variáveis para ajustar o castigo, as da "circunstância" e as da "intenção". Ou seja, elementos que permitiam classificar o ato em si mesmo. A modulação da pena provinha de uma "casuística" em sentido lato[53]. Mas o que começa a se esboçar agora é uma modulação que se refere ao próprio infrator, à sua natureza, a seu modo de vida e de pensar, a seu passado, à "qualidade" e não mais à intenção de sua vontade. Percebe-se, mas como um lugar ainda deixado vazio, o local onde, na prática penal, o saber psicológico virá substituir a jurisprudência casuística. Claro que no fim do século XVIII esse momento ainda está longe. Procura-se a ligação código-individualização nos modelos científicos da época. A história natural oferecia sem dúvida o esquema mais adequado: a taxinomia das espécies segundo uma gradação ininterrupta. Procura-se constituir um Linné dos crimes e das penas, de maneira a que cada infração particular, e cada indivíduo punível possa, sem nenhuma margem de arbítrio, ser atingido por uma lei geral.

> Deve-se compor uma tabela de todos os gêneros de crimes que se notam nas diferentes regiões. De acordo com o inventário dos crimes, dever-se-á fazer uma divisão em espécies. A melhor regra para essa divisão é, parece-me, separar os crimes pelas diferenças de objetos. Essa divisão deve ser tal que cada espécie seja bem distinta da outra e cada crime particular, considerado em todas as suas relações, seja colocado entre aquele que deve precedê-lo e aquele que deve

---

53. Sobre o caráter não individualizante da casuística, cf. CARIOU, P. *Les Idéalités casuistiques* (tese datilografada [sic]).

segui-lo, e na mais justa gradação; esta tabela, enfim, deve ser de tal modo que possa se aproximar de outra tabela que será feita para as penas, e de maneira a que elas possam corresponder exatamente uma à outra[54].

Em teoria, ou, antes, em sonho, a dupla taxinomia dos castigos e dos crimes pode resolver o problema: como aplicar leis fixas a indivíduos singulares?

Mas, longe desse modelo especulativo, formas de individualização antropológica estavam, na mesma época, se constituindo de maneira ainda muito rudimentar. Em primeiro lugar com a noção de reincidência. Não que esta fosse desconhecida nas antigas leis criminais[55]. Mas tende a se tornar uma qualificação do próprio delinquente, suscetível de modificar a pena pronunciada: de acordo com a legislação de 1791, os reincidentes, em quase todos os casos, eram passíveis de ter a pena dobrada: segundo a lei de Floreal ano X, deviam ser marcados com a letra R; e o Código Penal de 1810 indicava-lhes ou o máximo da pena, ou a pena imediatamente superior. Mas, através da reincidência, não se visa o autor de um ato definido pela lei, mas o sujeito delinquente, uma certa vontade que manifesta seu caráter intrinsecamente criminoso. Pouco a pouco, à medida que, no lugar do crime, a criminalidade se torna o objeto da intervenção penal, a oposição entre primário e reincidente tenderá a se tornar mais importante. E a partir dessa oposição, reforçando-a em muitos pontos, vemos na mesma época se formar a noção de crime "passional" – crime involuntário, irrefletido, ligado a circunstâncias extraordinárias, que não tem por certo a desculpa da loucura, mas promete nunca ser um crime habitual. Le Peletier já observava, em 1791, que a sutil gradação das penas que ele apresentava à Constituinte podia desviar do crime "o maldoso que, de sangue-frio, medita uma ação má", e pode ser retido pelo temor da pena; que, em compensação, ela é impotente contra os crimes devidos às "paixões violentas que não calculam"; mas que isso tem pouca importância, pois tais crimes não mostram da parte de seus autores "nenhuma maldade calculada"[56].

---

54. LACRETELLE, P.L. de. "Réflexions sur la législation pénale". *Discours sur les peines infamantes*. 1784, p. 351s.

55. Contrariamente ao que disseram Carnot ou F. Helie e Chauveau, a reincidência era muito claramente sancionada em bom número de leis no Antigo Regime. A ordenação de 1549 declara que o malfeitor que recomeça é "um ser execrável, infame, eminentemente pernicioso, à coisa pública"; as reincidências de blasfêmia, de roubo, de vadiagem etc., eram passíveis de penas especiais.

56. SAINT-FARGEAU, Le Peletier de. *Archives parlementaires*. T. XXVI, p. 321s. No ano seguinte, Bellart pronuncia o que pode ser considerada a primeira defesa por um crime passional. É o caso Gras. Cf. *Annales du barreau moderne*. 1823, t. 111, p. 34.

Sob a humanização das penas, o que se encontra são todas essas regras que autorizam, melhor, que exigem a "suavidade", como uma economia calculada do poder de punir. Mas elas exigem também um deslocamento no ponto de aplicação desse poder: que não seja mais o corpo, com o jogo ritual dos sofrimentos excessivos, das marcas ostensivas no ritual dos suplícios; que seja o espírito ou antes um jogo de representações e de sinais que circulem discretamente, mas com necessidade e evidência no espírito de todos. Não mais o corpo, mas a alma, dizia Mably. E vemos bem o que se deve entender por esse termo: o correlato de uma técnica de poder. Dispensam-se as velhas "anatomias" punitivas. Mas teremos entrado por isso, verdadeiramente, na era dos castigos incorpóreos?

*

No ponto de partida, podemos então colocar o projeto político de classificar exatamente as ilegalidades, de generalizar a função punitiva, e de delimitar, para controlá-lo, o poder de punir. Ora, daí se definem duas linhas de objetivação do crime e do criminoso. De um lado, o criminoso designado como inimigo de todos, que têm interesse em perseguir, sai do pacto, desqualifica-se como cidadão e surge trazendo em si como que um fragmento selvagem de natureza; aparece como o celerado, o monstro, o louco talvez, o doente e logo o "anormal". É a esse título que ele se encontrará um dia sob uma objetivação científica, e o "tratamento" que lhe é correlato. De outro lado, a necessidade de medir, de dentro, os efeitos do poder punitivo prescreve táticas de intervenção sobre todos os criminosos, atuais ou eventuais: a organização de um campo de prevenção, o cálculo dos interesses, a entrada em circulação de representações e sinais, a constituição de um horizonte de certeza e verdade, o ajustamento das penas a variáveis cada vez mais sutis, tudo isso leva igualmente a uma objetivação dos crimes e dos criminosos. Nos dois casos, vemos que a relação de poder que fundamenta o exercício da punição começa a ser acompanhada por uma relação de objeto na qual se encontram incluídos não só o crime como fato a estabelecer segundo normas comuns, mas o criminoso como indivíduo a conhecer segundo critérios específicos. Vemos também que essa relação de objeto não vem se sobrepor, de fora, à prática punitiva, como faria uma proibição imposta à fúria dos suplícios pelos limites da sensibilidade, ou como faria uma interrogação, racional ou "científica", sobre o que é o homem que se pune. Os processos de objetivação nascem nas próprias táticas do poder e na distribuição de seu exercício.

Entretanto, esses dois tipos de objetivação que se definem com os projetos de reforma penal são muito diferentes entre si, por sua cronologia e por seus efeitos. A objetivação do criminoso fora da lei, como homem da natureza, não passa ainda de uma virtualidade, uma linha de fuga, onde se entrecruzam os temas da crítica política e as figuras do imaginário. Será necessário esperar muito tempo para que o *homo criminalis* se torne um objeto definido num campo de conhecimento. A outra objetivação, ao contrário, teve efeitos muito mais rápidos e decisivos na medida em que estava mais diretamente ligada à reorganização do poder de punir; codificação, definição dos papéis, tarifação das penas, regras de procedimento, definição do papel dos magistrados. E também porque se apoiava sobre o discurso já constituído dos Ideólogos. Este fornecia com efeito, pela teoria dos interesses, das representações e dos sinais, pelas séries e gêneses que reconstituía, uma espécie de receita geral para o exercício do poder sobre os homens: o "espírito" como superfície de inscrição para o poder, com a semiologia por instrumento; a submissão dos corpos pelo controle das ideias; a análise das representações como princípio, numa política dos corpos bem mais eficaz que a anatomia ritual dos suplícios. O pensamento dos ideólogos não foi apenas uma teoria do indivíduo e da sociedade; desenvolveu-se como uma tecnologia dos poderes sutis, eficazes e econômicos, em oposição aos gastos suntuários do poder dos soberanos. Ouçamos mais uma vez Servan: as ideias de crime e de castigo têm que estar fortemente ligadas e

> se suceder sem intervalo [...]. Quando tiverdes conseguido formar assim a cadeia das ideias na cabeça de vossos cidadãos, podereis então vos gabar de conduzi-los e de ser seus senhores. Um déspota imbecil pode coagir escravos com correntes de ferro; mas um verdadeiro político os amarra bem mais fortemente com a corrente de suas próprias ideias; é no plano fixo da razão que ele ata a primeira ponta; laço tanto mais forte quanto ignoramos sua tessitura e pensamos que é obra nossa; o desespero e o tempo roem os laços de ferro e de aço, mas são impotentes contra a união habitual das ideias, apenas conseguem estreitá-la ainda mais; e sobre as fibras moles do cérebro se funda a base inabalável dos mais sólidos impérios?[57]

Essa semiotécnica das punições, esse "poder ideológico" é que, pelo menos em parte, vai ficar em suspenso e será substituído por uma nova anatomia política em que o corpo novamente, mas numa forma inédita, será o personagem principal. E essa nova anatomia política permitirá recruzar as duas linhas divergentes de objetivação que vemos se formar no século XVIII: a que rejeita o criminoso para "o outro lado" – o lado de uma natureza contra a natureza; e a que procura controlar a delinquência por uma anatomia calculada das punições. Um exame da nova arte de punir mostra bem a substituição da semiotécnica punitiva por uma nova política do corpo.

---

57. SERVAN, J.M. *Discours sur l'administration de la justice criminelle.* 1767, p. 35.

Capítulo II

A MITIGAÇÃO DAS PENAS

A arte de punir deve, portanto, repousar sobre toda uma tecnologia da representação. A empresa só pode ser bem-sucedida se estiver inscrita numa mecânica natural.

> Semelhante à gravitação dos corpos, uma força secreta nos empurra sempre para nosso bem-estar. Esse impulso só é afetado pelos obstáculos que as leis lhe opõem. Todas as várias ações do homem são efeitos dessa tendência interior.

Encontrar para um crime o castigo que convém é encontrar a desvantagem cuja ideia seja tal que torne definitivamente sem atração a ideia de um delito. É uma arte das energias que se combatem, arte das imagens que se associam, fabricação de ligações estáveis que desafiem o tempo. Importa constituir pares de representação de valores opostos, instaurar diferenças quantitativas entre as forças em questão, estabelecer um jogo de sinais-obstáculos que possam submeter o movimento das forças a uma relação de poder.

> Que a ideia do suplício esteja sempre presente no coração do homem fraco e domine o sentimento que o arrasta para o crime[1].

Esses sinais-obstáculos devem constituir o novo arsenal das penas, como as marcas-vinditas organizavam os antigos suplícios. Mas, para funcionar, têm que obedecer a várias condições:

1) Ser tão pouco arbitrários quanto possível. É verdade que é a sociedade que define, em função de seus interesses próprios, o que deve ser considerado como crime: este, portanto, não é natural. Mas se queremos que a punição

---

1. BECCARIA. *Des délits et des peines*. Ed. de 1856, p. 119.

possa sem dificuldade se apresentar ao espírito assim que se pensa no crime, é preciso que, de um ao outro, a ligação seja a mais imediata possível: de semelhança, de analogia, de proximidade. É preciso dar

> à pena toda a conformidade possível com a natureza de delito, a fim de que o medo de um castigo afaste o espírito do caminho por onde era levado na perspectiva de um crime vantajoso[2].

A punição ideal será transparente ao crime que sanciona; assim, para quem a contempla, ela será infalivelmente o sinal do crime que castiga; e para quem sonha com o crime, a simples ideia do delito despertará o sinal punitivo. Vantagem para a estabilidade da ligação, vantagem para o cálculo das proporções entre crime e castigo e para a leitura quantitativa dos interesses; pois, tomando a forma de uma consequência natural, a punição não aparece como o efeito arbitrário de um poder humano:

> Tirar ao castigo o delito é a melhor maneira de proporcionar a punição ao crime. Se é isso o triunfo da justiça, é também o triunfo da liberdade, pois então, não vindo mais as penas da vontade do legislador, mas da natureza das coisas, não se vê mais o homem fazer violência ao homem[3].

Na punição analógica, o poder que pune se esconde.

Os reformadores apresentaram uma série inteira das penas naturais por instituição, e das que retomam em sua forma o conteúdo do crime. Vermeil, por exemplo: os que abusam da liberdade pública serão privados da sua; serão retirados os direitos civis dos que abusarem das vantagens da lei e dos privilégios das funções públicas; a multa punirá o peculato e a usura; a confiscação punirá o roubo; a humilhação, os delitos de "vanglória"; a morte, o assassinato; a fogueira, o incêndio. Quanto ao envenenador,

> o carrasco lhe apresentará uma taça cujo conteúdo lhe jogará no rosto, para esmagá-lo com o horror de seu crime ao fazê-lo ver sua imagem, e o meterá em seguida numa caldeira de água fervente[4].

Simples sonho? Talvez. Mas o princípio de uma comunicação simbólica é de novo claramente formulado por Le Peletier, quando apresenta em 1791 a nova legislação criminal:

---

2. Ibid.

3. MARAT, J.-P. *Plan de législation criminelle*. 1780, p. 33.

4. VERMEIL, F.M. *Essai sur les réformes à faire dans notre législation criminelle*. 1781, p. 68-145. Cf. tb. DUFRICHE DE VALAZÉ, Ch. E. *Des lois pénales*. 1784. p. 349.

> Tem que haver relações exatas entre a natureza do delito e a natureza da punição; aquele que foi feroz em seu crime sofrerá dores físicas; aquele que tiver sido preguiçoso será obrigado a um trabalho penoso; aquele que foi abjeto sofrerá uma pena de infâmia[5].

Apesar de crueldades que lembram muito o Antigo Regime, é um mecanismo bem diverso que funciona nessas penas analógicas. Não se opõem mais o atroz ao atroz numa justa de poder; não é mais a simetria da vingança, é a transparência do sinal ao que ele significa; pretende-se, no teatro dos castigos, estabelecer uma relação imediatamente inteligível aos sentidos e que possa dar lugar a um cálculo simples. Uma espécie de estética razoável da pena.

> Não é só nas belas-artes que se deve seguir fielmente a natureza; as instituições políticas, pelo menos as que têm um caráter de sabedoria e elementos de duração, se fundamentam na natureza[6].

Que o castigo decorra do crime; que a lei pareça ser uma necessidade das coisas, e que o poder aja se mascarando sob a força suave da natureza.

2) Esse jogo de sinais deve corresponder à mecânica das forças: diminuir o desejo que torna o crime atraente, aumentar o interesse que torna a pena temível; inverter a relação das imensidades, fazer que a representação da pena e de suas desvantagens seja mais viva que a do crime com seus prazeres. Toda uma mecânica, portanto, do interesse de seu movimento, da maneira como é representado e da vivacidade dessa representação.

> O legislador deve ser um arquiteto hábil que saiba ao mesmo tempo empregar todas as forças que possam contribuir para a solidez do edifício e amortecer todas as que poderiam arruiná-lo[7].

Vários meios. "Ir direto à fonte do mal"[8]. Quebrar a mola que anima a representação do crime. Tornar sem força o interesse que a fez nascer. Atrás dos delitos de vadiagem, há a preguiça; é esta que se deve combater.

> Não teremos sucesso trancando os mendigos em prisões infectas que são antes cloacas [será preciso obrigá-los ao trabalho]. Empregá-los é a melhor maneira de puni-los[9].

---

5. SAINT-FARGEAU, Le Peletier de. *Archives parlementaires*. T. XXVI, p. 321s.

6. BECCARIA. *Des délits et des peines*. 1856, p. 114.

7. Ibid., p. 135.

8. MABLY. *De la législation, Oeuvres complètes*. Vol. IX, p. 246.

9. BRISSOT, J.-P. *Théorie des lois criminelles*. Vol. I, 1781, p. 258.

Contra uma paixão má, um bom hábito; contra uma força, outra força; mas o importante é a força da sensibilidade e da paixão, não as do poder com suas armas.

> Não devemos deduzir todas as penas desse princípio tão simples, tão feliz e já conhecido de escolhê-las no que há de mais deprimente para a paixão que levou ao crime cometido?[10]

Fazer funcionar contra ela mesma a força que levou ao delito. Dividir o interesse, servir-se dele para tornar temível a pena. Que o castigo o irrite e o estimule mais do que o erro que o encorajara. Se o orgulho fez cometer um crime, que seja ferido, que se revolte com a punição. A eficácia das penas infamantes é se apoiarem sobre a vaidade que estava na raiz do crime. Os fanáticos se glorificam tanto de suas opiniões quanto dos suplícios que suportam por elas. Que se faça então funcionar contra o fanatismo a teimosia orgulhosa que o sustenta: "Comprimi-lo pelo ridículo e pela vergonha; se humilharmos a orgulhosa vaidade dos fanáticos diante de uma grande multidão de espectadores, devemos esperar efeitos felizes dessa pena". De nada serviria, ao contrário, impor-lhes dores físicas[11].

Reanimar um interesse útil e virtuoso, cujo enfraquecimento é provado pelo crime. O sentimento de respeito pela propriedade – a de riquezas, mas também a de honra, de liberdade, de vida – o malfeitor o perde quando rouba, calunia, sequestra ou mata. É preciso então que lhe seja reensinado. E começaremos a ensiná-lo nele mesmo: ele sentirá o que é perder a livre disposição de seus bens, de sua honra, de seu tempo e de seu corpo, para, por sua vez, respeitá-lo nos outros[12]. A pena que forma sinais estáveis e facilmente legíveis deve assim recompor a economia dos interesses e a dinâmica das paixões.

3) Consequentemente, utilidade de uma modulação temporal. A pena transforma, modifica, estabelece sinais, organiza obstáculos. Qual seria sua utilidade se se tornasse definitiva? Uma pena que não tivesse termo seria contraditória: todas as restrições por ela impostas ao condenado e que, voltando a ser virtuoso, ele nunca poderia aproveitar, não passariam de suplícios; e o esforço feito para reformá-lo seria pena e custo perdidos, pelo lado

---

10. LACRETELLE, P.L. de. *Réflexions sur la législation pénale. Discours sur les peines infamantes.* 1784, p. 361.

11. BECCARIA. *Des délits et des peines.* p. 113.

12. PASTORET, G.E. *Des lois pénales.* Vol. I, 1790, p. 49.

da sociedade. Se há incorrigíveis, temos que nos resolver a eliminá-los. Mas para todos os outros as penas só podem funcionar se terminam. Análise aceita pelos Constituintes: o Código de 1791 prevê a morte para os traidores e os assassinos; todas as outras penas devem ter um termo (o máximo é de vinte anos).

Mas, principalmente, o papel da duração deve estar integrado à economia da pena. Os suplícios, em sua violência, corriam o risco de ter esse resultado: quanto mais grave o crime, menos longo era seu castigo. A duração intervinha, sem dúvida, no antigo sistema das penas: dias de pelourinho, anos de banimento, horas passadas a expirar na roda. Mas era um tempo de prova, não de transformação concertada. A duração deve agora permitir a ação própria do castigo:

> Uma série prolongada de privações penosas, poupando à humanidade o horror das torturas, afeta muito mais o culpado que um instante passageiro de dor [...]. Ela renova sem cessar aos olhos do povo que serve de testemunha a lembrança das leis vingadoras e faz a todos os momentos reviver um terror salutar[13].

O tempo, operador da pena.

Ora, a frágil mecânica das paixões não permite que as pressionemos da mesma maneira nem com a mesma insistência à medida que elas se reaprumam; é bom que a pena se atenue com os efeitos que produz. Pode naturalmente ser fixa, no sentido de que é determinada para todos, da mesma maneira, pela lei; seu mecanismo interno deve ser variável. Em seu projeto à Constituinte, Le Peletier propunha penas de intensidade regressiva: um condenado à pena mais grave só irá para a masmorra (corrente nos pés e nas mãos, escuridão, solidão, pão e água) durante uma primeira fase; terá a possibilidade de trabalhar dois, depois três dias por semana. Depois dos dois primeiros terços da pena, poderá passar ao regime da "limitação" (masmorra iluminada, corrente em torno da cintura, trabalho solitário durante cinco dias na semana, mas em comum os outros dois dias; esse trabalho será pago e lhe permitirá melhorar seu passadio). Enfim, quando se aproximar do fim da pena, poderá passar ao regime da prisão:

---

13. SAINT-FARGEAU, Le Peletier de. *Archives parlementaires*. T. XXVI. Os autores que renunciam à pena de morte preveem algumas penas definitivas: BRISSOT, J.P. *Théorie des lois criminelles*. 1781, p. 29-30. • DUFRICHE DE VALAZÉ, Ch. E. *Des lois pénales*. 1784, p. 344: prisão perpétua para os que foram julgados "irremediavelmente maus".

Poderá se reunir com os outros prisioneiros todos os dias para um trabalho comum. Se preferir, poderá trabalhar sozinho. Sua comida será o que lhe render seu trabalho[14].

4) Pelo lado do condenado, a pena é uma mecânica dos sinais, dos interesses e da duração. Mas o culpado é apenas um dos alvos do castigo. Este interessa principalmente aos outros: todos os culpados possíveis. Que esses sinais-obstáculos que são pouco a pouco gravados na representação do condenado circulem então rápida e largamente; que sejam aceitos e redistribuídos por todos; que formem o discurso que cada um faz a todo mundo e com o qual todos se proíbem o crime – a boa moeda que, nos espíritos, toma o lugar do falso proveito do crime.

Para isso, é preciso que o castigo seja achado não só natural, mas interessante; é preciso que cada um possa ler nele sua própria vantagem. Que não haja mais essas penas ostensivas, mas inúteis. Que também cessem as penas secretas; mas que os castigos possam ser vistos como uma retribuição que o culpado faz a cada um de seus concidadãos pelo crime com que lesou a todos, como penas "continuamente apresentadas aos olhos dos cidadãos", e "evidenciem a utilidade pública dos movimentos comuns e particulares"[15]. O ideal seria que o condenado fosse considerado como uma espécie de propriedade rentável: um escravo posto a serviço de todos. Por que haveria a sociedade de suprimir uma vida e um corpo de que ela poderia se apropriar? Seria mais útil fazer "servir ao Estado numa escravidão mais ou menos longa de acordo com a natureza de seu crime"; a França tem muitas estradas intransitáveis que prejudicam o comércio; os ladrões que também criam obstáculo à livre circulação das mercadorias terão que reconstruir as estradas. Seria mais eloquente do que a morte "o exemplo de um homem que conservamos sempre sob os olhos, cuja liberdade foi retirada e é obrigado a usar o resto da vida a reparar a perda que causou à sociedade"[16].

No antigo sistema, o corpo dos condenados se tornava coisa do rei, sobre a qual o soberano imprimia sua marca e deixava cair os efeitos de seu poder. Agora, ele será antes um bem social, objeto de uma apropriação coletiva e útil. Daí o fato de que os reformadores tenham quase sempre proposto as obras públicas como uma das melhores penas possíveis; os *Cahiers de doléances*, aliás, os acompanharam:

---

14. SAINT-FARGEAU, Le Peletier de. *Archives parlementaires*. T. XXVI, p. 329s.

15. DUFRICHE DE VALAZÉ, Ch. E. *Des lois pénales*. 1784, p. 346.

16. BOUCHER D'ARGIS, A. *Observations sur les lois criminelles*. 1781, p. 139.

Que os condenados a alguma pena abaixo da morte sejam condenados às obras públicas do país, por um tempo proporcional a seu crime[17].

Obra pública quer dizer duas coisas: interesse coletivo na pena do condenado e caráter visível, controlável do castigo. O culpado, assim, paga duas vezes: pelo trabalho que ele fornece e pelos sinais que produz. No centro da sociedade, nas praças públicas ou nas grandes estradas, o condenado irradia lucros e significações. Ele serve visivelmente a cada um; mas, ao mesmo tempo, introduz no espírito de todos o sinal crime-castigo: utilidade secundária, puramente moral esta, mas tanto mais real.

5) Daí resulta uma sábia economia da publicidade. No suplício corporal, o terror era o suporte do exemplo: medo físico, pavor coletivo, imagens que devem ser gravadas na memória dos espectadores, como a marca na face ou no ombro do condenado. O suporte do exemplo, agora, é a lição, o discurso, o sinal decifrável, a encenação e a exposição da moralidade pública. Não é mais a restauração aterrorizante da soberania que vai sustentar a cerimônia do castigo, é a reativação do Código, o reforço coletivo da ligação entre a ideia do crime e a ideia da pena. Na punição, mais que a visão da presença do soberano, haverá a leitura das próprias leis. Estas haviam associado a tal crime tal castigo. Assim que o crime for cometido, e sem perda de tempo, virá a punição, traduzindo em ações o discurso da lei e mostrando que o Código, que liga as ideias, liga também as realidades. A junção, imediata no texto, deve sê-lo nos atos.

Considerai os primeiros momentos, quando a notícia de alguma ação atroz se espalha em nossas cidades e campos; os cidadãos parecem homens que veem cair um raio perto de si; cada um está penetrado de indignação e de horror [...]. Este é o movimento de castigar o crime: não o deixeis escapar; apressai-vos em convencê-lo e julgá-lo. Levantai cadafalsos, fogueiras, arrastai o culpado pelas praças públicas, chamai o povo em altas vozes; ouvi-lo-eis então aplaudir a proclamação de vossos julgamentos, como a de paz e de liberdade; vê-lo-eis socorrer a esses terríveis espetáculos como ao triunfo das leis[18].

---

17. Cf. MASSON, L. *La révolution pénale en 1791*. p. 139. Contra o trabalho penal se objetava entretanto que ele implicava no recurso à violência (Le Peletier) ou na profanação do caráter sagrado do trabalho (Duport). Rabaud Saint-Etienne chama a atenção para a expressão "trabalhos forçados" em oposição a "trabalhos livres que pertencem exclusivamente aos homens livres", *Archives parlementaires*. T. XXVI, p. 710s.

18. SERVAN, J.M. *Discours sur l'administration de la justice criminelle*. 1767, p. 35s.

A punição pública é a cerimônia da recodificação imediata.

A lei se reforma, vem retomar um lugar ao lado do crime que a violara. O malfeitor, em compensação, é separado da sociedade. Deixa-a. Mas não naquelas festas ambíguas do Antigo Regime, em que o povo fatalmente tomava partido do crime ou da execução, mas numa cerimônia de luto. A sociedade que recuperou suas leis perdeu o cidadão que as violara. A punição pública deve manifestar essa dupla aflição: que se possa ter ignorado a lei e que um cidadão tenha que ser isolado.

> Ligai ao suplício o mais lúgubre e mais tocante aparelho; que esse dia terrível seja para a pátria um dia de luto; que a dor geral seja estampada em toda parte em grandes caracteres [...]. Que o magistrado coberto com o crepe fúnebre anuncie ao povo o atentado e a triste necessidade de uma vingança legal. Que as diversas cenas desta tragédia atinjam todos os sentidos, mexam com todas as afeições suaves e honestas[19].

Luto cujo sentido deve ser claro para todos; cada elemento de seu ritual deve falar, dizer o crime, lembrar a lei, mostrar a necessidade da punição, justificar sua medida. Cartazes, placas, sinais, símbolos devem ser multiplicados, para que cada um possa apreender seus significados. A publicidade da punição não deve espalhar um efeito físico de terror; deve abrir um livro de leitura. Le Peletier propunha que o povo, uma vez por mês, pudesse visitar os condenados

> em seu doloroso reduto: lerá traçado em grandes caracteres, acima da porta da masmorra, o nome do culpado, o crime e o julgamento[20].

E no estilo ingênuo e militar das cerimônias imperiais, Bexon imaginará alguns anos mais tarde todo um quadro heráldico penal:

> O condenado à morte será conduzido ao cadafalso num carro "tingido ou pintado de preto entremeado de vermelho"; se traiu, terá uma camisa vermelha sobre a qual estará escrita, na frente e atrás, a palavra "traidor"; se for parricida, terá a cabeça coberta com um véu negro e em sua camisa serão bordados punhais ou os instrumentos de morte de que se tiver servido; se envenenou, sua camisa vermelha será ornamentada com serpentes e outros animais venenosos[21].

---

19. DUFAU. "Discurso à Constituinte". *Archives parlementaires*. T. XXVI, p. 688.

20. Ibid., p. 329s.

21. BEXON, S. *Code de sûreté publique*. 2ª parte, 1807, p. 24s. Tratava-se de um projeto apresentado ao rei da Baviera.

Essa lição legível, essa recodificação ritual, devem ser repetidas com toda a frequência possível; que os castigos sejam uma escola mais que uma festa; um livro sempre aberto mais que uma cerimônia. A duração que torna o castigo eficaz para o culpado também é útil para os espectadores. Estes devem poder consultar a cada instante o léxico permanente do crime e do castigo. Pena secreta, pena perdida pela metade. Seria necessário que as crianças pudessem vir aos lugares onde é executada; lá fariam suas aulas cívicas. E os homens feitos lá reaprenderiam periodicamente as leis. Concebamos os lugares de castigos como um Jardim de Leis que as famílias visitariam aos domingos.

> Eu gostaria que de vez em quando, depois de preparar os espíritos com um discurso fundamentado sobre a conservação da ordem social, sobre a utilidade dos castigos, se levassem os jovens, mesmo os homens, às minas, às obras, para contemplar o horrível destino dos proscritos. Essas peregrinações seriam mais úteis que as que os turcos fazem a Meca[22].

E Le Peletier considerava que essa visibilidade dos castigos era um dos princípios fundamentais do novo Código Penal:

> Frequentemente e em momentos marcados, a presença do povo deve levar a vergonha à cabeça do culpado; e a presença do culpado no estado penoso a que foi reduzido por seu crime deve dar à alma do povo uma útil instrução[23].

Bem antes de ser concebido como objeto de ciência, pensa-se no criminoso como elemento de instrução. Depois da visita de caridade para partilhar do sofrimento dos prisioneiros – o século XVII a inventara ou restabelecera – pensou-se nessas visitas de crianças que viriam aprender como a justiça da lei vem se aplicar ao crime: lição viva no museu da ordem.

6) Então se poderá inverter na sociedade o tradicional discurso do crime. Grave preocupação para os fazedores de leis no século XVIII: Como apagar a glória duvidosa dos criminosos? Como fazer calar-se a epopeia dos grandes malfeitores cantada pelos almanaques, folhetins, as narrativas populares? Se a recodificação for bem-feita, se a cerimônia de luto se desenrolar como deve, o crime só poderá aparecer então como uma desgraça e o malfeitor como um inimigo a quem se reensina a vida social. Em lugar dessas louvações que tornam o criminoso um herói, só se propagarão então no discurso dos homens

---

22. BRISSOT, J.-P. *Théorie des lois criminelles*. 1781.

23. *Archives parlementaires*. T. XXVI, p. 322.

esses sinais-obstáculos que impedem o desejo do crime pelo receio calculado do castigo. A mecânica positiva funcionará totalmente na linguagem de todos os dias, e esta a fortalecerá sem cessar com novas narrativas. O discurso se tornará o veículo da lei: princípio constante da recodificação universal. Os poetas do povo se juntarão enfim aos que se chamam a si mesmos "missionários da razão eterna"; tornar-se-ão moralistas.

> Pleno dessas imagens terríveis e dessas ideias salutares, cada cidadão virá espalhá-las em sua família, e aí, com longas narrativas feitas com tanto calor quanto avidamente ouvidas, seus filhos em torno dele abrirão suas jovens memórias para receber, em traços inalteráveis, a ideia do crime e do castigo, o amor pelas leis e pela pátria, o respeito e a confiança na magistratura. Os habitantes do campo, testemunhas também desses exemplos, os semearão em torno de suas cabanas, o gosto pela virtude criará raízes nessas almas grosseiras, enquanto que o mau, consternado pela alegria pública, assustado de ver tantos inimigos, talvez venha a renunciar a seus projetos cujo resultado é tão rápido quanto funesto[24].

Eis então como devemos imaginar a cidade punitiva. Nas encruzilhadas, nos jardins, à beira das estradas que são refeitas ou das pontes que são construídas, em oficinas abertas a todos, no fundo de minas que serão visitadas, mil pequenos teatros de castigos. Para cada crime, sua lei; para cada criminoso, sua pena. Pena visível, pena loquaz, que diz tudo, que explica, justifica-se, convence: placas, bonés, cartazes, tabuletas, símbolos, textos lidos ou impressos, isso tudo repete incansavelmente o Código. Cenários, perspectivas, efeitos de ótica, fachadas às vezes ampliam a cena, tornam-na mais temível, mas também mais clara. Do lugar onde está colocado o público, poder-se-ia acreditar em certas crueldades que, na realidade, não acontecem. Mas o essencial, para essas severidades reais ou ampliadas, é que, segundo uma economia estrita, todas elas sirvam de lição: que cada castigo seja um apólogo. E que, em contraponto a todos os exemplos diretos de virtude, se possam a cada instante encontrar, como uma cena viva, as desgraças do vício. Em torno de cada uma dessas "representações" morais, os escolares se comprimirão com seus professores e os adultos aprenderão que lição ensinar aos filhos. Não mais o grande ritual aterrorizante dos suplícios, mas no correr dos dias e pelas ruas esse teatro sério, com suas cenas múltiplas e persuasivas. E a memória popular reproduzirá em seus boatos o discurso austero da lei. Mas talvez fosse necessário, acima desses mil espetáculos e narrativas, colocar o sinal maior da punição para o

---

24. SERVAN, J.M. *Discours sur l'administration de la justice criminelle*. 1767, p. 37.

mais terrível dos crimes: o ápice do edifício penal. Vermeil, em todo caso, imaginara a cena da punição absoluta que devia dominar todos os teatros do castigo diário: o único caso em que se deveria procurar atingir o infinito punitivo. Um pouco o equivalente, na nova penalidade, ao que fora o regicídio na antiga. O culpado teria os olhos furados; seria colocado numa jaula de ferro, suspensa em pleno ar, acima de uma praça pública; estaria completamente nu; com um cinto de ferro em torno da cintura, seria amarrado às grades; até o fim de seus dias, seria alimentado a pão e água.

> Estaria assim exposto a todos os rigores das estações ora a fronte coberta de neve, ora calcinado por um sol ardente. Seria nesse suplício enérgico, que apresenta antes o prolongamento de uma morte dolorosa que o de uma vida penosa que se poderia realmente reconhecer um celerado votado ao horror da natureza inteira, condenado a não ver mais o céu que ultrajou e a não habitar mais a terra que maculou[25].

Acima da cidade punitiva, essa aranha de ferro; e o que deve ser assim crucificado pela nova lei é o parricida.

*

Todo um arsenal de castigos pitorescos. "Evitai infligir as mesmas punições", dizia Mably. É banida a ideia de uma pena uniforme, modulada unicamente pela gravidade da falta. Mais precisamente: a utilização da prisão como forma geral de castigo nunca é apresentada nesses projetos de penas específicas, visíveis e eloquentes. Sem dúvida, a prisão é prevista, mas entre outras penas; é então o castigo específico para certos delitos, os que atentam à liberdade dos indivíduos (como o rapto) ou que resultam do abuso da liberdade (a desordem, a violência). É prevista também como condição para que se possam executar certas penas (o trabalho forçado, por exemplo). Mas não cobre todo o campo da penalidade com a duração como único princípio de variação. Melhor, a ideia de uma reclusão penal é explicitamente criticada por muitos reformadores. Porque é incapaz de responder à especificidade dos crimes. Porque é desprovida de efeito sobre o público. Porque é inútil à sociedade, até nociva: é cara, mantém os condenados na ociosidade, multiplica-lhes os vícios[26]. Porque é difícil controlar o cumprimento de uma pena dessas e se corre o risco de expor os detentos à arbitrariedade de seus guardiães. Porque

---

25. VERMEIL, F.M. *Essai sur les réformes à faire dans notre législation criminelle.* 1781, p. 148s.
26. Cf. *Archives parlementaires.* T. XXVI, p. 712.

o trabalho de privar um homem de sua liberdade e vigiá-lo na prisão é um exercício de tirania.

> Exigis que haja entre vós monstros; e esses homens odiosos, se existissem, o legislador deveria talvez tratá-los como assassinos[27].

A prisão em seu todo é incompatível com toda essa técnica da pena-efeito, da pena-representação, da pena-função geral, da pena-sinal e discurso. Ela é a escuridão, a violência e a suspeita.

> É um lugar de trevas onde o olho do cidadão não pode contar as vítimas, onde consequentemente seu número está perdido para o exemplo [...]. Enquanto que se, sem multiplicar os crimes, pudermos multiplicar o exemplo dos castigos, conseguimos enfim torná-los menos necessários; aliás a escuridão das prisões se torna assunto de desconfiança para os cidadãos; supõem facilmente que lá se cometem grandes injustiças [...] Há certamente alguma coisa que vai mal, quando a lei, que é feita para o bem da multidão, em vez de excitar seu reconhecimento, excita continuamente seus murmúrios[28].

Que a reclusão pudesse como hoje, entre a morte e as penas leves, cobrir todo o espaço médio da punição, é uma ideia que os reformadores não podiam ter imediatamente.

Ora, eis o problema: depois de bem pouco tempo, a detenção se tornou a forma essencial de castigo. No Código Penal de 1810, entre a morte e as multas, ela ocupa, sob um certo número de formas, quase todo o campo das punições possíveis.

> Que é o sistema de penalidades admitido pela nova lei? É o encarceramento sob todas as suas formas. Comparai com efeito as quatro penas principais que restam no Código Penal. Os trabalhos forçados são uma forma de encarceramento. O local desse castigo é uma prisão ao ar livre. A detenção, a reclusão, o encarceramento correcional não passam, de certo modo, de nomes diversos de um único e mesmo castigo[29].

E esse encarceramento, pedido pela lei, o Império resolvera transcrevê-lo logo para a realidade, segundo uma hierarquia penal, administrativa, geográfica: no grau mais baixo, associada a cada justiça de paz, delegacia mu-

---

27. MABLY, G. de. *De la législation, Oeuvres complètes*. 1789, t. IX, p. 338.

28. DUFRICHE DE VALAZÉ, Ch.E. *Des lois pénales*. 1784, p. 344s.

29. RÉMUSAT, C.F.M. de. *Archives parlementaires*. T. LXXII, l/12/1831, p. 185.

nicipal; em cada distrito, prisões; em todos os departamentos, uma casa de correção; no cume, várias casas centrais para os condenados criminosos ou os correcionais que são condenados a mais de um ano; enfim, em alguns portos, prisão com trabalhos forçados. É programado um grande edifício carceral, cujos níveis diversos devem-se ajustar exatamente aos andares da centralização administrativa. O cadafalso onde o corpo do supliciado era exposto à força ritualmente manifesta do soberano, o teatro punitivo onde a representação do castigo teria sido permanentemente dada ao corpo social, são substituídos por uma grande arquitetura fechada, complexa e hierarquizada que se integra no próprio corpo do aparelho do Estado. Uma materialidade totalmente diferente, uma física do poder totalmente diferente, uma maneira de investir o corpo do homem totalmente diferente. A partir da Restauração e sob a monarquia de julho, encontraremos, por pequenas diferenças, entre 40 e 43.000 detentos nas prisões francesas (mais ou menos um prisioneiro para cada 600 habitantes). O muro alto, não mais aquele que cerca e protege, não mais aquele que manifesta, por seu prestígio, o poder e a riqueza, mas o muro cuidadosamente trancado, intransponível num sentido e no outro, e fechado sobre o trabalho agora misterioso da punição, será bem perto e às vezes mesmo no meio das cidades do século XIX, a figura monótona, ao mesmo tempo material e simbólica, do poder de punir. Já sob o Consulado, o ministro do interior fora encarregado de investigar sobre os diversos lugares de segurança que já funcionavam ou que podiam ser utilizados nas diversas cidades. Alguns anos mais tarde, haviam sido previstos créditos para construir, à altura do poder que deviam representar e servir, esses novos castelos da ordem civil. O Império os utilizou, na realidade, para uma outra guerra[30]. Uma economia menos suntuária, mas mais obstinada, acabou construindo-os, pouco a pouco, no século XIX.

Em todo caso em menos de vinte anos, o princípio tão claramente formulado na Constituinte, de penas específicas, ajustadas, eficazes, que formassem, em cada caso, lição para todos, tornou-se a lei de detenção para qualquer infração pouco importante, se ela ao menos não merecer a morte. Esse teatro punitivo, com que se sonhava no século XVIII, e que teria agido essencialmente sobre o espírito dos cidadãos, foi substituído pelo grande aparelho uniforme das prisões cuja rede de imensos edifícios se estenderá por toda a França e a Europa. Mas dar vinte anos como cronologia para esse passe de mágica é talvez ainda excessivo. Pode-se dizer que foi quase instantâneo. Basta exami-

---

30. Cf. DECAZES, E. "Relatório ao Rei sobre as prisões". *Le Moniteur*, 11/04/1819.

nar com atenção o projeto de Código Criminal apresentado por Le Peletier à Constituinte. O princípio formulado no início é que são necessárias "relações exatas entre a natureza do delito e a natureza da punição": dores para os que foram ferozes, trabalho para os que foram preguiçosos, infâmia para aqueles cuja alma está degradada. Ora, as penas aflitivas efetivamente propostas são três formas de detenção: a masmorra onde a pena de encarceramento é agravada por diversas medidas (referentes à solidão, à privação de luz, às restrições de comida); a "limitação", em que essas medidas anexas são atenuadas, enfim a prisão propriamente dita, que se reduz ao encarceramento puro e simples. A diversidade, tão solenemente prometida, reduz-se finalmente a essa penalidade uniforme e melancólica. Houve, aliás, no momento, deputados que se espantaram de que, em vez de estabelecer uma relação entre delitos e penas, se houvesse seguido um plano totalmente diferente:

> De maneira que se eu traí meu país, sou preso; se matei meu pai, sou preso; todos os delitos imagináveis são punidos da maneira mais uniforme. Tenho a impressão de ver um médico que, para todas as doenças, tem o mesmo remédio[31].

Pronta substituição que não foi privilégio da França. Encontramo-la, igual em tudo, nos países estrangeiros. Quando Catarina II, nos anos que se seguiram imediatamente ao tratado "Dos delitos e das penas", manda redigir um projeto para um "novo código das leis", a lição de Beccaria sobre a especificidade e a variedade das penas não foi esquecida; é repetida quase palavra por palavra:

> É o triunfo da liberdade civil, quando as leis criminais tiram cada pena da natureza particular de cada crime. Então cessa qualquer arbitrariedade; a pena não depende em nada do capricho do legislador, mas da natureza da coisa; não é de modo algum o homem que faz violência ao homem, mas a própria ação do homem[32].

Alguns anos mais tarde os princípios gerais de Beccaria ainda fundamentam o novo código toscano e o que José II deu à Áustria; e no entanto essas duas legislações fazem do encarceramento – modulado segundo a duração e agravado em certos casos pelo ferrete ou pelas algemas, uma pena quase uniforme; trinta anos pelo menos de detenção por atentado contra o soberano, por falsificação

---

31. CHABROUD, Ch. *Archives parlementaires*. T. XXVI, p. 618.

32. CATARINA II. *Instructions pour la commission chargée de dresser le projet du nouveau code des lois*, art. 67.

de moeda e por assassinato complicado com roubo; de quinze a trinta anos por homicídio voluntário ou por roubo a mão armada; de um mês a cinco anos por roubo simples etc.[33]

Mas se essa colonização da penalidade pela prisão é de surpreender, é porque esta não era, como se imagina, um castigo que já estivesse solidamente instalado no sistema penal, logo abaixo da pena de morte, e que teria naturalmente ocupado o lugar deixado vago pelo desaparecimento dos suplícios. Na realidade a prisão – e muitos países, nesse ponto, estavam na mesma situação da França – tinha apenas uma posição restrita e marginal no sistema das penas. Os textos o provam. A ordenação de 1670, entre as penas aflitivas, não cita a detenção. A prisão perpétua ou temporária havia, sem dúvida, figurado entre as penas em certos costumes[34]. Mas pretende-se que ela está caindo em desuso como outros suplícios:

> Havia antigamente penas que não se praticam mais na França, como escrever na testa ou rosto de um condenado sua pena, e a prisão perpétua, assim como não se deve condenar um criminoso a ser exposto às feras nem às minas[35].

De fato, é certo que a prisão subsistira de maneira tenaz, para sancionar as faltas sem gravidade, e isto segundo os costumes ou hábitos locais. Nesse sentido Soulatges fala das "penas leves" que a ordenação de 1670 não mencionara: o anátema, a admoestação, a abstenção de lugar, a satisfação à pessoa ofendida e a prisão temporária. Em certas regiões, principalmente as que haviam melhor conservado seu particularismo judiciário, a pena de prisão tinha ainda uma grande extensão, mas a coisa tinha suas dificuldades, como no Roussillon, recentemente anexado.

Mas por meio dessas divergências os juristas defendem firmemente o princípio de que a "prisão não é vista como uma pena em nosso direito civil"[36]. Seu papel é de ser uma garantia sobre a pessoa e sobre seu corpo: *ad continendos homines, non ad puniendos*, diz o adágio: nesse sentido, o encarceramento de um suspeito tem um pouco o mesmo papel que o de um devedor. A prisão

---

33. Uma parte desse código foi traduzida na introdução a COLQUHOUN, P. *Traité sur la police de Londres*. 1807. Vol. I, p. 84. [Tradução francesa].

34. Cf. por ex. COQUILLE. *Coutume du Nivernais*.

35. ROUSSEAUD DE LA COMBE, G. du. *Traité des matières criminelles*. 1741, p. 3.

36. SERPILLON, F. *Code criminel*. 1767, t. III, p. 1.095. Encontramos entretanto em Serpillon a ideia de que o rigor da prisão é um começo de pena.

assegura que temos alguém, não o pune[37]. É este o princípio geral. E se às vezes a prisão desempenha o papel de pena mesmo, e em casos importantes é essencialmente a título do substituto: substitui as galés para aqueles – mulheres, crianças, inválidos – que nelas não podem servir:

> A condenação a ser encarcerado temporária ou definitivamente numa casa de força é equivalente à das galés[38].

Nessa equivalência, vemos bem se esboçar uma possível substituição. Mas, para que ela se realizasse, foi preciso que a prisão mudasse de estatuto jurídico.

Foi preciso também superar um segundo obstáculo que, para a França pelo menos, era considerável. Com efeito, a prisão era ainda mais desqualificada porque estava, na prática, diretamente ligada ao arbítrio real e aos excessos do poder soberano. As "casas de força", os hospitais gerais, as "ordens do rei" ou as do chefe de polícia, as cartas timbradas obtidas pelos notáveis ou pelas famílias haviam constituído toda uma prática repressiva, justaposta à "justiça regular" e ainda mais frequentemente oposta a ela. E esse encarceramento extrajudiciário era rejeitado tanto pelos juristas clássicos quanto pelos reformadores. Prisões, feito do príncipe, dizia um tradicionalista como Serpillon que se abrigava por trás da autoridade do presidente Bouhier:

> Embora os príncipes por razões de Estado cheguem às vezes a infligir esta pena, a justiça ordinária não utiliza esses tipos de condenação[39].

Detenção, figura e instrumento privilegiado do despotismo, dizem os reformadores, em inúmeras declarações:

> Que se dirá dessas prisões secretas imaginadas pelo espírito fatal do monarquismo, reservadas principalmente ou para os filósofos em cujas mãos a natureza colocou seu facho e que ousam iluminar seu século, ou para essas almas orgulhosas e independentes que não têm a covardia de calar os males de sua pátria: prisões cujas portas funestas são abertas por misteriosas cartas, para aí sepultar para sempre suas infelizes vítimas? Que se dirá mesmo dessas cartas, obra-prima

---

37. É assim que se devem compreender os numerosos regulamentos referentes às prisões e que tratam do rigor dos carcereiros, da segurança dos locais e da impossibilidade dos prisioneiros se comunicarem. Por exemplo, a decisão do Parlamento de Dijon de 21 de setembro de 1706. Cf. tb. SERPILLON, F. *Code criminel*, 1767, t. III, p. 601-647.

38. É o que determina a declaração de 4 de março de 1724 sobre as reincidências de roubo ou a de 18 de julho de 1724 a respeito da vadiagem. Um rapazinho, que não tivesse idade para ir para as galés, ficava numa casa de detenção até o momento em que podia ser enviado para lá, às vezes para purgar a totalidade da pena. Cf. *Crime et criminalité en France sous l'Ancien Régime*. 1971, p. 266s.

39. SERPILLON, F. *Code criminel*. 1767, t. III, p. 1.095.

de uma misteriosa tirania, que invertem o privilégio que tem qualquer cidadão de ser ouvido antes de ser julgado, e que são mil vezes mais perigosas para os homens que a invenção das Phalaris [...][40].

Sem dúvida que esses protestos vindos de horizontes tão diversos se referem não ao encarceramento como pena legal, mas à utilização "fora da lei" da detenção arbitrária e indeterminada. Nem por isso a prisão deixava de aparecer, de uma maneira geral, como marcada pelos abusos do poder. E muitos rejeitam-na por incompatível com uma boa justiça. Quer em nome dos princípios jurídicos clássicos:

As prisões, na intenção da lei, sendo destinadas não a punir, mas a garantir a presença das pessoas [...][41]

quer em nome dos efeitos da prisão que já pune os que ainda não estão condenados, que comunica e generaliza o mal que deveria prevenir e que vai contra o princípio da individualização da pena, sancionando toda uma família; diz-se que

a prisão é uma pena. A humanidade se levanta contra esse horrível pensamento de que não é uma punição privar um cidadão do mais precioso dos bens, mergulhá-lo ignominiosamente no mundo do crime, arrancá-lo a tudo o que lhe é caro, precipitá-lo talvez na ruína e retirar-lhe, não só a ele mas à sua infeliz família, todos os meios de subsistência[42].

E os *Cahiers*, por várias vezes, pedem a supressão dessas casas de internação:

Pensamos que as cadeias devem ser arrasadas...[43]

E realmente o decreto de 13 de março de 1790 ordena que se ponha em liberdade

todas as pessoas detidas nos castelos, nas casas religiosas, cadeias, delegacias ou quaisquer outras prisões por cartas de prego ou por ordem dos agentes do poder executivo.

---

40. BRISSOT, J.P. *Théorie des lois criminelles*. 1781, t.1, p. 173.

41. Paris intramuros (Nobreza). In: DESJARDIN, A. *Les cahiers de doléance et la justice criminelle*. p. 477.

42. *Langres, Trois Ordres*. Apud ibid., p. 483.

43. Briey, *"Tiers Etat"*. Apud p. 484. Cf. GOUBERT, P. & DENIS, M. *Les Français ont la parole*. 1964, p. 203. Encontram-se também nos *Cahiers* pedidos para a manutenção de casas de detenção que as famílias pudessem utilizar.

Como pôde a detenção, tão visivelmente ligada a esse ilegalismo que é denunciado até no poder do príncipe, em tão pouco tempo se tornar uma das formas mais gerais dos castigos legais?

*

A explicação mais frequente é a formação durante a época clássica de alguns grandes modelos de encarceramento punitivo. Seu prestígio, ainda maior dado o fato de que os mais recentes vinham da Inglaterra e principalmente da América, teria permitido superar o duplo obstáculo constituído pelas regras seculares do direito e o funcionamento despótico da prisão. Muito rapidamente, teriam afastado as maravilhas punitivas imaginadas pelos reformadores, e imposto a realidade séria da detenção. A importância desses modelos foi grande, não se deve duvidar. Mas são justamente eles que antes de fornecer a solução trazem problemas: o de sua existência e o de sua difusão. Como puderam nascer e principalmente como puderam ser aceitos de maneira tão geral? Pois é fácil mostrar que, se apresentam um certo número de pontos em comum com os princípios gerais da reforma penal, em muitos pontos são inteiramente heterogêneos a ela, e às vezes mesmo incompatíveis.

O mais antigo desses modelos, o que passa por ter, de perto ou de longe, inspirado todos os outros, é o Rasphuis de Amsterdam, aberto em 1596[44]. Destinava-se em princípio a mendigos ou a jovens malfeitores. Seu funcionamento obedecia a três grandes princípios: a duração das penas podia, pelo menos dentro de certos limites, ser determinada pela própria administração, de acordo com o comportamento do prisioneiro (essa latitude podia, aliás, ser prevista pela sentença: em 1597 um detento era condenado a doze anos de prisão, que podiam se reduzir a oito, se seu comportamento fosse satisfatório). O trabalho era obrigatório, feito em comum (aliás a cela individual só era utilizada a título de punição suplementar; os detentos dormiam 2 ou 3 em cada cama, em celas que continham de 4 a 12 pessoas); e, pelo trabalho feito, os prisioneiros recebiam um salário. Enfim, um horário estrito, um sistema de proibições e de obrigações, uma vigilância contínua, exortações, leituras

---

44. Cf. SELLIN, T. *Pioneering in Penology*. 1944, que dá um estudo exaustivo do Rasphuis e do Spinhuis de Amsterdam. Podemos deixar de lado um outro "modelo" frequentemente citado no século XVIII. É o proposto por Mabillon nas *Réflexions sur les prisons des ordres religieux*, reeditado em 1845. Parece que esse texto foi exumado no século XIX no momento em que os católicos disputavam com os protestantes o lugar que estes haviam tomado no movimento da filantropia e em certas repartições. O opúsculo de Mabillon, que parece ter ficado pouco conhecido e sem influência, mostraria que "o primeiro pensamento do sistema penitenciário americano" é um "pensamento totalmente monástico e francês, a despeito do que se possa ter dito para lhe atribuir uma origem genebrina ou pensilvaniana" (L. Faucher).

espirituais, todo um jogo de meios para "atrair para o bem" e "desviar do mal" enquadrava os detentos no dia a dia. Pode-se tomar o Rasphuis de Amsterdam como exemplo básico. Historicamente, faz a ligação entre a teoria, característica do século XVI, de uma transformação pedagógica e espiritual dos indivíduos por um exercício contínuo, e as técnicas penitenciárias imaginadas na segunda metade do século XVIII. E deu às três instituições que são então implantadas os princípios fundamentais que cada uma desenvolverá numa direção particular.

A cadeia de Gand organizou o trabalho penal em torno principalmente de imperativos econômicos. A razão dada é que a ociosidade é a causa geral da maior parte dos crimes. Um levantamento – um dos primeiros sem dúvida – feito sobre os condenados na jurisdição de Alost, em 1749, mostra que os malfeitores não eram

> artesãos ou lavradores (os operários só pensam no trabalho que os alimenta), mas vagabundos que se dedicavam à mendicância[45].

Daí a ideia de uma casa que realizasse de uma certa maneira a pedagogia universal do trabalho para aqueles que se mostrassem refratários. Quatro vantagens: diminuir o número de processos criminais que custam caro ao Estado (poder-se-iam assim economizar mais de 100.000 libras em Flandres); não ser mais necessário adiar os impostos para os proprietários dos bosques arruinados pelos vagabundos; formar uma quantidade de novos operários, o que "contribuiria, pela concorrência, a diminuir a mão de obra"; enfim permitir aos verdadeiros pobres ter os benefícios, sem divisão, da caridade necessária[46]. Essa pedagogia tão útil reconstituirá no indivíduo preguiçoso o gosto pelo trabalho, recolocá-lo-á por força num sistema de interesses em que o trabalho será mais vantajoso que a preguiça, formará em torno dele uma pequena sociedade reduzida, simplificada e coercitiva onde aparecerá claramente a máxima: quem quer viver tem que trabalhar. Obrigação do trabalho, mas também retribuição que permite ao detento melhorar seu destino durante e depois da detenção.

---

45. VILAN XIV. *Mémoire sur les moyens de corriger les malfaiteurs*. 1773, p. 64; esta memória, que é ligada à fundação da casa de força de Gand, permaneceu inédita até 1841. A frequência das penas de banimento acentuava ainda as relações entre crime e vadiagem. Em 1771, os Estados de Flandres constatavam que "as penas de banimento editadas contra os mendigos permanecem sem efeito, já que os Estados se enviam reciprocamente os indivíduos que acham perniciosos em seu território. Resulta disso que um mendigo assim mandado de um lugar para o outro terminará sendo enforcado, enquanto que se houvesse sido acostumado ao trabalho não chegaria a esse mau caminho" (STOOBANT, L. *Annales de la Société d'histoi*re de Gand. T. III, 1898, p. 228). Cf. figura n. 15.

46. VILAN XIV. *Mémoire*. p. 68.

O homem que não encontra sua subsistência deve absolutamente ser levado ao desejo de procurá-la pelo trabalho; ela lhe é oferecida pela polícia e pela disciplina; de alguma maneira, ele é obrigado a se entregar; a atração do ganho o excita, em seguida: corrigido em seus hábitos, acostumado a trabalhar, alimentado sem inquietação com alguns lucros que reserva para a saída [ele aprendeu uma profissão] que lhe garante uma subsistência sem perigo[47].

Reconstrução do *Homoeconomicus*, que exclui a utilização de penas muito breves – o que impediria a aquisição das técnicas e do gosto pelo trabalho, ou definitivas – o que tornaria inútil qualquer aprendizagem.

O prazo de seis meses é curto demais para corrigir os criminosos e levá-los ao espírito de trabalho; [em compensação] o prazo perpétuo os desespera; ficam indiferentes à correção dos hábitos e ao espírito de trabalho; só se ocupam com projetos de evasão e de revolta; e já que não foram julgados quanto a serem privados da vida, por que procurar torná-la insuportável?[48]

A duração da pena só tem sentido em relação a uma possível correção, e a uma utilização econômica dos criminosos corrigidos.

Ao princípio do trabalho, o modelo inglês acrescenta, como condição essencial para a correção, o isolamento. O esquema fora dado em 1775, por Hanway, que o justificava em primeiro lugar por razões negativas: a promiscuidade na prisão dá maus exemplos e possibilidades de evasão no imediato, de chantagem ou de cumplicidade para o futuro. A prisão se pareceria demais com uma fábrica deixando-se os detentos trabalhar em comum. As razões positivas em seguida: o isolamento constitui "um choque terrível", a partir do qual o condenado, escapando às más influências, pode fazer meia-volta e redescobrir no fundo de sua consciência a voz do bem; o trabalho solitário se tornará então tanto um exercício de conversão quanto de aprendizado; não reformará simplesmente o jogo de interesses próprios ao *homoeconomicus*, mas também os imperativos do indivíduo moral. A cela, esta técnica do monaquismo cristão e que só subsistia em países católicos, torna-se nessa sociedade protestante o instrumento através do qual se podem reconstituir ao mesmo tempo o *homoeconomicus* e a consciência religiosa. Entre o crime e a volta ao direito e à virtude, a prisão constituirá um "espaço entre dois mundos", um lugar para as transformações individuais que devolverão ao Estado os indivíduos que este perdera. Aparelho para mo-

---

47. Ibid., p. 107.
48. Ibid., p. 102s.

dificar os indivíduos que Hanway chama um "reformatório"[49]. São esses princípios gerais que Howard e Blackstone põem em prática em 1779 quando a independência dos Estados Unidos impede as deportações e se prepara uma lei para modificar o sistema de penas. O encarceramento, com a finalidade de transformação da alma e do comportamento, faz sua entrada no sistema das leis civis. O preâmbulo da lei, redigido por Blackstone e Howard, descreve o encarceramento individual em sua tríplice função de exemplo temível, de instrumento de conversão e de condição para um aprendizado: submetidos

> a uma detenção isolada, a um trabalho regular e à influência da instrução religiosa [certos criminosos poderiam] não só assustar aqueles que ficassem tentados a imitá-los, mas ainda eles mesmos se corrigirem e contrair o hábito do trabalho[50].

Donde a decisão de construir duas penitenciárias, uma para os homens, outra para as mulheres, onde os detentos isolados seriam obrigados "aos trabalhos mais servis e mais compatíveis com a ignorância, a negligência e a obstinação dos criminosos": andar numa roda para movimentar uma máquina, fixar um cabrestante, polir mármore, bater cânhamo, raspar pau-campeche, retalhar trapos, fazer cordas e sacos. Na realidade só uma penitenciária foi construída, a de Gloucester, e que só parcialmente correspondia ao esquema inicial: confinamento total para os criminosos mais perigosos; para os outros, trabalho em comum durante o dia e separação à noite.

Enfim, o modelo de Filadélfia. O mais famoso, sem dúvida, porque surgia ligado às inovações políticas do sistema americano e também porque não foi votado, como os outros, ao fracasso imediato e ao abandono; foi continuamente retomado e transformado até às grandes discussões dos anos 1830 sobre a reforma penitenciária. Em muitos pontos, a prisão de Walnut Street, aberta em 1790, sob a influência direta dos meios quaker, retomava o modelo de Gand e de Gloucestet[51]. Trabalho obrigatório em oficinas, ocupação constante dos detentos, custeio das despesas da prisão com esse trabalho, mas também retribuição individual dos prisioneiros para assegurar sua reinserção moral e material no mundo estrito da economia; os condenados são então

---

49. HANWAY, J. *The Defects of Police*. 1775.

50. Preâmbulo do Bill de 1779, apud JULIUS. *Leçons sur les prisons*. 1831. Vol. I, p. 299. [Trad. francesa].

51. Os quakers com toda certeza também conheciam o Rasphuis e o Spinhuis de Amsterdam. Cf. SELLIN, T. *Pioneering in Penology*. p. 109s. De qualquer modo a prisão de Walnut Street se situava na continuação da Almhouse aberta em 1767 e da legislação penal que os quakers haviam querido impor apesar da administração inglesa.

constantemente empregados em trabalhos produtivos para fazê-los suportar os gastos da prisão, para não deixá-los na inação e para lhes preparar alguns recursos para o momento em que deverá cessar seu cativeiro[52].

A vida é então repartida de acordo com um horário absolutamente estrito, sob uma vigilância ininterrupta: cada instante do dia é destinado a alguma coisa, prescreve-se um tipo de atividade e implica obrigações e proibições:

> Todos os prisioneiros se levantam cedo de madrugada, de maneira que depois de terem feito as camas, terem-se lavado e atendido a outras necessidades, começam o trabalho geralmente ao nascer do sol. A partir desse momento, ninguém pode entrar nas salas ou outros lugares que não sejam as oficinas e locais designados para seus trabalhos [...]. No fim do dia, toca um sino que os avisa para deixar o trabalho [...]. Eles têm meia hora para arrumar as camas, e depois disso não lhes é mais permitido conversar alto e fazer o mínimo ruído[53].

Como em Gloucester, o confinamento solitário não é total: é para certos condenados que em outras épocas teriam recebido a morte, e para aqueles que no interior da prisão merecem uma punição especial:

> Lá, sem ocupação, sem nada para distraí-lo, à espera e na incerteza do momento em que será libertado [o prisioneiro passa] longas horas ansiosas, trancado em pensamentos que se apresentam ao espírito de todos os culpados[54].

Como em Gand, enfim, a duração do encarceramento pode variar com o comportamento do detento: os inspetores da prisão, depois de consultar o processo, obtêm das autoridades – e isso sem dificuldades até pelos anos 1820 – o perdão para os detentos que se comportarem bem.

Walnut Street comporta além disso um certo número de traços que lhe são específicos, ou pelo menos que desenvolvem o que estava virtualmente presente nos outros modelos. Em primeiro lugar o princípio da não publicidade da pena. Se a condenação e o que a motivou devem ser conhecidos por todos, a execução da pena, em compensação, deve ser feita em segredo; o público não deve intervir nem como testemunha, nem como abonador da punição; a certeza de que, atrás dos muros, o detento cumpre sua pena deve

---

52. LA ROCHEFOUCAULD-LIANCOURT, G. de. *Des prisons de Philadelphie*. 1796, p. 9.

53. TURNBULL, J. *Visite à la prison de Philadelphie*. 1797, p. 15-16. [Trad. francesa].

54. CALEB LOWNES. In: TEETERS, N.K. *Cradle of Penitentiary*. 1955, p. 49.

ser suficiente para constituir um exemplo: terminados aqueles espetáculos de rua criados pela lei de 1786, quando impôs a certos condenados obras públicas a executar nas cidades ou estradas[55]. O castigo e a correção que este deve operar são processos que se desenrolam entre o prisioneiro e aqueles que o vigiam. Processos que impõem uma transformação do indivíduo inteiro – de seu corpo e de seus hábitos pelo trabalho cotidiano a que é obrigado, de seu espírito e de sua vontade pelos cuidados espirituais de que é objeto:

> São fornecidas bíblias e outros livros de religião prática; o clero das diversas obediências que se encontrar na cidade e nos arrabaldes realiza o serviço religioso uma vez por semana e qualquer outra pessoa edificante pode ter acesso aos prisioneiros todo o tempo[56].

Mas a própria administração tem o papel de empreender essa transformação. A solidão e o retorno sobre si mesmo não bastam; assim tampouco as exortações puramente religiosas. Deve ser feito com tanta frequência quanto possível um trabalho sobre a alma do detento. A prisão, aparelho administrativo, será ao mesmo tempo uma máquina para modificar os espíritos. Quando o detento entra, o regulamento lhe é lido:

> ao mesmo tempo, os inspetores procuram fortalecer nele as obrigações morais onde ele está; demonstram-lhe a infração em que caiu em relação a eles, o mal que disso consequentemente resultou para a sociedade que o protegia e a necessidade de fazer uma compensação por seu exemplo e ao se emendar. Fazem-no em seguida se comprometer a cumprir seu dever com alegria, a se comportar decentemente, prometendo-lhe, ou fazendo-o esperar, que antes da expiração do termo da sentença poderá obter seu relaxamento, se se comportar bem [...]. De vez em quando os inspetores, sem falta, conversam com os criminosos um depois do outro, relativamente a seus deveres como homens e como membros da sociedade[57].

Mas o mais importante sem dúvida é que esse controle e essa transformação do comportamento são acompanhados – ao mesmo tempo condição e

---

55. Sobre as desordens provocadas por essa lei, cf. RUSH, B. *An Inquiry Into the Effects of Public Punishment.* 1787, p. 5-9, e VAUX, R. *Notices.* P. 45. Deve-se notar que no relatório de J.-L. Siegel, que inspirara o Rasphuis de Amsterdam, era previsto que as penas não seriam proclamadas publicamente, que os prisioneiros seriam levados à casa de correção à noite, que os guardiães se comprometeriam sob juramento a não lhes revelar a identidade e não seria permitida nenhuma visita (SELLIN, T. *Pioneering in Penology.* P. 27s.).

56. Primeiro relatório dos inspetores de Walnut Street, apud TEETERS, p. 53s.

57. TURNBULL, J. *Visite à la prison de Philadelphie.* Trad. 1797, p. 27.

consequência – da formação de um saber dos indivíduos. Ao mesmo tempo que o próprio condenado, a administração de Walnut Street recebe um relatório sobre seu crime, as circunstâncias em que foi cometido, um resumo de interrogatório do culpado, notas sobre a maneira como ele se conduziu antes e depois da sentença. Outros tantos elementos indispensáveis se queremos "determinar quais serão os cuidados necessários para destruir seus hábitos antigos"[58]. E durante todo o tempo da detenção ele será observado; seu comportamento será anotado dia por dia, e os inspetores – doze notáveis da cidade designados em 1795 – que, dois a dois, visitam a prisão toda semana, deverão se informar do que se passou, tomar conhecimento da conduta de cada condenado e designar aqueles para os quais será pedida a graça. Esses conhecimentos dos indivíduos, continuamente atualizados, permitem reparti-los na prisão menos em função de seus crimes que das disposições que demonstram. A prisão se torna uma espécie de observatório permanente que permite distribuir as variedades do vício ou da fraqueza. A partir de 1797, os prisioneiros estavam divididos em quatro classes: a primeira para os que foram explicitamente condenados ao confinamento solitário, ou que cometeram faltas graves na prisão; outra é a reservada aos que são

> bem conhecidos por serem velhos delinquentes [...] ou cuja moral depravada, temperamento perigoso, disposições irregulares ou conduta desordenada [se manifestaram durante o tempo em que estavam na prisão; outra para aqueles] de quem o caráter e as circunstâncias, antes e depois da condenação, fazem pensar que não são delinquentes comuns.

Existe enfim uma seção especial, uma classe de prova para aqueles cujo temperamento ainda não é conhecido, ou que, se são mais bem conhecidos, não merecem entrar na categoria anterior[59]. Organiza-se todo um saber individualizante que toma como campo de referência não tanto o crime cometido (pelo menos em estado isolado), mas a virtualidade de perigos contida num indivíduo e que se manifesta no comportamento observado cotidianamente. A prisão funciona aí como um aparelho de saber.

*

---

58. B. Rush, que foi um dos inspetores, nota o seguinte depois de uma visita a Walnut Street: "Cuidados morais: pregação, leitura de bons livros, limpeza das roupas e dos quartos, banhos; fala-se em voz baixa, pouco vinho, o mínimo de fumo, pouca conversa obscena ou profana. Trabalho constante: horta bem-cuidada; está bonita: 1.200 cabeças de repolho". In: TEETERS, N.K. *The cradle of penitentiary.* 1935, p. 50.

59. *Minutes of the Board*, 16/06/1797. In: TEETERS, N.K. Op. cit., p. 59.

Entre este aparelho punitivo proposto pelos modelos flamengo, inglês, americano – entre esses "reformatórios" e todos os castigos imaginados pelos reformadores, podem-se estabelecer pontos de convergência e disparidades.

Pontos de convergência. Em primeiro lugar, o retorno temporal da punição. Os "reformatórios" se dão por função, também eles, não apagar um crime, mas evitar que recomece. São dispositivos voltados para o futuro, e organizados para bloquear a repetição do delito.

> O objeto das penas não é a expiação do crime cuja determinação deve ser deixada ao Ser supremo; mas prevenir os delitos da mesma espécie[60]. [E na Pensilvânia Buxton afirmava que os princípios de Montesquieu e de Beccaria deviam ter agora] "força de axiomas", a prevenção dos crimes é o único fim do castigo[61].

Não se pune, portanto, para apagar um crime, mas para transformar um culpado (atual ou virtual); o castigo deve levar em si uma certa técnica corretiva. Ainda nesse ponto, Rush está bem próximo dos juristas reformadores – não fora, talvez, a metáfora que utiliza – quando diz: inventaram-se sem dúvida máquinas que facilitam o trabalho; bem mais se deveria louvar aquele que inventasse

> os métodos mais rápidos e mais eficazes para trazer de volta à virtude e à felicidade a parte mais viciosa da humanidade e para extirpar uma parte do vício que está no mundo[62].

Enfim os modelos anglo-saxões, como os projetos dos legisladores e dos teóricos, utilizam processos para singularizar a pena: em sua duração, sua natureza, sua intensidade, na maneira como se desenrola, o castigo deve ser ajustado ao caráter individual, e ao que este comporta de perigo para os outros. O sistema das penas deve estar aberto às variáveis individuais. Em seu esquema geral, os modelos mais ou menos derivados do Rasphuis de Amsterdam não estavam em contradição com o que propunham os reformadores. Poder-se-ia mesmo pensar, à primeira vista, que eram apenas os desenvolvimentos – ou o esboço – dessa proposta em nível das instituições concretas.

---

60. BLACKSTONE, W. *Commentaire sur le Code criminel d'Angleterre.* 1776, p. 19 [Trad. francesa].

61. BRADFORD, W. *An Inquiry How Far the Punishment of Death Is Necessary in Pennsylvania.* 1793, p. 3.

62. RUSH, B. *An Inquiry into the Effects of Public Punishments.* 1787, p. 14. Esta ideia de um aparelho para transformar já se encontra em Hanway no projeto de um "reformatório": "A ideia de hospital e a de malfeitor são incompatíveis; mas tentemos fazer da prisão um reformatório (*reformatory*) autêntico e eficaz, ao invés de ser como as outras uma escola de vício" (*Defects of police*, p. 52).

E no entanto a disparidade salta aos olhos desde que se trata de definir as técnicas dessa correção individualizante. Onde se faz a diferença é no procedimento de acesso ao indivíduo, na maneira como o poder punitivo se apossa dele, nos instrumentos que utiliza para realizar essa transformação; é na tecnologia da pena, não em seu fundamento teórico; na relação que ela estabelece no corpo e na alma, e não na maneira como ela se insere no interior do sistema do direito.

Vejamos o método dos reformadores. Será o ponto a que se refere a pena, aquilo com que ela tem poder sobre o indivíduo? As representações: representação de seus interesses, representação de suas vantagens, suas desvantagens, seu prazer, e seu desprazer; e se acontece que o castigo se aposse do corpo, aplique-lhe técnicas que não tem nada a invejar aos suplícios, é na medida em que esse corpo é – para o condenado e para os espectadores – um objeto de representação. O instrumento com o qual se age sobre as representações? Outras representações, ou antes as duplas de ideias (crime-punição, vantagem imaginada do crime-desvantagem percebida dos castigos); esses emparelhamentos só podem funcionar no elemento da publicidade: cenas punitivas que os estabelecem ou os reforçam aos olhos de todos, discursos que os fazem circular e revalorizam a cada instante o jogo dos sinais. O papel do criminoso na punição é reintroduzir, diante do código e dos crimes, a presença real do significado – ou seja, dessa pena que, segundo os termos do código, deve estar infalivelmente associada à infração. Produzir com abundância e com evidência esse significado, reativar desse modo o sistema significante do código, fazer funcionar a ideia de crime como um sinal de punição, é com essa moeda que o malfeitor paga sua dívida à sociedade. A correção individual deve então realizar o processo de requalificação do indivíduo como sujeito de direito, pelo reforço dos sistemas de sinais e das representações que fazem circular.

O aparelho da penalidade corretiva age de maneira totalmente diversa. O ponto de aplicação da pena não é a representação, é o corpo, é o tempo, são os gestos e as atividades de todos os dias; a alma, também, mas na medida em que é sede de hábitos. O corpo e a alma, como princípios dos comportamentos, formam o elemento que agora é proposto à intervenção punitiva. Mais que sobre uma arte de representações, ela deve repousar sobre uma manipulação refletida do indivíduo:

> Qualquer crime tem sua cura na influência física e moral: [é necessário então para determinar os castigos] conhecer o princípio das sensações e das simpatias que se produzem no sistema nervoso[63].

---

63. RUSH, B. *An Inquiry into the Effects of Public Punishments.* 1787, p. 13.

Quanto aos instrumentos utilizados, não são mais jogos de representação que são reforçados e que se faz circular; mas formas de coerção, esquemas de limitação aplicados e repetidos. Exercícios, e não sinais: horários, distribuição do tempo, movimentos obrigatórios, atividades regulares, meditação solitária, trabalho em comum, silêncio, aplicação, respeito, bons hábitos. E, finalmente, o que se procura reconstruir nessa técnica de correção não é tanto o sujeito de direito, que se encontra preso nos interesses fundamentais do pacto social: é o sujeito obediente, o indivíduo sujeito a hábitos, regras, ordens, uma autoridade que se exerce continuamente sobre ele e em torno dele, e que ele deve deixar funcionar automaticamente nele. Duas maneiras, portanto, bem distintas de reagir à infração: reconstituir o sujeito jurídico do pacto social – ou formar um sujeito de obediência dobrado à forma ao mesmo tempo geral e meticulosa de um poder qualquer.

Tudo isso não passaria talvez de uma diferença bem-especulativa – pois no total se trata, nos dois casos, de formar indivíduos submissos – se a penalidade "de coerção" não trouxesse consigo algumas consequências capitais. O treinamento do comportamento pelo pleno emprego do tempo, a aquisição de hábitos, as limitações do corpo implicam entre o que é punido e o que pune uma relação bem particular. Relação que não só torna simplesmente inútil a dimensão do espetáculo: ela o exclui[64] O agente de punição deve exercer um poder total, que nenhum terceiro pode vir perturbar; o indivíduo a corrigir deve estar inteiramente envolvido no poder que se exerce sobre ele. Imperativo do segredo. E, portanto, também autonomia pelo menos relativa dessa técnica de punição: ela deverá ter seu funcionamento, suas técnicas, seu saber; ela deverá fixar suas normas, decidir de seus resultados: descontinuidade, ou em todo caso especificidade em relação ao poder judiciário que declara a culpa e fixa os limites gerais da punição. Ora, essas duas consequências – segredo e autonomia no exercício do poder de punir – são exorbitantes para uma teoria e uma política de penalidade que se propunha dois objetivos: fazer todos os cidadãos participarem do castigo do inimigo social; tornar o exercício do poder de punir inteiramente adequado e transparente às leis que o delimitam publicamente. Castigos secretos e não codificados pela legislação, um poder de punir que se exerce na sombra de acordo com critérios e instrumentos que escapam ao controle – é toda a estratégia da reforma que corre o risco de ser comprometida. Depois da sentença é constituído um poder que lembra o que

---

64. Cf. as críticas que Rush fazia aos espetáculos punitivos, particularmente aos que imaginara Dufriche de Valazé, *An Inquiry into the Effects or Public Punishments*. 1787, p. 5-9.

era exercido no antigo sistema. O poder que aplica às penas ameaça ser tão arbitrário, tão despótico quanto aquele que antigamente as decidia.

No total, a divergência é a seguinte: cidade punitiva ou instituição coercitiva? De um lado, funcionamento do poder penal repartido em todo o espaço social; presente em toda parte como cena, espetáculo, sinal, discurso; legível como um livro aberto; que opera por uma recodificação permanente do espírito dos cidadãos; que realiza a repressão do crime por esses obstáculos colocados à ideia do crime; que age de maneira invisível e inútil sobre as "fibras moles do cérebro", como dizia Servan. Um poder de punir que correria ao longo de toda a rede social, agiria em cada um de seus pontos, e terminaria não sendo mais percebido como poder de alguns sobre alguns, mas como reação imediata de todos em relação a cada um. De outro, um funcionamento compacto do poder de punir: ocupação meticulosa do corpo e do tempo do culpado, enquadramento de seus gestos, de suas condutas por um sistema de autoridade e de saber; uma ortopedia concertada que é aplicada aos culpados a fim de corrigi-los individualmente; gestão autônoma desse poder que se isola tanto do corpo social quanto do poder judiciário propriamente dito. O que se engaja no aparecimento da prisão é a institucionalização do poder de punir, ou mais precisamente: o poder de punir (com o objetivo estratégico que lhe foi dado no fim do século XVIII, a redução dos ilegalismos populares) será melhor realizado se escondendo sob uma função social geral, na "cidade punitiva", ou se investindo numa instituição coercitiva, no local fechado do "reformatório"?

Em todo caso, pode-se dizer que os encontramos no fim do século XVIII diante de três maneiras de organizar o poder de punir. A primeira é a que ainda estava funcionando e se apoiava no velho direito monárquico. As outras se referem, ambas, a uma concepção preventiva, utilitária, corretiva de um direito de punir que pertenceria à sociedade inteira; mas são muito diferentes entre si, no nível dos dispositivos que esboçam. Esquematizando muito, poderíamos dizer que, rio direito monárquico, a punição é um cerimonial de soberania; ela utiliza as marcas rituais da vingança que aplica sobre o corpo do condenado; e estende sob os olhos dos espectadores um efeito de terror ainda mais intenso por ser descontínuo, irregular e sempre acima de suas próprias leis, a presença física do soberano e de seu poder. No projeto dos juristas reformadores, a punição é um processo para requalificar os indivíduos como sujeitos de direito; utiliza, não marcas, mas sinais, conjuntos codificados de representações, cuja circulação deve ser realizada o mais rapidamente possível pela cena do castigo, e a aceitação deve ser a mais universal possível. Enfim, no projeto de instituição carcerária que se elabora, a punição é uma técnica de coerção dos indivíduos; ela utiliza processos de treinamento do corpo – não sinais – com os traços que deixa, sob a forma de hábitos, no comportamento; e ela supõe a implantação de um poder específico de gestão da pena. O soberano e sua força, o corpo social, o aparelho administrativo. A marca, o sinal, o traço. A cerimônia, a representação, o exercício. O inimigo vencido, o sujeito de direito em vias de requalificação, o indivíduo submetido a uma coerção imediata. O corpo que é supliciado, a alma cujas representações são manipuladas, o corpo que é treinado; temos aí três séries de elementos que caracterizam os três dispositivos que se defrontam na última metade do século XVIII. Não podemos reduzi-los nem a teorias de direito (se bem que eles lhes sejam paralelos) nem identificá-los a aparelhos ou a instituições (se bem que se apoiem sobre estes), nem fazê-los derivar de escolhas morais (se bem que nelas encontrem eles suas justificações). São modalidades de acordo com as quais se exerce o poder de punir. Três tecnologias de poder.

O problema é então o seguinte: Como é possível que o terceiro se tenha finalmente imposto? Como o modelo coercitivo, corporal, solitário, secreto, do poder de punir substitui o modelo representativo, cênico, significante, público, coletivo? Por que o exercício físico da punição (e que não é o suplício) substituiu, com a prisão que é seu suporte institucional, o jogo social dos sinais de castigo, e da festa bastarda que os fazia circular?

TERCEIRA PARTE

DISCIPLINA

Capítulo I

OS CORPOS DÓCEIS

Eis como ainda no início do século XVII se descrevia a figura ideal do soldado. O soldado é, antes de tudo, alguém que se reconhece de longe; que leva os sinais naturais de seu vigor e coragem, as marcas também de seu orgulho: seu corpo é o brasão de sua força e de sua valentia: e se é verdade que deve aprender aos poucos o ofício das armas – essencialmente lutando – as manobras como a marcha, as atitudes como o porte da cabeça se originam, em boa parte, de uma retórica corporal da honra:

> Os sinais para reconhecer os mais idôneos para esse ofício são a atitude viva e alerta, a cabeça direita, o estômago levantado, os ombros largos, os braços longos, os dedos fortes, o ventre pequeno, as coxas grossas, as pernas finas e os pés secos, pois o homem desse tipo não poderia deixar de ser ágil e forte: [tornado lanceiro, o soldado] deverá ao marchar tomar a cadência do passos para ter o máximo de graça e gravidade que for possível, pois a lança é uma arma honrada e merece ser levada com um porte grave e audaz[1].

Segunda metade do século XVIII: o soldado se tornou algo que se fabrica; de uma massa informe, de um corpo inapto, fez-se a máquina de que se precisa; corrigiram-se aos poucos as posturas: lentamente uma coação calculada percorre cada parte do corpo, assenhoreia-se dele, dobra o conjunto, torna-o perpetuamente disponível, e se prolonga, em silêncio, no automatismo dos hábitos; em resumo, foi "expulso o camponês" e lhe foi dada a "fisionomia de soldado"[2]. Os recrutas são habituados a

> manter a cabeça ereta e alta; a se manter direito sem curvar as costas, a fazer avançar o ventre, a salientar o peito, e encolher o dorso; e a fim de que se habituem, essa posição lhes será dada apoian-

---

1. MONTGOMMERY, L. de. *La Milice française*. Edição de 1636, p. 6s.
2. Ordenação de 20 de março de 1764.

do-os contra um muro, de maneira que os calcanhares, a batata da perna, os ombros e a cintura encostem nele, assim como as costas das mãos, virando os braços para fora, sem afastá-los do corpo [...] ser-lhes-á igualmente ensinado a nunca fixar os olhos na terra, mas a olhar com ousadia aqueles diante de quem eles passam [...] a ficar imóveis esperando o comando, sem mexer a cabeça, as mãos nem os pés [...] enfim, a marchar com passo firme, com o joelho e a perna esticados, a ponta baixa e para fora [...][3].

Houve, durante a Época Clássica, uma descoberta do corpo como objeto e alvo de poder. Encontraríamos facilmente sinais dessa grande atenção dedicada então ao corpo – ao corpo que se manipula, modela-se, treina-se, que obedece, responde, torna-se hábil ou cujas forças se multiplicam. O grande livro do homem-máquina foi escrito simultaneamente em dois registros: no anátomo-metafísico, cujas primeiras páginas haviam sido escritas por Descartes e que os médicos, os filósofos continuaram; o outro, técnico-político, constituído por um conjunto de regulamentos militares, escolares, hospitalares e por processos empíricos e refletidos para controlar ou corrigir as operações do corpo. Dois registros bem distintos, pois se tratava ora de submissão e utilização, ora de funcionamento e de explicação: corpo útil, corpo inteligível. E entretanto, de um ao outro, pontos de cruzamento. "O homem-máquina" de La Mettrie é ao mesmo tempo uma redução materialista da alma e uma teoria geral do adestramento, no centro dos quais reina a noção de "docilidade" que une ao corpo analisável o corpo manipulável. É dócil um corpo que pode ser submetido, que pode ser utilizado, que pode ser transformado e aperfeiçoado. Os famosos autômatos, por seu lado, não eram apenas uma maneira de ilustrar o organismo; eram também bonecos políticos, modelos reduzidos de poder: obsessão de Frederico II, rei minucioso das pequenas máquinas, dos regimentos bem treinados e dos longos exercícios.

Nesses esquemas de docilidade, em que o século XVIII teve tanto interesse, o que há de tão novo? Não é a primeira vez, certamente, que o corpo é objeto de investimentos tão imperiosos e urgentes; em qualquer sociedade, o corpo está preso no interior de poderes muito apertados, que lhe impõem limitações, proibições ou obrigações. Muitas coisas, entretanto, são novas nessas técnicas. A escala, em primeiro lugar, do controle: não se trata de cuidar do corpo, em massa, *grosso modo*, como se fosse uma unidade indissociável, mas de trabalhá-lo detalhadamente; de exercer sobre ele uma coerção sem folga, de

---

3. Ibid.

mantê-lo ao mesmo nível da mecânica – movimentos, gestos, atitude, rapidez: poder infinitesimal sobre o corpo ativo. O objeto, em seguida, do controle: não, ou não mais, os elementos significativos do comportamento ou a linguagem do corpo, mas a economia, a eficácia dos movimentos, sua organização interna; a coação se faz mais sobre as forças que sobre os sinais; a única cerimônia que realmente importa é a do exercício. A modalidade, enfim: implica uma coerção ininterrupta, constante, que vela sobre os processos da atividade mais que sobre seu resultado e se exerce de acordo com uma codificação que esquadrinha ao máximo o tempo, o espaço, os movimentos. Esses métodos que permitem o controle minucioso das operações do corpo, que realizam a sujeição constante de suas forças e lhes impõem uma relação de docilidade-utilidade, são o que podemos chamar as "disciplinas". Muitos processos disciplinares existiam há muito tempo: nos conventos, nos exércitos, nas oficinas também. Mas as disciplinas se tornaram no decorrer dos séculos XVII e XVIII fórmulas gerais de dominação. Diferentes da escravidão, pois não se fundamentam numa relação de apropriação dos corpos; é até a elegância da disciplina dispensar essa relação custosa e violenta obtendo efeitos de utilidade pelo menos igualmente grandes. Diferentes também da domesticidade, que é uma relação de dominação constante, global, maciça, não analítica, ilimitada e estabelecida sob a forma da vontade singular do patrão, seu "capricho". Diferentes da vassalidade que é uma relação de submissão altamente codificada, mas longínqua e que se realiza menos sobre as operações do corpo que sobre os produtos do trabalho e as marcas rituais da obediência. Diferentes ainda do ascetismo e das "disciplinas" de tipo monástico, que têm por função realizar renúncias mais do que aumentos de utilidade e que, implicam obediência a outrem, têm como fim principal um aumento do domínio de cada um sobre seu próprio corpo. O momento histórico das disciplinas é o momento em que nasce uma arte do corpo humano, que visa não unicamente o aumento de suas habilidades, nem tampouco aprofundar sua sujeição, mas a formação de uma relação que no mesmo mecanismo o torna tanto mais obediente quanto é mais útil, e inversamente. Forma-se então uma política das coerções que são um trabalho sobre o corpo, uma manipulação calculada de seus elementos, de seus gestos, de seus comportamentos. O corpo humano entra numa maquinaria de poder que o esquadrinha, o desarticula e o recompõe. Uma "anatomia política", que é também igualmente uma "mecânica do poder", está nascendo; ela define como se pode ter domínio sobre o corpo dos outros, não simplesmente para que façam o que se quer, mas para que operem como se quer, com as técnicas, segundo a rapidez e a eficácia que se determina. A disciplina fabrica assim corpos submissos e exercitados, corpos "dóceis". A disciplina aumenta as forças do corpo (em termos econômicos de utilidade) e diminui essas mesmas forças (em termos políticos de obediência). Em uma palavra: ela dissocia o poder do corpo; faz dele por um lado uma "aptidão", uma "capacidade" que ela procura aumentar; e inverte por outro lado a energia, a potência que poderia resultar disso, e faz dela uma relação de sujeição estrita. Se a exploração econômica separa a força e o produto do trabalho, digamos que a coerção disciplinar estabelece no corpo o elo coercitivo entre uma aptidão aumentada e uma dominação acentuada.

A "invenção" dessa nova anatomia política não deve ser entendida como uma descoberta súbita. Mas como uma multiplicidade de processos muitas vezes mínimos, de origens diferentes, de localizações esparsas, que se recordam, se repetem, ou se imitam, apoiam-se uns sobre os outros, distinguem-se segundo seu campo de aplicação, entram em convergência e esboçam aos poucos a fachada de um método geral. Encontramo-los em funcionamento nos colégios, muito cedo; mais tarde nas escolas primárias; investiram lentamente o espaço hospitalar; e em algumas dezenas de anos reestruturam a organização militar. Circularam às vezes muito rápido de um ponto a outro (entre o exército e as escolas técnicas ou os colégios e liceus), às vezes lentamente e de maneira mais discreta (militarização insidiosa das grandes oficinas). A cada vez, ou quase, impuseram-se para responder a exigências de conjuntura: aqui uma inovação industrial, lá a recrudescência de certas doenças epidêmicas, acolá a invenção do fuzil ou as vitórias da Prússia. O que não impede que se inscrevam, no total, nas transformações gerais e essenciais que necessariamente serão determinadas.

Não se trata de fazer aqui a história das diversas instituições disciplinares, no que podem ter cada uma de singular. Mas de localizar apenas numa série de exemplos algumas das técnicas essenciais que, de uma a outra, se generalizaram mais facilmente. Técnicas sempre minuciosas, muitas vezes íntimas, mas que têm sua importância: porque definem um certo modo de investimento político e detalhado do corpo, uma nova "microfísica" do poder; e porque não cessaram, desde o século XVII, de ganhar campos cada vez mais vastos, como se tendessem a cobrir o corpo social inteiro. Pequenas astúcias dotadas de um grande poder de difusão, arranjos sutis, de aparência inocente, mas profundamente suspeitos, dispositivos que obedecem a economias inconfessáveis, ou que procuram coerções sem grandeza, são eles entretanto que levaram à mutação do regime punitivo, no limiar da época contemporânea. Descrevê-los implicará a demora sobre o detalhe e a atenção às minúcias: sob as mínimas figuras, procurar não um sentido, mas uma precaução; recolocá-las não apenas na solidariedade de um funcionamento, mas na coerência de uma tática. Astúcias, não tanto de grande razão que trabalha até durante o sono e dá um sentido ao insignificante quanto da atenta "malevolência" que de tudo se alimenta. A disciplina é uma anatomia política do detalhe.

Para advertir os impacientes, lembremos o Marechal de Saxe:

> Aqueles que cuidam dos detalhes muitas vezes parecem espíritos tacanhos, entretanto, esta parte é essencial, porque ela é o fundamento, e é impossível levantar qualquer edifício ou estabelecer qualquer método sem ter os princípios. Não basta ter o gosto pela arquitetura. É preciso conhecer a arte de talhar pedras[4].

Dessa "arte de talhar pedras" haveria uma longa história a ser escrita – história da racionalização utilitária do detalhe na contabilidade moral e no controle político. A Era Clássica não a inaugurou; ela a acelerou, mudou sua escala, deu-lhe instrumentos precisos, e talvez tenha encontrado alguns ecos para ela no cálculo do infinitamente pequeno ou na descrição das características mais tênues dos seres naturais. Em todo caso, o "detalhe" era já há muito tempo uma categoria da teologia e do ascetismo: todo detalhe é importante, pois aos olhos de Deus nenhuma imensidão é maior que um detalhe, e nada há tão pequeno que não seja querido por uma dessas vontades singulares. Nessa grande tradição da eminência do detalhe viriam se localizar, sem dificuldade, todas as meticulosidades da educação cristã, da pedagogia escolar ou militar, de todas as formas, finalmente, de treinamento. Para o homem disciplinado, como para o verdadeiro crente, nenhum detalhe é indiferente, mas menos pelo sentido que nele se esconde que pela entrada que aí encontra o poder que quer apanhá-lo. Característico, esse hino às "pequenas coisas" e à sua eterna importância, cantado por Jean-Baptiste de La Salle, em seu *Tratado sobre as obrigações dos Irmãos das Escolas Cristãs*. A mística do cotidiano aí se associa à disciplina do minúsculo.

> Como é perigoso negligenciar as pequenas coisas. É um pensamento bem consolador para uma alma como a minha, pouco indicada para as grandes ações, pensar que a fidelidade às pequenas coisas pode, por um progresso insensível, elevar-nos à mais eminente santidade: porque as pequenas coisas nos dispõem às grandes [...]. Pequenas coisas, meu Deus, infelizmente dirá alguém, que podemos fazer de grande para vós, criaturas fracas e mortais que somos. Pequenas coisas: Se as grandes se apresentassem, praticá-las-íamos? Não as creríamos acima de nossas forças? Pequenas coisas: E se Deus as

---

4. SAXE, Marechal de. *Mes rêveries*. T. 1, avant-propos, p. 5.

aceita e quer recebê-las como grandes? Pequenas coisas; acaso já as experimentamos? Acaso as julgamos pela experiência? Pequenas coisas; somos então culpados, se, vendo-as como tais, as recusamos? Pequenas coisas; são elas entretanto que, com o tempo, formaram grandes santos! Sim, pequenas coisas mas grandes móveis, grandes sentimentos, grande fervor, grande ardor, e em consequência grandes méritos, grandes tesouros, grandes recompensas[5].

A minúcia dos regulamentos, o olhar esmiuçante das inspeções, o controle das mínimas parcelas da vida e do corpo darão em breve, no quadro da escola, do quartel, do hospital ou da oficina, um conteúdo laicizado, uma racionalidade econômica ou técnica a esse cálculo místico do ínfimo e do infinito. E uma História do Detalhe no século XVIII, colocada sob o signo de Jean-Baptiste de La Salle, esbarrando em Leibniz e Buffon, passando por Frederico II, atravessando a pedagogia, a medicina, a tática militar e a economia, deveria chegar ao homem que sonhara no fim do século ser um novo Newton, não mais aquele das imensidões do céu ou das massas planetárias, mas dos "pequenos corpos", dos pequenos movimentos, das pequenas ações; ao homem que respondeu a Monge ("Só havia um mundo a ser descoberto"):

> Que ouvi eu? Mas o mundo dos detalhes, quem jamais pensou neste ou naquele? Desde meus quinze anos, eu acreditava nele. Cuidei disso então, e essa lembrança vive em mim, como uma ideia fixa que nunca me abandonará [...]. Esse outro mundo é o mais importante de todos os que me orgulhei de descobrir: de pensar nisso, dói-me a alma[6].

Ele não o descobriu; mas sabemos que empreendeu organizá-lo, e quis distribuir em torno de si um dispositivo de poder que lhe permitisse perceber até o menor acontecimento do Estado que governava; pretendia, com a rigorosa disciplina que fazia reinar, "abraçar o conjunto dessa vasta máquina sem que lhe pudesse escapar o mínimo detalhe"[7].

Uma observação minuciosa do detalhe, e ao mesmo tempo um enfoque político dessas pequenas coisas, para controle e utilização dos homens, sobem através da Era Clássica, levando consigo todo um conjunto de técnicas, todo

---

5. LA SALLE, J.-B. de. *Traité sur les obligations des frères des Écoles chrétiennes*. Edição de 1783, p. 238s.

6. E. Geoffroy de Saint-Hilaire empresta essa declaração a Bonaparte, sobre a Introdução às *Notions synthétiques et historiques de philosophie naturelle*.

7. TREILHARD, J.B. de. *Motifs du code d'instruction criminelle*. 1808, p. 14.

um corpo de processos e de saber, de descrições, de receitas e dados. E desses esmiuçamentos, sem dúvida, nasceu o homem do humanismo moderno[8].

A arte das distribuições

A disciplina procede em primeiro lugar à distribuição dos indivíduos no espaço. Para isso, utiliza diversas técnicas.

1) A disciplina às vezes exige a *cerca*, a especificação de um local heterogêneo a todos os outros e fechado em si mesmo. Local protegido da monotonia disciplinar. Houve o grande "encarceramento" dos vagabundos e dos miseráveis; houve outros mais discretos, mas insidiosos e eficientes.

Colégios: o modelo do convento se impõe pouco a pouco; o internato aparece como o regime de educação senão o mais frequente, pelo menos o mais perfeito; torna-se obrigatório em Louis-le-Grand quando, depois da partida dos jesuítas, fez-se um colégio-modelo[9].

Quartéis: é preciso fixar o exército, essa massa vagabunda; impedir a pilhagem e as violências; acalmar os habitantes que suportam mal as tropas de passagem; evitar os conflitos com as autoridades civis; fazer cessar as deserções; controlar as despesas. A ordenação de 1719 prescreve a construção de várias centenas de quartéis, imitando os já organizados no sul do país; o encarceramento neles será estrito:

> O conjunto será fechado e cercado por uma muralha de dez pés de altura que rodeará os ditos pavilhões, a trinta pés de distância de todos os lados – e isto para manter as tropas em ordem e em disciplina e que o oficial esteja em condições de responder por ela[10].

Em 1745 havia quartéis em 320 cidades aproximadamente; e se estimava mais ou menos em 200.000 homens a capacidade total dos quartéis em 1775[11]. Ao lado das oficinas espalhadas se criam também grandes espaços para as indústrias, homogêneos e bem-delimitados: as manufaturas reunidas

---

8. Escolherei os exemplos nas instituições militares, médicas, escolares e industriais. Outros exemplos poderiam ser tomados na colonização, na escravidão, nos cuidados na primeira infância.

9. Cf. ARIÈS, Ph. *L'Enfant et la famille*. 1960, p. 308-313 • SNYDERS, G. *La Pédagogie en France aux XVIIe et XVIIIe siècles*. 1965, p. 35-41.

10. *L'ordonnance militaire*. T. XIL, 25 de setembro de 1719. Cf. Ilustração n. 5.

11. DAISY. *Le Royaume de France*. 1745, p. 201-209; memória anônima de 1775 (depósito da guerra, 3689. f. 156) • NAVEREAU, A. *Le logement et les utensiles des gens de guerre de 1439 à 1789*. 1924, p. 132-135. Cf. ilustrações n. 5 e 6.

primeiro, depois as fábricas, na segunda metade do século XVIII (as forjas da Chaussade ocupam toda a península de Medina, entre Nièvre e Loire; para instalar a fábrica de Indret em 1777, Wilkinson, à custa de aterros e diques, cria uma ilha no Loire; Toufait constrói Le Creusot no vale de La Charbonnière que ele remodela e instala na própria fábrica alojamentos operários); é uma mudança de escala, é também um novo tipo de controle. A fábrica parece claramente um convento, uma fortaleza, uma cidade fechada; o guardião "só abrirá as portas à entrada dos operários, e depois que houver soado o sino que anuncia o reinício do trabalho"; quinze minutos depois, ninguém mais terá o direito de entrar; no fim do dia, os chefes de oficina devem entregar as chaves ao guarda suíço da fábrica que então abre as portas[12]. É porque, à medida que se concentram as forças de produção, o importante é tirar delas o máximo de vantagens e neutralizar seus inconvenientes (roubos, interrupção do trabalho, agitações e "cabalas"); de proteger os materiais e ferramentas e de dominar as forças de trabalho:

> A ordem e a polícia que se deve manter exigem que todos os operários sejam reunidos sob o mesmo teto, a fim de que aquele dos sócios que está encarregado da direção da fábrica possa prevenir e remediar os abusos que poderiam se introduzir entre os operários e impedir desde o início que progridam[13].

2) Mas o princípio de "clausura" não é constante, nem indispensável, nem suficiente nos aparelhos disciplinares. Estes trabalham o espaço de maneira muito mais flexível e mais fina. E em primeiro lugar segundo o princípio da localização imediata ou do *quadriculamento*. Cada indivíduo no seu lugar; e em cada lugar, um indivíduo. Evitar as distribuições por grupos; decompor as implantações coletivas; analisar as pluralidades confusas, maciças ou fugidias. O espaço disciplinar tende a se dividir em tantas parcelas quando corpos ou elementos há a repartir. É preciso anular os efeitos das repartições indecisas, o desaparecimento descontrolado dos indivíduos, sua circulação difusa, sua coagulação inutilizável e perigosa; tática de antideserção, de antivadiagem, de antiaglomeração. Importa estabelecer as presenças e as ausências, saber onde e como encontrar os indivíduos, instaurar as comunicações úteis, interromper as outras, poder a cada instante vigiar o comportamento de cada um, apreciá-lo, sancioná-lo, medir as qualidades ou os méritos. Procedimento, portanto, para conhecer, dominar e utilizar. A disciplina organiza um espaço analítico.

---

12. *Projet de règlement pour l'aciérie d'Amboise.* Arquivos nacionais, f. 12, 1301.

13. Memória ao rei, a respeito da fábrica de tecidos para velas de Angers. In: DAUPHIN, V. *Recherches sur l'industrie textile en Anjou.* 1913, p. 199.

E ainda aí ela encontra um velho procedimento arquitetural e religioso: a cela dos conventos. Mesmo se os compartimentos que ele atribui se tornam puramente ideais, o espaço das disciplinas é sempre no fundo, celular. Solidão necessária do corpo e da alma, dizia um certo ascetismo: eles devem, ao menos por momentos, defrontar-se a sós com a tentação e talvez com a severidade de Deus.

> O sono é a imagem da morte, o dormitório é a imagem do sepulcro [...] embora os dormitórios sejam comuns, os leitos, entretanto, estão arrumados de tal modo e se fecham tão exatamente por meio de cortinas que as moças podem se levantar e se deitar sem se verem[14].

Mas isso ainda não passa de uma forma muito tosca.

3) A regra das *localizações funcionais* vai pouco a pouco, nas instituições disciplinares, codificar um espaço que a arquitetura deixava geralmente livre e pronto para vários usos. Lugares determinados se definem para satisfazer não só à necessidade de vigiar, de romper as comunicações perigosas, mas também de criar um espaço útil. O processo aparece claramente nos hospitais, principalmente nos hospitais militares e marítimos. Na França, parece que Rochefort servia de experiência e de modelo. Um porto, e um porto militar, é, com circuitos de mercadorias, de homens alistados por bem ou à força, de marinheiros embarcando e desembarcando, de doenças e de epidemias, um lugar de deserção, de contrabando, de contágio: encruzilhada de misturas perigosas, cruzamento de circulações proibidas. O hospital marítimo deve então cuidar, mas por isso mesmo deve ser um filtro, um dispositivo que afixa e quadricula; tem que realizar uma apropriação sobre toda essa mobilidade e esse formigar humano, decompondo a confusão da ilegalidade e do mal. A vigilância médica das doenças e dos contágios é aí solidária de toda uma série de outros controles: militar sobre os desertores, fiscal sobre as mercadorias, administrativo sobre os remédios, as rações, os desaparecimentos, as curas, as mortes, as simulações. Donde a necessidade de distribuir e dividir o espaço com rigor. As primeiras medidas tomadas em Rochefort se referiam às coisas mais que aos homens, às mercadorias preciosas mais que aos doentes. As distribuições da vigilância fiscal e econômica precedem as técnicas de observação médica: localização dos medicamentos em caixas fechadas, registro de sua utilização; um pouco mais tarde é estabelecido um sistema para verificar o número real de doentes, sua identidade, as unidades de onde procedem; depois se regu-

---

14. Règlement pour la communauté des files du Bom Pauster. In: DELAMARE. *Traité de police.* Livro III, título V, p. 507. Cf. tb. ilustração n. 9.

lamentam suas idas e vindas, são obrigados a ficar em suas salas; a cada leito é preso o nome de quem se encontra nele; todo indivíduo tratado é inscrito num registro que o médico deve consultar durante a visita; mais tarde virão o isolamento dos contagiosos, os leitos separados. Pouco a pouco um espaço administrativo e político se articula em espaço terapêutico; tende a individualizar os corpos, as doenças, os sintomas, as vidas e as mortes; constitui um quadro real de singularidades justapostas e cuidadosamente distintas. Nasce da disciplina um espaço útil do ponto de vista médico.

Nas fábricas que aparecem no fim do século XVIII, o princípio do quadriculamento individualizante se complica. Importa distribuir os indivíduos num espaço onde se possa isolá-los e localizá-los; mas também articular essa distribuição sobre um aparelho de produção que tem suas exigências próprias. É preciso ligar a distribuição dos corpos, a arrumação espacial do aparelho de produção e as diversas formas de atividade na distribuição dos "postos". A esse princípio obedece a manufatura de Oberkampf em Jouy. Ela se compõe de uma série de oficinas especificadas segundo cada grande tipo de operações: para os impressores, os encaixadores, os coloristas, as pinceladoras, os gravadores, os tintureiros. O maior dos edifícios, construído em 1791, por Toussaint Barré, tem cento e dez metros de comprimento e três andares. O térreo é reservado, essencialmente, à impressão em bloco; contém 132 mesas dispostas em duas fileiras ao longo da sala com 88 janelas: cada impressor trabalha a uma mesa, com seu "puxador", encarregado de preparar e espalhar as tintas. Ao todo são 264 pessoas. Na extremidade de cada mesa, uma espécie de cabide sobre o qual o operário coloca para secar a tela que ele acabou de imprimir[15]. Percorrendo-se o corredor central da oficina, é possível realizar uma vigilância ao mesmo tempo geral e individual; constatar a presença, a aplicação do operário, a qualidade de seu trabalho; comparar os operários entre si, classificá-los segundo sua habilidade e rapidez; acompanhar os sucessivos estágios da fabricação. Todas essas seriações formam um quadriculado permanente: as confusões se desfazem[16]; a produção se divide e o processo de trabalho se articula por um lado segundo suas fases, estágios ou operações elementares, e por outro, segundo os indivíduos que o efetuam, os corpos singulares que a ele são aplicados: cada variável dessa força – vigor, rapidez, habilidade, cons-

---

15. Regulamento da fábrica de Saint-Maur, B.N. Ms. coleção Delamare. *Manufactures III*.

16. Cf. o que dizia La Métherie, visitando Le Cresot: "Os edifícios para um tão belo estabelecimento e uma tão grande quantidade de operários deviam ter uma extensão suficiente, para que não houvesse confusão entre os operários durante o tempo de trabalho" (*Journal de physique*. T. XXX, 1787, p. 66).

tância – pode ser observada, portanto caracterizada, apreciada, contabilizada e transmitida a quem é o agente particular dela. Assim afixada de maneira perfeitamente legível a toda série dos corpos singulares, a força de trabalho pode ser analisada em unidades individuais. Sob a divisão do processo de produção, ao mesmo tempo que ela, encontramos, no nascimento da grande indústria, a decomposição individualizante da força de trabalho; as repartições do espaço disciplinar muitas vezes efetuaram uma e outra.

4) Na disciplina, os elementos são intercambiáveis, pois cada um se define pelo lugar que ocupa na série, e pela distância que o separa dos outros. A unidade não é, portanto, nem o território (unidade de dominação), nem o local (unidade de residência), mas a posição *na fila*: o lugar que alguém ocupa numa classificação, o ponto em que se cruzam uma linha e uma coluna, o intervalo numa série de intervalos que se pode percorrer sucessivamente. A disciplina, arte de dispor em fila, e da técnica para a transformação dos arranjos. Ela individualiza os corpos por uma localização que não os implanta, mas os distribui e os faz circular numa rede de relações.

Vejamos o exemplo da "classe". Nos colégios dos jesuítas se encontrava ainda uma organização ao mesmo tempo binária e maciça: as classes, que podiam ter até duzentos ou trezentos alunos, eram divididas em grupos de dez; cada um desses grupos, com seu decurião, era colocado em um campo, o romano ou o cartaginês; a cada decúria correspondia uma decúria adversa. A forma geral era a da guerra e da rivalidade; o trabalho, o aprendizado, a classificação eram feitos sob a forma de justa, pela defrontação dos dois exércitos; a participação de cada aluno entrava nesse duelo geral; ele assegurava, por seu lado, a vitória ou as derrotas de um campo; e os alunos determinavam um lugar que correspondia à função de cada um e a seu valor de combatente no grupo unitário de sua decúria[17]. Podemos notar aliás que essa comédia romana permitia associar aos exercícios binários da rivalidade uma disposição espacial inspirada na legião, com suas fileiras, hierarquia e vigilância piramidal. Não esquecer que de um modo geral o modelo romano, na época das Luzes, desempenhou um duplo papel; em seu aspecto republicano, era a própria instituição da liberdade; em seu aspecto militar, era o esquema ideal da disciplina. A Roma do século XVIII e da Revolução é a do Senado e da legião, do Fórum e dos campos militares. Até o Império, a referência romana veiculou, de maneira ambígua, o ideal jurídico da cidadania e a técnica dos processos disciplinares. Em todo caso, o que havia de estritamente disciplinar na fábu-

---

17. Cf. ROCHEMONTEI. C. de. *Un collège au XVII siècle*. 1889, t. III, p. 51s.

la antiga permanentemente representada nos colégios jesuítas superou o que havia de justa e de guerra em mímica. Pouco a pouco – mas principalmente depois de 1762 – o espaço escolar se desdobra; a classe se torna homogênea, ela agora só se compõe de elementos individuais que vêm se colocar uns ao lado dos outros sob os olhares do mestre. A ordenação por fileiras, no século XVIII, começa a definir a grande forma de repartição dos indivíduos na ordem escolar: filas de alunos na sala, nos corredores, nos pátios; colocação atribuída a cada um em relação a cada tarefa e cada prova; colocação que ele obtém de semana em semana, de mês em mês, de ano em ano; alinhamento das classes de idade umas depois das outras; sucessão dos assuntos ensinados, das questões tratadas segundo uma ordem de dificuldade crescente. E, nesse conjunto de alinhamentos obrigatórios, cada aluno segundo sua idade, seus desempenhos, seu comportamento, ocupa ora uma fila, ora outra; ele se desloca o tempo todo numa série de casas; umas ideais, que marcam uma hierarquia do saber ou das capacidades, outras devendo traduzir materialmente no espaço da classe ou do colégio essa repartição de valores ou dos méritos. Movimento perpétuo onde os indivíduos substituem uns aos outros, num espaço escondido por intervalos alinhados.

A organização de um espaço serial foi uma das grandes modificações técnicas do ensino elementar. Permitiu ultrapassar o sistema tradicional (um aluno que trabalha alguns minutos com o professor, enquanto fica ocioso e sem vigilância o grupo confuso dos que estão esperando). Determinando lugares individuais tornou possível o controle de cada um e o trabalho simultâneo de todos. Organizou uma nova economia do tempo de aprendizagem. Fez funcionar o espaço escolar como uma máquina de ensinar, mas também de vigiar, de hierarquizar, de recompensar. Jean-Baptiste de La Salle imaginava uma classe onde a distribuição espacial pudesse realizar ao mesmo tempo toda uma série de distinções: segundo o nível de avanço dos alunos, segundo o valor de cada um, segundo seu temperamento melhor ou pior, segundo sua maior ou menor aplicação, segundo sua limpeza, e segundo a fortuna dos pais. Então, a sala de aula formaria um grande quadro único, com entradas múltiplas, sob o olhar cuidadosamente "classificador" do professor:

> Haverá em todas as salas de aula lugares determinados para todos os escolares de todas as classes, de maneira que todos os da mesma classe sejam colocados num mesmo lugar e sempre fixo. Os escolares das lições mais adiantadas serão colocados nos bancos mais próximos da parede e em seguida os outros, segundo a ordem das lições, avançando para o meio da sala [...]. Cada um dos alunos terá seu lugar marcado e nenhum o deixará nem trocará sem a ordem e o

consentimento do inspetor das escolas. [Será preciso fazer com que] aqueles cujos pais são negligentes e têm piolhos fiquem separados dos que são limpos e não os têm; que um escolar leviano e distraído seja colocado entre dois bem comportados e ajuizados, que o libertino ou fique sozinho ou entre dois piedosos[18].

As disciplinas, organizando as "celas", os "lugares" e as "fileiras" criam espaços complexos: ao mesmo tempo arquiteturais, funcionais e hierárquicos. São espaços que realizam a fixação e permitem a circulação; recortam segmentos individuais e estabelecem ligações operatórias; marcam lugares e indicam valores; garantem a obediência dos indivíduos, mas também uma melhor economia do tempo e dos gestos. São espaços mistos: reais, pois que regem a disposição de edifícios, de salas, de móveis, mas ideais, pois se projetam sobre essa organização caracterizações, estimativas, hierarquias. A primeira das grandes operações da disciplina é então a constituição de "quadros vivos" que transformam as multidões confusas, inúteis ou perigosas em multiplicidades organizadas. A constituição de "quadros" foi um dos grandes problemas da tecnologia científica, política e econômica do século XVIII; arrumar jardins de plantas e de animais, e construir ao mesmo tempo classificações racionais dos seres vivos; observar, controlar, regularizar a circulação das mercadorias e da moeda e estabelecer assim um quadro econômico que possa valer como princípio de enriquecimento; inspecionar os homens, constatar sua presença e sua ausência, e constituir um registro geral e permanente das forças armadas; repartir os doentes, dividir com cuidado o espaço hospitalar e fazer uma classificação sistemática das doenças: outras tantas operações conjuntas em que os dois constituintes – distribuição e análise, controle e inteligibilidade – são solidários. O quadro, no século XVIII, é ao mesmo tempo uma técnica de poder e um processo de saber. Trata-se de organizar o múltiplo, de se obter um instrumento para percorrê-lo e dominá-lo; trata-se de lhe impor uma "ordem". Como o chefe militar de que falava o naturalista Guilbert, o médico, o economista fica

---

18. LA SALLE, J.-B. de. *Conduite des écoles chrétiennes*. B.N. Ms. 11759, p. 248s. Um pouco mais cedo Batencour propunha que as salas de aula fossem divididas em três partes: "A mais respeitável para os que aprendem latim... É de se desejar que haja tantos lugares nas mesas quantos escritores houver, para evitar as confusões que ordinariamente fazem os preguiçosos". Em outra os que aprendem a ler: um banco para os ricos, um banco para os pobres, "para que os piolhos não contaminem". Terceira localização, para os recém-chegados: "quando sua capacidade for reconhecida, ser-lhes-á atribuído um lugar" (M.I.D.B. *Instruction méthodique pour l'école paroissiale*. 1669, p 56s.). Cf. ilustrações n. 10 e 11.

cego pela imensidão, atordoado pela multidão [...] as inúmeras combinações que resultam da multiplicidade dos objetos, tantas atenções reunidas constituem um peso acima de suas forças. A ciência da guerra moderna, ao se aperfeiçoar, ao se aproximar dos verdadeiros princípios, poderia se tornar mais simples e menos difícil; [os exércitos] com táticas simples, análogas, flexíveis a todos os movimentos [...] seriam mais fáceis de mexer e de conduzir[19].

Tática, ordenamento espacial dos homens; taxinomia, espaço disciplinar dos seres naturais; quadro econômico, movimento regulamentado das riquezas.

Mas o quadro não tem a mesma função nesses diversos registros. Na ordem da economia, permite a medida das quantidades e a análise dos movimentos. Sob a forma da taxinomia, tem por função caracterizar (e em consequência reduzir as singularidades individuais) e constituir classes (portanto excluir as considerações de número). Mas, sob a forma de repartição disciplinar, a colocação em quadro tem por função, ao contrário, tratar a multiplicidade por si mesma, distribuí-la e dela tirar o maior número possível de efeitos. Enquanto a taxinomia natural se situa sobre o eixo que vai do caráter à categoria, a tática disciplinar se situa sobre o eixo que liga o singular e o múltiplo. Ela permite ao mesmo tempo a caracterização do indivíduo como indivíduo, e a colocação em ordem de uma multiplicidade dada. Ela é a condição primeira para o controle e o uso de um conjunto de elementos distintos: a base para uma microfísica de um poder que poderíamos chamar "celular".

O controle da atividade

1) O *horário*: é uma velha herança. As comunidades monásticas haviam sem dúvida sugerido seu modelo estrito. Ele se difundiria rapidamente. Seus três grandes processos – estabelecer as cesuras, obrigar a ocupações determinadas, regulamentar os ciclos de repetição – muito cedo foram encontrados nos colégios, nas oficinas, nos hospitais. Dentro dos antigos esquemas, as novas disciplinas não tiveram dificuldade para se abrigar; as casas de educação e os estabelecimentos de assistência prolongavam a vida e a regularidade dos conventos de que muitas vezes eram anexos. O rigor do tempo industrial guardou durante muito tempo uma postura religiosa; no século XVII, o regulamento das grandes manufaturas precisava os exercícios que deviam escandir o trabalho:

---

19. GUIBERT, J.A. de. *Essai général de tactique*. Vol. I. 1772. Discurso preliminar, p. XXXVI.

Todas as pessoas [...], chegando a seu ofício de manhã, antes de trabalhar começarão lavando as mãos, oferecerão seu trabalho a Deus, farão o sinal da cruz e começarão a trabalhar[20].

Mas ainda no século XIX, quando se quiser utilizar populações rurais na indústria, será necessário apelar a congregações, para acostumá-las ao trabalho em oficinas; os operários são enquadrados em "fábricas-conventos". A grande disciplina militar se formou, nos exércitos protestantes de Maurício de Orange e de Gustavo Adolfo, por meio de uma rítmica do tempo escandida pelos exercícios de piedade; a vida no exército deve ter, dizia Boussanelle bem mais tarde, algumas "das perfeições do próprio claustro"[21]. Durante séculos, as ordens religiosas foram mestras de disciplinas: eram os especialistas do tempo, grandes técnicos do ritmo e das atividades regulares. Mas esses processos de regularização temporal que elas herdam as disciplinas os modificam. Afinando-os primeiro. Começa-se a contar por quartos de hora, minutos e segundos. No exército, é claro: Guibert mandou proceder sistematicamente a cronometragens de tiro de que Vauban tivera a ideia. Nas escolas elementares, a divisão do tempo se torna cada vez mais esmiuçante; as atividades são cercadas o mais possível por ordens a que se tem que responder imediatamente:

À última pancada do relógio, um aluno baterá o sino, e, ao primeiro toque, todos os alunos se porão de joelhos, com os braços cruzados e os olhos baixos. Terminada a oração, o professor dará um sinal para os alunos se levantarem, um segundo para saudarem Cristo, e o terceiro para se sentarem[22].

No começo do século XIX, serão propostos para a escola mútua horários como o seguinte: 8,45 entrada do monitor; 8,52 chamada do monitor; 8,56 entrada das crianças e oração; 9 horas entrada nos bancos; 9,04 primeira lousa; 9,08 fim do ditado; 9,12 segunda lousa etc.[23] A extensão progressiva dos assalariados acarreta por seu lado um quadriculamento cerrado do tempo:

Se acontecer que os operários cheguem mais tarde que em quarto de hora depois que tocar a campanhia [...][24] aquele companheiro que

---

20. Artigo primeiro do regulamento da fábrica de Saint-Maur.

21. BOUSSANELLE, L. de. *Le bom militaire*. 1770, p. 2. Sobre o caráter religioso da disciplina no exército sueco, cf. *The Swedish Discipline*. Londres, 1632.

22. LA SALLE, J.-B. de. *Conduite des écoles chrétiennes*. B.N. Ms 11759, p. 27s.

23. BALLY, L. de. In: TRONCHOT, R.R. *L'Enseignement mutuel en France*. Vol. I, p. 21. [Tese datilografada].

24. *Projet de règlement pour la fabrique d'Amboise*, art. 2, Arquivos nacionais, fl. 12 1301. Especifica-se que isso vale também para os que trabalham com peças.

for chamado durante o trabalho e que perder mais de cinco minutos [...]; aquele que não estiver em seu trabalho na hora precisa[25].

Mas se procura também garantir a qualidade do tempo empregado: controle ininterrupto, pressão dos fiscais, anulação de tudo o que possa perturbar e distrair; trata-se de constituir um tempo integralmente útil:

> É expressamente proibido durante o trabalho divertir os companheiros com gestos ou de outra maneira, fazer qualquer brincadeira, comer, dormir, contar histórias e comédias[26] [e mesmo durante a interrupção para a refeição], não será permitido contar histórias, aventuras ou outras conversações que distraiam os operários de seu trabalho; é expressamente proibido a qualquer operário, e sob qualquer pretexto que seja, introduzir vinho na fábrica e beber nas oficinas[27].

O tempo medido e pago deve ser também um tempo sem impureza nem defeito, um tempo de boa qualidade, e durante todo o seu transcurso o corpo deve ficar aplicado a seu exercício. A exatidão e a aplicação são, com a regularidade, as virtudes fundamentais do tempo disciplinar. Mas não é isso o mais novo. Outros modos de proceder são mais característicos das disciplinas.

2) *A elaboração temporal do ato*: vejamos duas maneiras de controlar a marcha de uma tropa. Começo do século XVII:

> Acostumar os soldados a marchar por fila ou em batalhão, a marchar na cadência do tambor. E, para isso, começar com o pé direito a fim de que toda a tropa esteja levantando o mesmo pé ao mesmo tempo[28].

Metade do século XVIII, quatro tipos de passo:

> O comprimento do pequeno passo será de um pé, o do passo comum, do passo dobrado e do passo de estrada de dois pés, medidos ao todo de um calcanhar ao outro; quanto à duração, a do pequeno passo e do passo comum serão de um segundo, durante o qual se farão dois passos dobrados; a duração do passo de estrada será de um pouco mais de um segundo. O passo oblíquo será feito no mesmo espaço de um segundo; terá no máximo 18 polegadas de

---

25. Regulamento provisório para a fábrica de M.S. Oppenheim. 1809, art. 7-8. In: HAYEM. *Mémoires et documents pour revenir à l'histore du commerce.*

26. Regulamento para a fábrica de M.S. Oppenheim, art. 16.

27. *Projet de règlement pour la fabrique d'Amboise*, art. 4.

28. MONTGOMMERY, L. de. *La milice française*. Ed. de 1636, p. 86.

um calcanhar ao outro [...]. O passo comum será executado mantendo-se a cabeça alta e o corpo direito, conservando-se o equilíbrio sucessivamente sobre uma única perna, e levando a outra à frente, a perna esticada, a ponta do pé um pouco voltada para fora e baixa para aflorar sem afetação o terreno sobre o qual se deve marchar e colocar o pé na terra, de maneira que cada parte se apoie ao mesmo tempo sem bater contra a terra[29].

Entre essas duas prescrições, um novo conjunto de obrigações é imposto, outro grau de precisão na decomposição dos gestos e dos movimentos, outra maneira de ajustar o corpo a imperativos temporais.

O que é definido pela ordenação de 1766 não é um horário – um quadro geral para uma atividade; é mais que um ritmo coletivo e obrigatório, imposto do exterior; é um "programa"; ele realiza a elaboração do próprio ato; controla do interior seu desenrolar e suas fases. Passamos de uma forma de injunção que media ou escandia os gestos a uma trama que os obriga e sustenta ao longo de todo o seu encadeamento. Define-se uma espécie de esquema anátomo-cronológico do comportamento. O ato é decomposto em seus elementos; é definida a posição do corpo, dos membros, das articulações; para cada movimento é determinada uma direção, uma amplitude, uma duração; é prescrita sua ordem de sucessão. O tempo penetra o corpo, e com ele todos os controles minuciosos do poder.

3) *Donde o corpo e o gesto postos em correlação*: o controle disciplinar não consiste simplesmente em ensinar ou impor uma série de gestos definidos; impõe a melhor relação entre um gesto e a atitude global do corpo, que é sua condição de eficácia e de rapidez. No bom emprego do corpo, que permite um bom emprego do tempo, nada deve ficar ocioso ou inútil: tudo deve ser chamado a formar o suporte do ato requerido. Um corpo bem-disciplinado forma o contexto de realização do mínimo gesto. Uma boa caligrafia, por exemplo, supõe uma ginástica – uma rotina cujo rigoroso código abrange o corpo por inteiro, da ponta do pé à extremidade do indicador. Deve-se

> manter o corpo direito, um pouco voltado e solto do lado esquerdo, e algo inclinado para a frente, de maneira que, estando o cotovelo pousado na mesa, o queixo possa ser apoiado na mão, a menos que o alcance da vista não o permita; a perna esquerda deve ficar um pouco mais avançada que a direita, sob a mesa. Deve-se deixar uma distância de dois dedos entre o corpo e a mesa; pois não só se escreve

---

29. *Ordonnance du 1er janvier 1766, pour régler l'exercice de l'infanterie.*

com mais rapidez, mas nada é mais nocivo à saúde que contrair o hábito de apoiar o estômago contra a mesa; a parte do braço esquerdo, do cotovelo até à mão, deve ser colocada sobre a mesa. O braço direito deve estar afastado do corpo cerca de três dedos, e sair aproximadamente cinco dedos da mesa, sobre a qual deve apoiar ligeiramente. O mestre ensinará aos escolares a postura que estes devem manter ao escrever, e a corrigirá seja por sinal seja de outra maneira, quando dela se afastarem[30].

Um corpo disciplinado é a base de um gesto eficiente.

4) *A articulação corpo-objeto*: a disciplina define cada uma das relações que o corpo deve manter com o objeto que manipula. Ela estabelece cuidadosa engrenagem entre um e outro.

> Leve a arma à frente. Em três tempos. Levanta-se o fuzil com a mão direita, aproximando-o do corpo para mantê-lo perpendicularmente em frente ao joelho direito, a ponta do cano à altura do olho, apanhando-o batendo com a mão esquerda, o braço esticado colado ao corpo à altura do cinturão. No segundo, traz-se o fuzil com a mão esquerda diante de si, o cano para dentro entre os dois olhos, a prumo, a mão direita o apanha pelo punho, com o braço esticado, o guarda-mato apoiado sobre o primeiro dedo, a mão esquerda à altura da alça de mira, o polegar estendido ao longo do cano contra a soleira. No terceiro, a mão esquerda deixa o fuzil e cai ao longo da coxa, a mão direita o eleva, com o fecho para fora e em frente ao peito, com o braço direito meio esticado, o cotovelo colado ao corpo, o polegar estendido contra o fecho, apoiado ao primeiro parafuso, o cão apoiado sobre o primeiro dedo, o cano a prumo[31].

Temos aí um exemplo do que se poderia chamar a codificação instrumental do corpo. Consiste em uma decomposição do gesto global em duas séries paralelas: a dos elementos do corpo que serão postos em jogo (mão direita, mão esquerda, diversos dedos da mão, joelho, olho, cotovelo etc.), a dos elementos do objeto manipulado (cano, alça de mira, cão, parafuso etc.); coloca-os depois em correlação uns com os outros segundo um certo número de gestos simples (apoiar, dobrar); finalmente fixa a ordem canônica em que cada uma dessas correlações ocupa um lugar determinado. A esta sintaxe forçada é que os teóricos militares do século XVIII chamavam "manobra". A receita tra-

---

30. LA SALLE, J.-B. de. *Conduite des écoles chrétiennes*. Ed. de 1828, p. 63s. Cf. ilustração n. 8.

31. *Ordonnance du Ier janvier 1766*. Título XI, art. 2.

dicional dá lugar a prescrições explícitas e coercitivas. Sobre toda a superfície de contato entre o corpo e o objeto que o manipula, o poder vem se introduzir, amarra-os um ao outro. Constitui um complexo corpo-arma, corpo-instrumento, corpo-máquina. Estamos inteiramente longe daquelas formas de sujeição que só pediam ao corpo sinais ou produtos, formas de expressão ou o resultado de um trabalho. A regulamentação imposta pelo poder é ao mesmo tempo a lei de construção da operação. E assim aparece esse caráter do poder disciplinar: tem uma função menos de retirada que de síntese, menos de extorsão do produto que de laço coercitivo com o aparelho de produção.

5) *A utilização exaustiva*: o princípio que estava subjacente ao horário em sua forma tradicional era essencialmente negativo; princípio da não ociosidade: é proibido perder um tempo que é contado por Deus e pago pelos homens; o horário devia conjurar o perigo de desperdiçar tempo – erro moral e desonestidade econômica. Já a disciplina organiza uma economia positiva; coloca o princípio de uma utilização teoricamente sempre crescente do tempo: mais exaustão que emprego; importa extrair do tempo sempre mais instantes disponíveis e de cada instante sempre mais forças úteis. O que significa que se deve procurar intensificar o uso do mínimo instante, como se o tempo, em seu próprio fracionamento, fosse inesgotável; ou como se, pelo menos, por uma organização interna cada vez mais detalhada, se pudesse tender para um ponto ideal em que o máximo de rapidez encontra o máximo de eficiência. E a essa técnica mesma que era usada nos famosos regulamentos da infantaria prussiana que a Europa inteira imitou depois das vitórias de Frederico II[32]: quanto mais se decompõe o tempo, quanto mais se multiplicam suas subdivisões, quanto melhor o desarticulamos desdobrando seus elementos internos sob um olhar que os controla, mais então se pode acelerar uma operação, ou pelo menos regulá-la segundo um rendimento ótimo de velocidade; daí essa regulamentação do tempo da ação que foi tão importante no exército e que devia sê-lo para toda a tecnologia da atividade humana: o regulamento prussiano de 1743 previa 6 tempos para pôr a arma ao pé, 4 para estendê-la, 13 para colocá-la ao contrário sobre o ombro etc. Por outros meios, a escola mútua também foi disposta como um aparelho para intensificar a utilização do tempo; sua organização permitia desviar o caráter linear e sucessivo do ensino do mestre; regulava o contraponto de operações feitas, ao mesmo tempo,

---

32. Só se pode atribuir o sucesso das tropas prussianas "à excelência de sua disciplina e de seu exercício; a escolha do exercício não é portanto indiferente: foi trabalhando na Prússia durante quarenta anos, com uma aplicação sem descanso" (Marechal de Saxe, carta ao Conde d'Argenson, 25 de fevereiro de 1750. Arsenal. Ms 2701 e *Mes rêveries*. T. II, p. 249). Cf. ilustrações n. 3 e 4.

por diversos grupos de alunos sob a direção dos monitores e dos adjuntos, de maneira que cada instante que passava era povoado de atividades múltiplas, mas ordenadas; e por outro lado o ritmo imposto por sinais, apitos, comandos impunha a todos normas temporais que deviam ao mesmo tempo acelerar o processo de aprendizagem e ensinar a rapidez como uma virtude[33].

> A única finalidade dessas ordens é [...] acostumar as crianças a executar rapidamente e bem as mesmas operações, diminuir tanto quanto possível pela celeridade a perda de tempo acarretada pela passagem de uma operação a outra[34].

Ora, por meio dessa técnica de sujeição, um novo objeto vai-se compondo e lentamente substituindo o corpo mecânico – o corpo composto de sólidos e comandado por movimentos, cuja imagem tanto povoara os sonhos dos que buscavam a perfeição disciplinar. Esse novo objeto é o corpo natural, portador de forças e sede de algo durável; é o corpo suscetível de operações especificadas, que têm sua ordem, seu tempo, suas condições internas, seus elementos constituintes. O corpo, tornando-se alvo dos novos mecanismos do poder, oferece-se a novas formas de saber. Corpo do exercício mais que da física especulativa; corpo manipulado pela autoridade mais que atravessado pelos espíritos animais; corpo do treinamento útil e não da mecânica racional, mas no qual por essa mesma razão se anunciará um certo número de exigências de natureza e de limitações funcionais. É ele que Guibert descobre na crítica que faz das manobras excessivamente artificiais. No exercício que lhe é imposto e ao qual resiste, o corpo desenha suas correlações essenciais e rejeita espontaneamente o incompatível:

> Entremos na maior parte de nossas escolas de exercício, veremos todos aqueles infelizes soldados em atitudes coagidas e forçadas, veremos todos os seus músculos em contração, sua circulação sanguínea interrompida [...]. Estudemos a intenção da natureza e a construção do corpo humano, e encontraremos a posição e a compostura que ela prescreve claramente que se deve dar ao soldado. A cabeça deve ficar direita, solta dos ombros, perpendicularmente colocada entre eles. Não deve ficar voltada nem à esquerda nem à direita, porque, considerando a correspondência que existe entre as vérte-

---

33. Exercício de escrita: [...] "9: Mão sobre os joelhos. Essa ordem é dada por um toque de campainha; 10: mãos sobre a mesa, cabeça alta; 11: limpar as lousas: todos limpam as lousas com um pouco de saliva, ou melhor, com um trapo; 12: mostrar as lousas; 13: monitores, inspecionar". Eles vão ver as lousas de seus adjuntos e em seguida as de seu banco. Os adjuntos visitam as de seu banco, e todos ficam no lugar.

34. BERNARD, S. *Rapport du 30 octobre 1816 à la société de l'enseignement mutuel.*

152

bras do pescoço e a omoplata a que estão ligadas, nenhuma delas pode agir circularmente sem arrastar de leve do mesmo lado em que ela age uma das ramificações do ombro, e não estando mais o corpo colocado direito, o soldado não pode mais marchar reto para frente nem servir de ponto de alinhamento [...]. Como o osso da anca indicado pela Ordenação como sendo o ponto contra o qual se deve apoiar o bico da coronha não está igualmente situado em todos os homens, o fuzil para alguns deve ser levado mais à direita, para outros mais à esquerda. Pela mesma razão de desigualdade de estrutura, o guarda-mato pode estar mais ou menos apertado contra o corpo, dependendo de ter um homem a parte externa do ombro mais ou menos carnuda etc.[35]

Vimos como os processos da repartição disciplinar tinham seu lugar entre as técnicas contemporâneas de classificação e de enquadramento, e como eles aí introduziam o problema específico dos indivíduos e da multiplicidade. Do mesmo modo, os controles disciplinares da atividade encontram lugar em todas as pesquisas, teóricas ou práticas, sobre a máquina natural dos corpos; mas elas começaram a descobrir nisso processos específicos; o comportamento e suas exigências orgânicas vão pouco a pouco substituir a simples física do movimento. O corpo, do qual se requer que seja dócil até em suas mínimas operações, opõe e mostra as condições de funcionamento próprias a um organismo. O poder disciplinar tem por correlato uma individualidade não só analítica e "celular", mas também natural e "orgânica".

A organização das gêneses

Em 1667, o edito que criava a fábrica dos Gobelins previa a organização de uma escola. Sessenta crianças bolsistas deviam ser escolhidas pelo superintendente dos prédios reais, confiados durante certo tempo a um mestre que devia realizar "sua educação e instrução", depois colocados para aprendizagem junto aos diversos mestres tapeceiros da manufatura (estes recebiam por isso uma indenização retirada da bolsa dos alunos); depois de seis anos de aprendizagem, quatro anos de serviço e uma prova qualificatória, tinham direito de "erguer e manter loja" em qualquer cidade do reino. Encontramos aí as características próprias da aprendizagem corporativa: relação de dependência ao mesmo tempo individual e total quanto ao mestre; duração estatutária

---

35. GUIBERT, J.A. de. *Essai général de tactique*. 1772, I, p. 21s.

da formação que se conclui com uma prova qualificatória, mas que não se decompõe segundo um programa preciso; troca total entre o mestre que deve dar seu saber e o aprendiz que deve trazer seus serviços, sua ajuda e muitas vezes uma retribuição. A forma da domesticidade se mistura a uma transferência de conhecimento[36]. Em 1737, um edito organiza uma escola de desenho para os aprendizes dos Gobelins; ela não se destina a substituir a formação com os mestres operários, mas a completá-la. Ora, ela implica uma organização do tempo totalmente diversa. Duas horas por dia, menos aos domingos e festas, os alunos se reúnem na escola. É feita a chamada segundo uma lista afixada à parede; anotam-se as ausências num registro. A escola é dividida em três classes. A primeira para os que não têm nenhuma noção de desenho; mandam-nos copiar modelos, mais difíceis ou menos difíceis, segundo as aptidões de cada um. A segunda "para os que já têm alguns princípios" ou que passaram pela primeira classe; devem reproduzir quadros "à primeira vista e sem tomar-lhes o traço", mas considerando só o desenho. Na terceira classe, aprendem as cores, fazem pastel, iniciam-se na teoria e na prática do tingimento. Regularmente, os alunos fazem deveres individuais: cada um desses exercícios, marcado com o nome do autor e a data da execução, é depositado nas mãos do professor; os melhores são recompensados; reunidos no fim do ano e comparados entre eles, permitem estabelecer os progressos, o valor atual, o lugar relativo de cada aluno; determinam-se então os que podem passar para a classe superior. Um livro geral mantido pelos professores e seus adjuntos deve registrar dia por dia o comportamento dos alunos e tudo o que se passa na escola; é periodicamente submetido a um inspetor[37].

A escola dos Gobelins é apenas o exemplo de um fenômeno importante: o desenvolvimento, na Época Clássica, de uma nova técnica para a apropriação do tempo das existências singulares; para reger as relações do tempo, dos corpos e das forças; para realizar uma acumulação da duração; e para inverter em lucro ou em utilidade sempre aumentados o movimento do tempo que passa. Como capitalizar o tempo dos indivíduos, acumulá-lo em cada um deles, em seus corpos, em suas forças ou capacidades, e de uma maneira que seja suscetível de utilização e de controle? Como organizar durações rentáveis? As disciplinas, que analisam o espaço, que decompõem e recompõem as ati-

---

36. Essa mistura aparece claramente em certas classes do contrato de aprendizagem: o mestre é obrigado a dar ao aluno – mediante seu dinheiro e seu trabalho – todo o seu saber, sem guardar nenhum segredo; senão, é passível de multa. Cf., por ex., GROSRENAUD, F. *La Corporation ouvrière à Besançon.* 1907, p. 62.

37. Cf. GERSPACH. E. *La Manufacture des Gobelins.* 1892.

vidades, devem ser também compreendidas como aparelhos para adicionar e capitalizar o tempo. E isto por quatro processos, que a organização militar mostra com toda a clareza.

1º) Dividir a duração em segmentos, sucessivos ou paralelos, dos quais cada um deve chegar a um termo específico. Por exemplo: isolar o tempo de formação e o período da prática; não misturar a instrução dos recrutas e o exercício dos veteranos; abrir escolas militares distintas do serviço armado (em 1764, criação da Escola de Paris, em 1776 criação das doze escolas de província); recrutar os soldados profissionais desde muito jovens, tomar crianças, "fazê-los adotar pela pátria, prepará-los em escolas particulares"[38]: ensinar sucessivamente a postura, depois a marcha, depois o manejo das armas, depois o tiro, e só passar a uma atividade se a anterior estiver completamente adquirida: "É um dos erros principais mostrar a um soldado todos os exercícios ao mesmo tempo"[39]; enfim, decompor o tempo em sequências, separadas e ajustadas.

2º) Organizar essas sequências segundo um esquema analítico – sucessão de elementos tão simples quanto possível, combinando-se segundo uma complexidade crescente. O que supõe que a instrução abandone o princípio da repetição analógica. No século XVI, o exercício militar consistia principalmente em uma pantomima de todo ou de parte do combate, e em fazer crescer globalmente a habilidade ou a força do soldado[40]. No século XVIII a instrução do "manual" segue o princípio do "elementar" e não mais do "exemplar": gestos simples – posição dos dedos, flexão da perna, movimento dos braços – que são no máximo os componentes de base para os comportamentos úteis, e que além disso efetuam um treinamento geral da força, da habilidade, da docilidade.

3º) Finalizar esses segmentos temporais, fixar-lhes um termo marcado por uma prova, que tem a tríplice função de indicar se o indivíduo atingiu o nível estatutário, de garantir que sua aprendizagem está em conformidade com a dos outros, e diferenciar as capacidades de cada indivíduo. Quando os sargentos, cabos etc.,

> encarregados de instruir os outros, acharem que puseram alguém em condições de passarà primeira classe, eles o apresentarão pri-

---

38. Era o projeto de SERVAN, J. *Le Soldat citoyen*. 1780, p. 456.

39. Regulamento de 1743 para a infantaria prussiana, Arsenal. Ms. 4076.

40. F. de la Noue recomendava a criação de academias militares no fim do século XVI, pretendia que lá se aprendesse "a manejar os cavalos, correr com a adaga no gibão, e às vezes armado, atirar, voltear, saltar; se se acrescentassem nadar e lutar, só seria melhor, pois tudo isso torna a pessoa mais robusta e mais hábil". *Discours politiques et militaires*. Ed. 1614, p. 181s.

meiro aos oficiais da companhia que o examinarão com atenção; se ainda não o acharem suficientemente treinado, recusarão admiti-lo; se ao contrário o homem apresentado lhes parecer em condições de ser recebido, os ditos oficiais o proporão eles mesmos ao comandante do regimento, que verá se o julga a propósito, e fará os oficiais majores o examinarem. As faltas mais leves bastarão para recusá-lo, e ninguém poderá passar da segunda classe para a primeira sem ter feito esse primeiro exame[41].

4º) Estabelecer séries de séries; prescrever a cada um, de acordo com seu nível, sua antiguidade, seu posto, os exercícios que lhe convêm; os exercícios comuns têm um papel diferenciador e cada diferença comporta exercícios específicos. Ao termo de cada série, começam outras, formam uma ramificação e se subdividem por sua vez. De maneira que cada indivíduo se encontra preso numa série temporal, que define especificamente seu nível ou sua categoria. Polifonia disciplinar dos exercícios:

> Os soldados da segunda classe serão treinados todas as manhãs pelos sargentos, cabos, anspeçadas, soldados de primeira classe [...]. Os soldados de primeira classe serão treinados todos os domingos pelo chefe da esquadra [...]; os cabos e os anspeçadas todas as terças-feiras à tarde pelos sargentos de sua companhia, e estes, aos 2, 12 e 22 de cada mês também à tarde, pelos oficiais majores[42].

Esse é o tempo disciplinar que se impõe pouco a pouco à prática pedagógica – especializando o tempo de formação e destacando-o do tempo adulto, do tempo do ofício adquirido; organizando diversos estágios separados uns dos outros por provas graduadas; determinando programas, que devem se desenrolar cada um durante uma determinada fase, e que comportam exercícios de dificuldade crescente; qualificando os indivíduos de acordo com a maneira como percorreram essas séries. O tempo "iniciático" da formação tradicional (tempo global, controlado só pelo mestre, sancionado por uma única prova) foi substituído pelo tempo disciplinar com suas séries múltiplas e progressivas. Forma-se toda uma pedagogia analítica, muito minuciosa (decompõe até aos mais simples elementos a matéria de ensino, hierarquiza no maior número possível de graus cada fase do progresso) e também muito precoce em sua história (antecipa largamente as análises genéticas dos ideólogos dos quais aparece como o modelo técnico). Demia, bem no começo do século

---

41. *Instruction pour l'exercise de l'infanterie*. 14/05/1754.
42. Ibid.

156

XVIII, queria que o aprendizado da leitura fosse dividido em sete níveis: o primeiro para os que aprendem a conhecer as letras, o segundo para os que aprendem a soletrar, o terceiro para os que aprendem a juntar as sílabas, para formar palavras, o quarto para os que leem o latim por frase ou de pontuação em pontuação, o quinto para os que começam a ler o francês, o sexto para os mais capazes na leitura, o sétimo para os que leem os manuscritos. Mas, caso os alunos fossem numerosos, seria necessário introduzir ainda subdivisões; a primeira classe devia comportar quatro grupos: um para os que aprendem as "letras simples"; outro para os que aprendem as letras misturadas; um terceiro para os que aprendem as letras abreviadas (Â, ê...); um último para os que aprendem as letras duplas (ff, ss, tt, st). A segunda classe seria dividida em três grupos: para os que "contam alto cada letra antes de soletrar a sílaba D.O., DO"; para os "que soletram as sílabas mais difíceis, como bant, brand, spinx etc."[43] Cada patamar na combinatória dos elementos deve-se inserir numa grande série temporal, que é ao mesmo tempo uma marcha natural do espírito e um código para os processos educativos.

A colocação em "série" das atividades sucessivas permite todo um investimento da duração pelo poder: possibilidade de um controle detalhado e de uma intervenção pontual (de diferenciação, de correção, de castigo, de eliminação) a cada momento do tempo; possibilidade de caracterizar, portanto de utilizar os indivíduos de acordo com o nível que têm nas séries que percorrem; possibilidade de acumular o tempo e a atividade, de encontrá-los totalizados e utilizáveis num resultado último, que é a capacidade final de um indivíduo. Recolhe-se a dispersão temporal para lucrar com isso e se conserva o domínio de uma duração que escapa. O poder se articula diretamente sobre o tempo; realiza o controle dele e garante sua utilização.

Os procedimentos disciplinares revelam um tempo linear cujos momentos se integram uns nos outros, e que se orienta para um ponto terminal e estável. Em suma, um tempo "evolutivo". Ora, é preciso lembrar que no mesmo momento as técnicas administrativas e econômicas de controle manifestavam um tempo social de tipo serial, orientado e cumulativo: descoberta de uma evolução em termos de "progresso". As técnicas disciplinares, por sua vez, fazem emergir séries individuais: descoberta de uma evolução em termos de "gênese". Progresso das sociedades, gênese dos indivíduos, essas duas grandes "descobertas" do século XVIII são talvez correlatas das novas técnicas de poder e, mais precisamente, de uma nova maneira de gerir o tempo e torná-lo útil,

---

43. DEMIA. *Règlement pour les écoles de la ville de Lyon.* 1716, p. 19s.

por recorte segmentar, por seriação, por síntese e totalização. Uma macro e uma microfísica do poder permitiram, não certamente a invenção da história (já há um bom tempo ela não precisava mais ser inventada), mas a integração de uma dimensão temporal, unitária, cumulativa no exercício dos controles e na prática das dominações. A historicidade "evolutiva", assim como se constitui então – e tão profundamente que ainda hoje é para muitos uma evidência –, está ligada a um modo de funcionamento do poder, da mesma forma que a "história-rememoração" das crônicas, das genealogias, das proezas, dos reinos e dos atos esteve muito tempo ligada a uma outra modalidade do poder. Com as novas técnicas de sujeição, a "dinâmica" das evoluções contínuas tende a substituir a "dinástica" dos acontecimentos solenes.

Em todo caso, o pequeno *continuum* temporal da individualidade-gênese parece ser mesmo, como a individualidade-célula ou a individualidade-organismo, um efeito e um objeto da disciplina. E no centro dessa seriação do tempo encontramos um procedimento que é, para ela, o que era a colocação em "quadro" para a repartição dos indivíduos ou o recorte celular: ou ainda, o que era a "manobra" para a economia das atividades e o controle orgânico. O ponto em apreço é o "exercício", a técnica pela qual se impõe aos corpos tarefas ao mesmo tempo repetitivas e diferentes, mas sempre graduadas. Dirigindo o comportamento para um estado terminal, o exercício permite uma perpétua caracterização do indivíduo seja em relação a esse termo, seja em relação aos outros indivíduos, seja em relação a um tipo de percurso. Assim, realiza, na forma da continuidade e da coerção, um crescimento, uma observação, uma qualificação. Antes de tomar essa forma estritamente disciplinar, o exercício teve uma longa história: é encontrado nas práticas militares, religiosas, universitárias – às vezes ritual de iniciação, cerimônia preparatória, ensaio teatral, prova. Sua organização linear, continuamente progressiva, seu desenrolar genético ao longo do tempo têm, pelo menos no exército e na escola, introdução tardia. E sem dúvida de origem religiosa. Em todo caso, a ideia de um "programa" escolar que acompanharia a criança até o termo de sua educação e que implicaria de ano em ano, de mês em mês, em exercícios de complexidade crescente, apareceu primeiro, parece, num grupo religioso, os Irmãos da Vida Comum[44]. Fortemente inspirados por Ruysbroeck e na mística renana, transpuseram à educação uma parte das técnicas espirituais – e não só à educação dos clérigos, mas à dos magistrados e comerciantes: o tema da perfeição, em direção à qual o mestre exemplar conduz, torna-se entre eles

---

44. Cf. CODINA MEIR, G. *Aux sources de la pédagogie des Jésuites*. 1968, p. 160s.

o de um aperfeiçoamento autoritário dos alunos pelo professor: os exercícios cada vez mais rigorosos propostos pela vida ascética se tornam tarefas de complexidade crescente que marcam a aquisição progressiva do saber e do bom comportamento; o esforço de toda a comunidade para a salvação se torna o concurso coletivo e permanente dos indivíduos que se classificam uns em relação aos outros. Foram talvez processos de vida e de salvação comunitárias o primeiro núcleo de métodos destinados a produzir aptidões individualmente caracterizadas, mas coletivamente úteis[45]. Sob sua forma mística ou ascética, o exercício era uma maneira de ordenar o tempo aqui de baixo para a conquista da salvação. Vai pouco a pouco, na história do Ocidente, inverter o sentido guardando algumas características: serve para economizar o tempo da vida, para acumulá-lo de uma maneira útil, e para exercer o poder sobre os homens por meio do tempo assim arrumado. O exercício, transformado em elemento de uma tecnologia política do corpo e da duração, não culmina num mundo além; mas tende para uma sujeição que nunca terminou de se completar.

A composição das forças

> Comecemos destruindo o antigo preconceito segundo o qual pensava-se aumentar a força de uma tropa aumentando-lhe a profundidade. Todas as leis físicas sobre o movimento tornam-se quimeras quando queremos adaptá-las à tática[46].

Desde o fim do século XVII, o problema técnico da infantaria foi de se libertar do modelo físico da massa. Armada de lanças e mosquetões – lentos, imprecisos, que não permitiam ajustar um alvo e mirar – uma tropa era usada ou como um projétil, ou como um muro ou uma fortaleza: "a temível infan-

---

45. Por intermédio das escolas de Liège, Devenport, Zwolle, Wesel; e graças também a Jean Sturm, a sua memória de 1533 para a organização de um ginásio em Estrasburgo. Cf. *Bulletin de la société d'histoire du protestantisme*. T. XXV, p. 499-505.
Note-se que as relações entre o exército, a organização religiosa e a pedagogia são muito complexas. A "decúria", unidade do exército romano, é encontrada nos conventos beneditinos, como unidade de trabalho e sem dúvida de vigilância. Os irmãos da vida comum a tomaram emprestada e a transpuseram para sua organização pedagógica: os alunos são agrupados por 10. Essa é a unidade que os jesuítas retomaram na cenografia de seus colégios, reintroduzindo aí um modelo militar. Mas a decúria por sua vez foi dissolvida em proveito de um esquema ainda mais militar com fileiras, colunas, linhas.
46. GUIBERT, J.A. de. *Essai général de tactique*. 1772, I, 18. Para dizer a verdade, esse velho problema retomara atualidade no século XVIII, pelas razões econômicas e técnicas que veremos; e o "preconceito" em questão fora muito frequentemente discutido fora do próprio Guibert (em torno de Folard, de Pireh, de Mesnil-Durard).

taria do exército da Espanha"; a repartição dos soldados nessa massa era feita principalmente segundo sua antiguidade e valentia; no centro, encarregados de fazer peso e volume, de dar densidade ao corpo, os mais novatos; na frente, nos ângulos ou pelos lados, os soldados mais corajosos ou reputados os mais hábeis. Passou-se no decorrer da época clássica a um jogo de articulações minuciosas. A unidade – regimento, batalhão, seção, mais tarde "divisão"[47] – torna-se uma espécie de máquina de peças múltiplas que se deslocam em relação umas às outras para chegar a uma configuração e obter um resultado específico. As razões dessa mudança? Algumas são econômicas: tornar útil cada indivíduo e rentável a formação, a manutenção, o armamento das tropas; dar a cada soldado, unidade preciosa, um máximo de eficiência. Mas essas razões econômicas só puderam se tornar determinantes a partir de uma transformação técnica: a invenção do fuzil[48]: mais preciso, mais rápido que o mosquete, valorizava a habilidade do soldado; mais capaz de atingir um alvo determinado, permitia explorar a potência de fogo em nível individual; e inversamente fazia de cada soldado um alvo possível, exigindo pela mesma razão maior mobilidade; e assim ocasionava o desaparecimento de uma técnica das massas em proveito de uma arte que distribuía as unidades e os homens ao longo de linhas extensas, relativamente flexíveis e móveis. Daí a necessidade de encontrar uma prática calculada das localizações individuais e coletivas, dos deslocamentos de grupos ou de elementos isolados, das mudanças de posição, de passagem de uma disposição a outra; enfim, de inventar uma maquinaria cujo princípio não seja mais a massa móvel ou imóvel, mas uma geometria de segmentos divisíveis cuja unidade de base é o soldado móvel com seu fuzil[49]; e, acima do próprio soldado, os gestos mínimos, os tempos elementares de ação, os fragmentos de espaços ocupados ou percorridos.

Mesmos problemas ao se constituir uma força produtiva cujo efeito deve ser superior à soma das forças elementares que a compõem:

> Que o dia de trabalho combinado adquira essa produtividade superior multiplicando a potência mecânica do trabalho, estendendo sua ação no espaço ou diminuindo o campo de produção em relação à

---

47. No sentido em que esse termo foi empregado depois de 1759.

48. Pode-se datar *grosso modo* a partir da batalha de Steinkerque (1699) o movimento que generalizou o fuzil.

49. Sobre essa importância de geometria, cf. BEAUSOBRE, J. de: "A ciência da guerra é essencialmente geométrica [...]. A distribuição de um batalhão e de um esquadrão sobre toda uma frente e uma certa altura é apenas o efeito de uma geometria profunda ainda ignorada" (*Commentaires sur les défenses des places*. 1757, t. II, p. 307).

sua escala, mobilizando nos momentos críticos grandes quantidades de trabalho [...] a força específica do dia combinado, é uma força social do trabalho ou uma força do trabalho social. Nasce da própria cooperação[50].

Surge assim uma exigência nova a que a disciplina tem que atender: construir uma máquina cujo efeito será elevado ao máximo pela articulação combinada das peças elementares de que ela se compõe. A disciplina não é mais simplesmente uma arte de repartir os corpos, de extrair e acumular o tempo deles, mas de compor forças para obter um aparelho eficiente. Essa exigência se traduz de várias maneiras.

1) O corpo singular se torna um elemento, que se pode colocar, mover, articular com outros. Sua coragem ou força não são mais as variáveis principais que o definem; mas o lugar que ele ocupa, o intervalo que cobre, a regularidade, a boa ordem segundo as quais opera seus deslocamentos. O homem de tropa é antes de tudo um fragmento de espaço móvel, antes de ser uma coragem ou uma honra. Caracterização do soldado por Guibert:

> Quando está sob as armas, ocupa dois pés em seu maior diâmetro, ou seja, tomando-o de um extremo ao outro, e cerca de um pé em sua maior espessura, tomada do peito aos ombros, a que se deve acrescentar um pé de intervalo real entre ele e o homem seguinte; o que dá dois pés em todos os sentidos por soldado e indica que uma tropa de infantaria em batalha ocupa, seja numa frente seja em profundidade, tantos passos quantas filas tem[51].

Redução funcional do corpo. Mas também inserção desse corpo-segmento em todo um conjunto com o qual se articula. O soldado cujo corpo foi treinado para funcionar peça por peça para operações determinadas deve por sua vez formar elemento num mecanismo de outro nível. Os soldados serão instruídos

> um a um, depois dois a dois, depois em maior número... Será observado para o manejo das armas, quando os soldados tiverem sido instruídos separadamente, fazê-los executá-lo dois a dois, e fazê-los

---

50. MARX, K. *Le Capital.* Livro 1, 4ª seção, cap. XIII. Marx insiste várias vezes na analogia entre os problemas de divisão do trabalho e os de tática militar. Por exemplo: "Da mesma forma que a força de ataque de um esquadrão de cavalaria ou a força de resistência de um regimento de cavalaria diferem essencialmente da força das somas individuais [...] da mesma maneira a soma das forças mecânicas de operários isolados difere da força mecânica que se desenvolve desde que eles funcionam conjunta e simultaneamente numa só operação indivisa" (ibid.).

51. GUIBERT, J.A. de. *Essai général de tactique.* 1772, t. 1, p. 27.

trocar de lugar alternadamente para que o da esquerda aprenda a se regular pelo da direita[52].

O corpo se constitui como peça de uma máquina multissegmentar.

2) São também peças as várias séries cronológicas que a disciplina deve combinar para formar um tempo composto. O tempo de uns se deve ajustar ao tempo de outros de maneira que se possa extrair a máxima quantidade de forças de cada um e combiná-la num resultado ótimo. Servan sonhava assim com um aparelho militar que cobriria todo o território da nação e em que cada um estaria ocupado sem interrupção, mas de maneira diferente segundo o segmento evolutivo, a sequência genética em que se encontrasse. A vida militar começaria na mais tenra idade, quando se ensinaria às crianças, em "moradas militares", o ofício das armas: ela terminaria nessas mesmas moradas, quando os veteranos, até seu último dia, ensinariam as crianças, mandariam os recrutas fazer manobras, presidiriam aos exercícios dos soldados, os fiscalizariam quando executassem obras de interesse público, e enfim fariam reinar a ordem no país, enquanto a tropa se batia nas fronteiras. Não há um só momento da vida de que não se possa extrair forças, desde que se saiba diferenciá-lo e combiná-lo com outros. Da mesma maneira nas grandes oficinas se apela para as crianças e os velhos; pois eles têm certas capacidades elementares para as quais não é necessário utilizar operários que têm várias outras aptidões; além disso constituem mão de obra barata: enfim, se trabalham, não são dependentes de ninguém:

> A humanidade laboriosa, dizia um recebedor de impostos a respeito de uma empresa de Angers, pode encontrar nessa manufatura, da idade de dez anos até à velhice, recursos contra a ociosidade e a miséria que é consequência desta[53].

Mas é sem dúvida no ensino primário que esse ajustamento das cronologias diferentes será mais útil. Do século XVII até a introdução, no começo do XIX, do método Lancaster, o mecanismo complexo da escola mútua se construirá uma engrenagem depois da outra: confiaram-se primeiro aos alunos mais velhos tarefas de simples fiscalização, depois de controle do trabalho, em seguida, de ensino; e então no fim das contas, todo o tempo de todos os alunos estava ocupado seja ensinando seja aprendendo. A escola se torna um

---

52. Ordenação sobre o exercício da infantaria, 06/05/1755.

53. HARVOUIN. "Rapport sur la généralité de Tours". In: MARCHEGAY, P. *Archives d'Anjou*. t. II, p. 360.

aparelho de aprender onde cada aluno, cada nível e cada momento, se estão combinados como deve ser, são permanentemente utilizados no processo geral de ensino. Um dos grandes partidários da escola mútua dá a medida desse progresso:

> Numa escola de 360 crianças, o professor que quisesse instruir cada aluno por sua vez durante uma sessão de três horas só poderia dar meio minuto a cada um. Pelo novo método, todos os 360 alunos escrevem, leem ou contam durante duas horas e meia cada um[54].

3) Essa combinação cuidadosamente medida das forças exige um sistema preciso de comando. Toda a atividade do indivíduo disciplinar deve ser repartida e sustentada por injunções cuja eficiência repousa na brevidade e na clareza; a ordem não tem que ser explicada, nem mesmo formulada: é necessário e suficiente que provoque o comportamento desejado. Do mestre de disciplina àquele que lhe é sujeito, a relação é de sinalização: o que importa não é compreender a injunção, mas perceber o sinal, reagir logo a ele, de acordo com um código mais ou menos artificial estabelecido previamente. Colocar os corpos num pequeno mundo de sinais a cada um dos quais está ligada uma resposta obrigatória e só uma: técnica do treinamento que

> exclui despoticamente em tudo a menor representação, e o menor murmúrio: o soldado disciplinado começa a obedecer ao que quer que lhe seja ordenado; sua obediência é pronta e cega; a aparência de indocilidade, o menor atraso seria um crime[55].

O treinamento dos escolares deve ser feito da mesma maneira: poucas palavras, nenhuma explicação, no máximo um silêncio total que só seria interrompido por sinais – sinos, palmas, gestos, simples olhar do mestre, ou ainda aquele pequeno aparelho de madeira que os Irmãos das Escolas Cristãs usavam; era chamado por excelência o "Sinal" e devia significar em sua brevidade maquinal ao mesmo tempo a técnica do comando e a moral da obediência.

> O primeiro e principal uso do sinal é atrair de uma só vez todos os olhares dos escolares para o mestre e fazê-los ficar atentos ao que ele lhes quer comunicar. Assim, toda vez que este quiser chamar a atenção das crianças e fazer parar qualquer exercício, baterá uma vez. Um bom escolar, toda vez que ouvir o ruído do sinal, pensará ouvir a voz do mestre ou antes a voz de Deus mesmo que o chame pelo

---

54. BERNARD, Sammuel. *Rapport du 30 octobre 1816, à la société de l'Enseignement mutuel.*
55. BOUSSANELLE, L. de. *Le Bom Militaire.* 1770, p. 2.

nome. Entrará então nos sentimentos do jovem Samuel, dizendo com ele no fundo de sua alma: Senhor, eis-me aqui.

O aluno deverá aprender o código dos sinais e atender automaticamente a cada um deles.

> Feita a oração, o mestre dará uma pancada de sinal, olhando a criança que quer mandar ler, far-lhe-á sinal de começar. Para fazer parar o que está lendo, dará uma pancada de sinal [...]. Para fazer sinal ao que está lendo de se corrigir, quando pronunciou mal uma letra, uma sílaba ou uma palavra, dará duas pancadas sucessivamente e seguidas, Se, após se ter corrigido, ele não recomeça na palavra que pronunciou mal, porque leu várias depois dela, o mestre dará três pancadas sucessivamente uma em seguida da outra para lhe fazer sinal de recuar de algumas palavras e continuará a fazer esse sinal, até o escolar chegar à sílaba ou à palavra que pronunciou mal[56].

A escola mútua levará ainda mais longe esse controle dos comportamentos pelo sistema dos sinais a que se tem que reagir imediatamente. Até as ordens verbais devem funcionar como sinalização:

> **Entrem em seus bancos**. À palavra **Entrem**, as crianças colocam com ruído a mão direita sobre a mesa e ao mesmo tempo passam a perna para dentro do banco; às palavras **em seus bancos**, eles passam a outra perna e se sentam diante das lousas [...]. **Pegar-lousas**, à palavra **pegar**, as crianças levam a mão direita ao barbante que serve para suspender a lousa ao prego que está diante deles, e com a esquerda pegam a **lousa** pelo meio; à palavra **lousas**, eles a soltam e a colocam sobre a mesa[57].

Em resumo, pode-se dizer que a disciplina produz, a partir dos corpos que controla, quatro tipos de individualidade, ou antes uma individualidade dotada de quatro características: é celular (pelo jogo da repartição espacial), é orgânica (pela codificação das atividades), é genética (pela acumulação do tempo), é combinatória (pela composição das forças). E, para tanto, utiliza quatro grandes técnicas: constrói quadros; prescreve manobras; impõe exercí-

---

56. LA SALLE, J.-B. de. *Conduite des Écoles chrétiennes*. 1828, p. 137s. Cf. tb. DEMIA, Ch. *Règlements pour les écoles de la ville de Lyon*. 1716, p. 21.

57. *Journal pour l'instruction élémentaire*, abril de 1816. Cf. TRONCHOT, R.R. *L'enseignement mutuel en France*, tese datilografada, I, que calculou que os alunos deviam receber mais de 200 ordens por dia (sem contar as ordens excepcionais); só de manhã 26 ordens por voz, 23 por sinais, 37 batidas de campainha e 24 por apito, o que faz um toque de campainha ou de apito cada 3 minutos.

cios; enfim, para realizar a combinação das forças, organiza "táticas". A tática, arte de construir, com os corpos localizados, atividades codificadas e as aptidões formadas, aparelhos em que o produto das diferentes forças se encontra majorado por sua combinação calculada é sem dúvida a forma mais elevada da prática disciplinar. Nesse saber, os teóricos do século XVIII viam o fundamento geral de toda a prática militar, desde o controle e o exercício dos corpos individuais, até à utilização das forças específicas às multiplicidades mais complexas. Arquitetura, anatomia, mecânica, economia do corpo disciplinar;

> aos olhos da maior parte dos militares, a tática não passa de um ramo da vasta ciência da guerra; aos meus, ela é a base dessa ciência; ela é a própria ciência, pois ensina a constituir as tropas, a ordená-las, a movê-las, a mandá-las combater; pois só ela pode completar o número e manejar a multidão; ela incluirá enfim o conhecimento dos homens, das armas, das tensões, das circunstâncias, pois são todos esses conhecimentos reunidos que devem determinar esses movimentos[58]. [Ou ainda]: Esse termo (tática)... dá a ideia da posição respectiva dos homens que compõem uma tropa, das diversas tropas que compõem um exército, de seus movimentos e ações, das relações que têm entre si[59].

É possível que a guerra como estratégia seja a continuação da política. Mas não se deve esquecer que a "política" foi concebida como a continuação senão exata e diretamente da guerra, pelo menos do modelo militar como meio fundamental para prevenir o distúrbio civil. A política, como técnica da paz e da ordem internas, procurou pôr em funcionamento o dispositivo do exército perfeito, da massa disciplinada, da tropa dócil e útil, do regimento no acampamento e nos campos, na manobra e no exercício. Nos grandes Estados do século XVIII, o exército garante a paz civil sem dúvida porque é uma força real, uma espada sempre ameaçadora, mas também porque é uma técnica e um saber que podem projetar seu esquema sobre o corpo social. Se há uma série guerra-política que passa pela estratégia, há uma série exército-política que passa pela tática. É a estratégia que permite compreender a guerra como uma maneira de conduzir a guerra entre os Estados; é a tática que permite compreender o exército como um princípio para manter a ausência de guerra na sociedade civil. A Era Clássica viu nascer a grande estratégia política e militar segundo a qual as nações defrontam suas forças econômicas e demográficas; mas viu nascer também a minuciosa tática mi-

---

58. GUIBERT, J.A. de. *Essai général de tactique*. 1772, p. 4.
59. MAIZEROY, P. Joly de. *Théorie de la guerre*. 1777, p. 2.

litar e política pela qual se exerce nos Estados o controle dos corpos e das forças individuais. "O" militar – a instituição militar, o personagem do militar, a ciência militar, tão diferentes do que caracterizava antes o "homem de guerra" – se especifica, durante esse período, no ponto de junção entre a guerra e os ruídos da batalha por um lado, a ordem e o silêncio obediente da paz por outro. O sonho de uma sociedade perfeita é facilmente atribuído pelos historiadores aos filósofos e juristas do século XVIII; mas há também um sonho militar da sociedade; sua referência fundamental era não ao estado de natureza, mas às engrenagens cuidadosamente subordinadas de uma máquina, não ao contrato primitivo, mas às coerções permanentes, não aos direitos fundamentais, mas aos treinamentos indefinidamente progressivos, não à vontade geral, mas à docilidade automática.

> Dever-se-ia tornar a disciplina nacional [dizia Guibert].
>
> O Estado que eu idealizo terá uma administração simples, sólida, fácil de governar. Parecerá com essas imensas máquinas, que com molas pouco complicadas produzem grandes efeitos; a força desse Estado nascerá de sua força, sua prosperidade de sua prosperidade. O tempo que destrói tudo aumentará sua potência. Ele desmentirá esse preconceito vulgar que leva a imaginar que os impérios estão submetidos a uma lei imperiosa de decadência e ruína[60].

O regime napoleônico não está longe e com ele essa forma de Estado que lhe subsistirá e que não se deve esquecer que foi preparado por juristas, mas também por soldados, conselheiros de Estado e oficiais baixos, homens de lei e homens de acampamento. A referência romana que acompanha essa formação inclui claramente esse duplo índice: os cidadãos e os legionários, a lei e a manobra. Enquanto os juristas procuravam no pacto um modelo primitivo para a construção ou a reconstrução do corpo social, os militares e com eles os técnicos da disciplina elaboravam processos para a coerção individual e coletiva dos corpos.

---

60. GUIBERT, J.A. de. *Essai général de tactique*. 1772, "Discours preliminares", p. XXIII-XXIV. Cf. o que dizia Marx a respeito do exército e das formas da sociedade burguesa (carta a Engels, 25 de setembro de 1857).

Capítulo II

OS RECURSOS PARA O BOM ADESTRAMENTO

Walhausen, bem no início do século XVII, falava da "correta disciplina", como uma arte do "bom adestramento".[1] O poder disciplinar é com efeito um poder que, em vez de se apropriar e de retirar, tem como função maior "adestrar"; ou sem dúvida adestrar para retirar e se apropriar ainda mais e melhor. Ele não amarra as forças para reduzi-las; procura ligá-las para multiplicá-las e utilizá-las num todo. Em vez de dobrar uniformemente e por massa tudo o que lhe está submetido, separa, analisa, diferencia, leva seus processos de decomposição até às singularidades necessárias e suficientes. "Adestra" as multidões confusas, móveis, inúteis de corpos e forças para uma multiplicidade de elementos individuais – pequenas células separadas, autonomias orgânicas, identidades e continuidades genéticas, segmentos combinatórios. A disciplina "fabrica" indivíduos; ela é a técnica específica de um poder que toma os indivíduos ao mesmo tempo como objetos e como instrumentos de seu exercício. Não é um poder triunfante que, a partir de seu próprio excesso, pode-se fiar em seu superpoderio; é um poder modesto, desconfiado, que funciona a modo de uma economia calculada, mas permanente. Humildes modalidades, procedimentos menores, se os compararmos aos rituais majestosos da soberania ou aos grandes aparelhos do Estado. E são eles justamente que vão pouco a pouco invadir essas formas maiores, modificar-lhes os mecanismos e impor-lhes seus processos. O aparelho judiciário não escapará a essa invasão, malsecreta. O sucesso do poder disciplinar se deve sem dúvida ao uso de instrumentos simples: o olhar hierárquico, a sanção normalizadora e sua combinação num procedimento que lhe é específico, o exame.

*

---

1. WALHAUSEN, J.J. *L'Art militaire pour l'infanterie*. 1615, p. 23.

A vigilância hierárquica

O exercício da disciplina supõe um dispositivo que obrigue pelo jogo do olhar: um aparelho onde as técnicas que permitem ver induzam a efeitos de poder, e onde, em troca, os meios de coerção tornem claramente visíveis aqueles sobre quem se aplicam. Lentamente, no decorrer da Época Clássica, são construídos esses "observatórios" da multiplicidade humana para as quais a história das ciências guardou tão poucos elogios. Ao lado da grande tecnologia dos óculos, das lentes, dos feixes luminosos, unida à fundação da física e da cosmologia novas, houve as pequenas técnicas das vigilâncias múltiplas e entrecruzadas, dos olhares que devem ver sem ser vistos; uma arte obscura da luz e do visível preparou em surdina um saber novo sobre o homem, através de técnicas para sujeitá-lo e processos para utilizá-lo.

Esses "observatórios" têm um modelo quase ideal: o acampamento militar. É a cidade apressada e artificial, que se constrói e remodela quase à vontade; é o ápice de um poder que deve ter ainda mais intensidade, mas também mais discrição, por se exercer sobre homens de armas. No acampamento perfeito, todo o poder seria exercido somente pelo jogo de uma vigilância exata; e cada olhar seria uma peça no funcionamento global do poder. O velho e tradicional plano quadrado foi consideravelmente afinado de acordo com inúmeros esquemas. Define-se exatamente a geometria das aleias, o número e a distribuição das tendas, a orientação de suas entradas, a disposição das filas e das colunas; desenha-se a rede dos olhares que se controlam uns aos outros:

> Na praça d'armas, tiram-se cinco linhas, a primeira fica a 16 pés da segunda; as outras ficam a 8 pés uma da outra; e a última fica a 8 pés dos tabardos. Os tabardos ficam a 10 pés das tendas dos oficiais inferiores, precisamente em frente ao primeiro bastão. Uma rua de companhia tem 51 pés de largura [...]. Todas as tendas ficam a dois pés umas das outras. As tendas dos subalternos ficam em frente às ruelas de suas companhias. O bastão de trás fica a 8 pés da última tenda dos soldados e a porta olha para a tenda dos capitães [...]. As tendas dos capitães ficam levantadas em frente às ruas de suas companhias. A porta olha para as próprias companhias[2].

---

2. *Règlement pour l'infanterie prussienne*. Arsenal, Ms. 1067, f. 144. [trad. franc.]. Para os esquemas antigos, cf. PRAISSAC. *Les discours militaires*. 1623m, p. 27s. • MONTGOMMERY. La milice française, p. 77. Para os novos esquemas, cf. MORANGE, Beneton de. *Histoire de la guerre*. 1741, p. 61-64, e *Dissertations sur les Tentes*; cf. tb. vários regulamentos como a *Instruction sur le service des règlements de Cavalerie dans les camps*, 29/06/1753. Cf. ilustração n. 7.

O acampamento é o diagrama de um poder que age pelo efeito de uma visibilidade geral. Durante muito tempo encontraremos no urbanismo, na construção das cidades operárias, dos hospitais, dos asilos, das prisões, das casas de educação, esse modelo do acampamento ou pelo menos o princípio que o sustenta: o encaixamento espacial das vigilâncias hierarquizadas. Princípio do "encastramento". O acampamento foi para a ciência pouco confessável das vigilâncias o que a câmara escura foi para a grande ciência da ótica.

Toda uma problemática se desenvolve então: a de uma arquitetura que não é mais feita simplesmente para ser vista (fausto dos palácios), ou para vigiar o espaço exterior (geometria das fortalezas), mas para permitir um controle interior, articulado e detalhado – para tornar visíveis os que nela se encontram; mais geralmente, a de uma arquitetura que seria um operador para a transformação dos indivíduos: agir sobre aquele que abriga, dar domínio sobre seu comportamento, reconduzir até eles os efeitos do poder, oferecê-los a um conhecimento, modificá-los. As pedras podem tornar dócil e conhecível. O velho esquema simples do encarceramento e do fechamento – do muro espesso, da porta sólida que impedem de entrar ou de sair – começa a ser substituído pelo cálculo das aberturas, dos cheios e dos vazios, das passagens e das transparências. Assim é que o hospital-edifício se organiza pouco a pouco como instrumento de ação médica: deve permitir que se possa observar bem os doentes, portanto, coordenar melhor os cuidados; a forma dos edifícios, pela cuidadosa separação dos doentes, deve impedir os contágios; a ventilação que se faz circular em torno de cada leito deve enfim evitar que os vapores deletérios se estagnem em volta do paciente, decompondo seus humores e multiplicando a doença por seus efeitos imediatos. O hospital – aquele que se quer aparelhar na segunda metade do século, e para o qual se fizeram tantos projetos depois do segundo incêndio do Hôtel-Dieu – não é mais simplesmente o teto onde se abrigavam a miséria e a morte próxima; é, sem sua própria materialidade, um operador terapêutico.

Como a escola-edifício deve ser um operador de adestramento. Fora uma máquina pedagógica que Pâris-Duverney concebera na Escola Militar e até nos mínimos detalhes que ele impusera a Gabriel. Adestrar corpos vigorosos, imperativo de saúde; obter oficiais competentes, imperativo de qualificação; formar militares obedientes, imperativo político; prevenir a devassidão e a homossexualidade, imperativo de moralidade. Quádrupla razão para estabelecer separações estanques entre os indivíduos, mas também aberturas para observação contínua. O próprio edifício da escola devia ser um aparelho de vigiar; os quartos eram repartidos ao longo de um corredor como uma série de pequenas celas; a intervalos regulares, encontrava-se um alojamento de oficial, de maneira que

> cada dezena de alunos tivesse um oficial à direita e à esquerda; [os alunos aí ficavam trancados durante toda a noite; e Paris insistira para que fosse envidraçada] a parede de cada quarto do lado do corredor desde a altura de apoio até um ou dois pés do teto. Além disso a vista dessas vidraças só pode ser agradável, ousamos dizer que é útil sob vários pontos de vista, sem falar das razões de disciplina que podem determinar essa disposição[3].

Nas salas de refeições, fora preparado

> um estrado um pouco alto para colocar as mesas dos inspetores dos estudos, para que eles possam ver todas as mesas dos alunos de suas divisões, durante as refeições;

haviam sido instaladas latrinas com meias-portas, para que o vigia para lá designado pudesse ver a cabeça e as pernas dos alunos, mas com separações laterais suficientemente elevadas "para que os que lá estão não se possam ver"[4]. Escrúpulos infinitos de vigilância que a arquitetura transmite por mil dispositivos sem honra. Só os acharemos irrisórios se esquecermos o papel dessa instrumentação, menor, mas sem falha, na objetivação progressiva e no quadriculamento cada vez mais detalhado dos comportamentos individuais. As instituições disciplinares produziram uma maquinaria de controle que funcionou como um microscópio do comportamento; as divisões tênues e analíticas por elas realizadas formaram, em torno dos homens, um aparelho de observação, de registro e de treinamento. Nessas máquinas de observar, como subdividir os olhares, como estabelecer entre eles escalas, comunicações? Como fazer para que, de sua multiplicidade calculada, resulte um poder homogêneo e contínuo?

O aparelho disciplinar perfeito capacitaria um único olhar tudo ver permanentemente. Um ponto central seria ao mesmo tempo fonte de luz que iluminasse todas as coisas, e lugar de convergência para tudo o que deve ser sabido: olho perfeito a que nada escapa e centro em direção ao qual todos os olhares convergem. Foi o que imaginara Ledoux ao construir Arc-et-Senans: no centro dos edifícios dispostos em círculo e que se abriam todos para o interior, uma alta construção devia acumular as funções administrativas de dire-

---

3. In: LAULAN, R. *L'École militaire de Paris.* 1950, p. 117s.

4. Arch. Nat. MM 666-669. J. Bentham conta que foi visitando a Escola Militar que seu irmão teve a primeira ideia do *Panopticon*.

ção, policiais de vigilância, econômicas de controle e de verificação, religiosas de encorajamento à obediência e ao trabalho; de lá viriam todas as ordens, lá seriam registradas todas as atividades, percebidas e julgadas todas as faltas; e isso imediatamente, sem quase nenhum suporte a não ser uma geometria exata. Entre todas as razões do prestígio que foi dado, na segunda metade do século XVIII, às arquiteturas circulares[5], é preciso sem dúvida contar esta: elas exprimiam uma certa utopia política.

Mas o olhar disciplinar teve, de fato, necessidade de escala. Melhor que o círculo, a pirâmide podia atender a duas exigências: ser bastante completa para formar uma rede sem lacuna – possibilidade em consequência de multiplicar seus degraus, e de espalhá-los sobre toda a superfície a controlar; e entretanto ser bastante discreta para não pesar como uma massa inerte sobre a atividade a disciplinar e não ser para ela um freio ou um obstáculo; integrar-se ao dispositivo disciplinar como uma função que lhe aumenta os efeitos possíveis. É preciso decompor suas instâncias, mas para aumentar sua função produtora. Especificar a vigilância e torná-la funcional.

É o problema das grandes oficinas e das fábricas, onde se organiza um novo tipo de vigilância. E diferente do que se realizava nos regimes das manufaturas do exterior pelos inspetores, encarregados de fazer aplicar os regulamentos; trata-se agora de um controle intenso, contínuo; corre ao longo de todo o processo de trabalho; não se efetua – ou não só – sobre a produção (natureza, quantidade de matérias-primas, tipo de instrumentos utilizados, dimensões e qualidades dos produtos), mas leva em conta a atividade dos homens, seu conhecimento técnico, a maneira de fazê-lo, sua rapidez, seu zelo, seu comportamento. Mas é também diferente do controle doméstico do mestre, presente ao lado dos operários e dos aprendizes; pois é realizado por prepostos, fiscais, controladores e contramestres. À medida que o aparelho de produção se torna mais importante e mais complexo, à medida que aumentam o número de operários e a divisão do trabalho, as tarefas de controle se fazem mais necessárias e mais difíceis. Vigiar se torna então uma função definida, mas deve fazer parte integrante do processo de produção; deve duplicá-lo em todo o seu comprimento. Um pessoal especializado se torna indispensável, constantemente presente, e distinto dos operários:

> Na grande manufatura, tudo é feito ao toque da campainha, os operários são forçados e reprimidos. Os chefes, acostumados a ter com eles um ar de superioridade e de comando, que realmente é necessário com a multidão, tratam-nos duramente ou com desprezo;

5. Cf. ilustrações n. 12, 13, 16.

acontece daí que esses operários ou são mais caros ou apenas passam pela manufatura[6].

Mas se os operários preferem o enquadramento de tipo corporativo a esse novo regime de vigilância, os patrões, quanto a eles, reconhecem nisso um elemento indissociável do sistema da produção industrial, da propriedade privada e do lucro. Em nível de fábrica, de grande forja ou de mina,

> os objetos de despesa são tão multiplicados, que a menor infidelidade sobre cada objeto daria no total uma fraude imensa, que não somente absorveria os lucros, mas levaria a fonte dos capitais [...]; a mínima imperícia desapercebida e por isso repetida cada dia pode se tornar funesta à empresa ao ponto de anulá-la em muito pouco tempo; [donde o fato que só agentes, diretamente dependentes do proprietário, e designados só para esta tarefa poderão zelar] para que não haja um tostão de despesa inútil, para que não haja um momento perdido no dia; seu papel será de vigiar os operários, visitar todas as obras, instruir o comitê sobre todos os acontecimentos[7].

A vigilância se torna um operador econômico decisivo, na medida em que é ao mesmo tempo uma peça interna no aparelho de produção e uma engrenagem específica do poder disciplinar[8].

Mesmo movimento na reorganização do ensino elementar; especificação da vigilância e integração à relação pedagógica. O desenvolvimento das escolas paroquiais, o aumento de seu número de alunos, a inexistência de métodos que permitissem regulamentar simultaneamente a atividade de toda uma turma, a desordem e a confusão que daí provinham tornavam necessária a organização dos controles. Para ajudar o mestre, Batencour escolhe entre os melhores alunos toda uma série de "oficiais", intendentes, observadores, monitores, repetidores, recitadores de orações, oficiais de escrita, recebedores de tinta, capelães e visitadores. Os papéis assim definidos são de duas ordens: uns correspondem a tarefas materiais (distribuir a tinta e o papel, dar as sobras aos pobres, ler textos espirituais nos dias de festa etc.); outros são da ordem da fiscalização:

---

6. *Encyclopédie*, artigo "Manufacture".

7. COURNOL. *Considérations d'intérêt public sur le droit d'exploiter les mines.* 1790, Arq. Nac., A. XIII, 14.

8. Cf. MARX, K. "Essa função de vigilância, de direção e de mediação se torna a função do capital, assim que o trabalho que lhe é subordinado se torna cooperativo, e como função capitalista ela adquire características especiais" (*O Capital.* Livro I, quarta seção, cap. XIII).

Os "observadores" devem anotar quem sai do banco, quem conversa, quem não tem o terço ou o livro de orações, quem se comporta mal na missa, quem comete alguma imodéstia, conversa ou grita na rua; os "admonitores" estão encarregados de "tomar conta dos que falam ou fazem zunzum ao estudar as lições, dos que não escrevem ou brincam"; os "visitadores" vão se informar, nas famílias, sobre os alunos que estiveram ausentes ou cometeram faltas graves. Quanto aos "intendentes", fiscalizam todos os outros oficiais. Só os "repetidores" têm um papel pedagógico: têm que fazer os alunos ler dois a dois, em voz baixa[9].

Ora, algumas dezenas de anos mais tarde, Demia volta a uma hierarquia do mesmo tipo, mas as funções de fiscalização agora são quase todas duplicadas por um papel pedagógico: um submestre ensina a segurar a pena, guia a mão, corrige os erros e ao mesmo tempo "marca as faltas quando se discute"; outro submestre tem as mesmas tarefas na classe de leitura; o intendente que controla os outros oficiais e zela pelo comportamento geral é também encarregado de "adequar os recém-chegados aos exercícios da escola"; os decuriões fazem recitar as lições e "marcam" os que não as sabem[10]. Temos aí o esboço de uma instituição tipo escola mútua em que estão integrados no interior de um dispositivo único três procedimentos: o ensino propriamente dito, a aquisição dos conhecimentos pelo próprio exercício da atividade pedagógica, enfim, uma observação recíproca e hierarquizada. Uma relação de fiscalização, definida e regulada, está inserida na essência da prática do ensino: não como uma peça trazida ou adjacente, mas como um mecanismo que lhe é inerente e multiplica sua eficiência.

A vigilância hierarquizada, contínua e funcional não é, sem dúvida, uma das grandes "invenções" técnicas do século XVIII, mas sua insidiosa extensão deve sua importância às novas mecânicas de poder, que traz consigo. O poder disciplinar, graças a ela, torna-se um sistema "integrado", ligado do interior à economia e aos fins do dispositivo onde é exercido. Organiza-se assim como um poder múltiplo, automático e anônimo; pois, se é verdade

---

9. M.I.D.B. *Instruction méthodique pour l'école paroissiale.* 1669, p. 68-83.

10. DEMIA, Ch. *Règlement pour les écoles de la ville de Lyon.* 1716, p. 27-29. Poderíamos notar um fenômeno do mesmo gênero na organização dos colégios: durante muito tempo os "prefeitos" eram, independentemente dos professores, encarregados da responsabilidade moral dos pequenos grupos de alunos. Depois de 1762, principalmente, vemos aparecer um tipo de controle ao mesmo tempo mais administrativo e mais integrado à hierarquia: fiscais, mestres de bairro, mestres subalternos. Cf. DUPONT-FERRIER. *Du colège de Clermont au lycée Louis-le-Grand.* Vol. I, p. 254 e 476.

que a vigilância repousa sobre indivíduos, seu funcionamento é de uma rede de relações de alto a baixo, mas também até um certo ponto de baixo para cima e lateralmente; essa rede "sustenta" o conjunto, e o perpassa de efeitos de poder que se apoiam uns sobre os outros: fiscais perpetuamente fiscalizados. O poder na vigilância hierarquizada das disciplinas não se detém como uma coisa, não se transfere como uma propriedade; funciona como uma máquina. E se é verdade que sua organização piramidal lhe dá um "chefe", é o aparelho inteiro que produz "poder" e distribui os indivíduos nesse campo permanente e contínuo. O que permite ao poder disciplinar ser absolutamente indiscreto, pois está em toda parte e sempre alerta, pois em princípio não deixa nenhuma parte às escuras e controla continuamente os mesmos que estão encarregados de controlar; e absolutamente "discreto", pois funciona permanentemente e em grande parte em silêncio. A disciplina faz "funcionar" um poder relacional que se autossustenta por seus próprios mecanismos e substitui o brilho das manifestações pelo jogo ininterrupto dos olhares calculados. Graças às técnicas de vigilância, a "física" do poder, o domínio sobre o corpo se efetuam segundo as leis da ótica e da mecânica, segundo um jogo de espaços, de linhas, de telas, de feixes, de graus, e sem recurso, pelo menos em princípio, ao excesso, à força, à violência. Poder que é em aparência ainda menos "corporal" por ser mais sabiamente "físico".

A sanção normalizadora

1) No orfanato do cavaleiro Paulet, as sessões do tribunal que se reunia todas as manhãs davam lugar a um cerimonial:

> Encontramos todos os alunos em formação, alinhamento, imobilidade e silêncio perfeitos. O major, jovem da nobreza de dezesseis anos, estava fora da fila, a espada na mão; à sua ordem, a tropa se abalou ao passo duplo para formar o círculo. O conselho se reuniu no centro; cada oficial fez o relatório de sua tropa nas vinte e quatro horas. Os acusados foram obrigados a se justificar; ouviram-se as testemunhas; deliberou-se e, quando se chegou a um acordo, o major prestou contas em voz alta do número dos culpados, da natureza dos delitos e dos castigos ordenados. A tropa em seguida desfilou na maior ordem[11].

---

11. ROCHEMONT, Pictet de. *Journal de Genève*. 05/01/1788.

Na essência de todos os sistemas disciplinares, funciona um pequeno mecanismo penal. É beneficiado por uma espécie de privilégio de justiça, com suas leis próprias, seus delitos especificados, suas formas particulares de sanção, suas instâncias de julgamento. As disciplinas estabelecem uma "infrapenalidade"; quadriculam um espaço deixado vazio pelas leis; qualificam e reprimem um conjunto de comportamentos que escapava aos grandes sistemas de castigo por sua relativa indiferença.

> Ao entrar os companheiros deverão saudar-se reciprocamente; [...] ao sair deverão guardar as mercadorias e ferramentas que utilizaram e em época de serão apagar a lâmpada; é expressamente proibido divertir os companheiros com gestos ou de outra maneira; [eles deverão] se comportar honesta e decentemente; [quem se ausentar por mais de cinco minutos sem avisar o Sr. Oppenheim será] anotado por meio-dia; [e, para que fique certo que nada será esquecido nessa justiça criminal miúda, é proibido fazer] qualquer coisa que puder prejudicar o Sr. Oppenheim e seus companheiros[12].

Na oficina, na escola, no exército, funciona como repressora toda uma micropenalidade do tempo (atrasos, ausências, interrupções das tarefas), da atividade (desatenção, negligência, falta de zelo), da maneira de ser (grosseria, desobediência), dos discursos (tagarelice, insolência), do corpo (atitudes "incorretas", gestos não conformes, sujeira), da sexualidade (imodéstia, indecência). Ao mesmo tempo é utilizada, a título de punição, toda uma série de processos sutis, que vão do castigo físico leve a privações ligeiras e a pequenas humilhações. Trata-se ao mesmo tempo de tornar penalizáveis as frações mais tênues da conduta, e de dar uma função punitiva aos elementos aparentemente indiferentes do aparelho disciplinar: levando ao extremo, que tudo possa servir para punir a mínima coisa; que cada indivíduo se encontre preso numa universalidade punível-punidora.

> Pela palavra punição, deve-se compreender tudo o que é capaz de fazer as crianças sentirem a falta que cometeram, tudo o que é capaz de humilhá-las, de confundi-las: [...] uma certa frieza, uma certa indiferença, uma pergunta, uma humilhação, uma destituição de posto[13].

2) Mas a disciplina traz consigo uma maneira específica de punir, e que é apenas um modelo reduzido do tribunal. O que pertence à penalidade dis-

---

12. Regulamento provisório para a fábrica de M. Oppenheim. 29/09/1809.
13. LA SALLE, J.B. de. *Conduite des Écoles chrétiennes*. 1828, p. 204s.

ciplinar é a inobservância, tudo o que está inadequado à regra, tudo o que se afasta dela, os desvios. É passível de pena o campo indefinido do não conforme: o soldado comete uma "falta" cada vez que não atinge o nível requerido; a "falta" do aluno é, assim como um delito menor, uma inaptidão a cumprir suas tarefas. O regulamento da infantaria prussiana impunha tratar com "todo o rigor possível" o soldado que não tivesse aprendido a manejar corretamente o fuzil. Do mesmo modo,

> quando um escolar não tiver guardado o catecismo da véspera, poder-se-á obrigá-lo a aprender o daquele dia, sem nenhum erro, e deverá repeti-lo no dia seguinte; ou será obrigado a ouvi-lo de pé ou de joelhos, ou com as mãos postas, ou então lhe será imposta alguma outra penitência.

A ordem que os castigos disciplinares devem fazer respeitar é de natureza mista: é uma ordem "artificial", colocada de maneira explícita por uma lei, um programa, um regulamento. Mas é também uma ordem, definida por processos naturais e observáveis: a duração de um aprendizado, o tempo de um exercício, o nível de aptidão têm por referência uma regularidade, que é também uma regra. As crianças das escolas cristãs nunca devem ser colocadas numa "lição" de que ainda não são capazes, pois estariam correndo o perigo de não poder aprender nada; entretanto a duração de cada estágio é fixada de maneira regulamentar e quem, no fim de três meses, não houver passado para a ordem superior deve ser colocado, bem em evidência, no banco dos "ignorantes". A punição em regime disciplinar comporta uma dupla referência jurídico-natural.

3) O castigo disciplinar tem a função de reduzir os desvios. Deve portanto ser essencialmente *corretivo*. Ao lado das punições copiadas ao modelo judiciário (multas, açoite, masmorra), os sistemas disciplinares privilegiam as punições que são da ordem do exercício – aprendizado intensificado, multiplicado, muitas vezes repetido: o regulamento de 1766 para a infantaria previa que os soldados de primeira classe "que mostrarem alguma negligência ou má vontade serão enviados para a última classe", e só poderão voltar à primeira, depois de novos exercícios e um novo exame. Como dizia, por seu lado, J.-B. de La Salle:

> O castigo escrito é, de todas as penitências, a mais honesta para um mestre, a mais vantajosa e a que mais agrada aos pais; [permite] tirar dos próprios erros das crianças maneiras de avançar seus progressos corrigindo-lhes os defeitos; [àqueles, por exemplo], que não houve-

rem escrito tudo o que deviam escrever, ou não se aplicarem para fazê-lo bem, se poderá dar algum dever para escrever ou para decorar[14].

A punição disciplinar é, pelo menos por uma boa parte, isomorfa à própria obrigação; ela é menos a vingança da lei ultrajada que sua repetição, sua insistência redobrada. De modo que o efeito corretivo que dela se espera apenas de uma maneira acessória passa pela expiação e pelo arrependimento; é diretamente obtido pela mecânica de um castigo. Castigar é exercitar.

4) A punição, na disciplina, não passa de um elemento de um sistema duplo: gratificação-sanção. E é esse sistema que se torna operante no processo de treinamento e de correção. O professor

> deve evitar, tanto quanto possível, usar castigos; ao contrário, deve procurar tornar as recompensas mais frequentes que as penas, sendo os preguiçosos mais incitados pelo desejo de ser recompensados como os diligentes que pelo receio dos castigos; por isso será muito proveitoso, quando o mestre for obrigado a usar de castigo, que ele ganhe, se puder, o coração da criança, antes de aplicar-lhe o castigo[15].

Este mecanismo de dois elementos permite um certo número de operações características da penalidade disciplinar. Em primeiro lugar, a qualificação dos comportamentos e dos desempenhos a partir de dois valores opostos do bem e do mal: em vez da simples separação do proibido, como é feito pela justiça penal, temos uma distribuição entre polo positivo e polo negativo; todo o comportamento cai no campo das boas e das más notas, dos bons e dos maus pontos. É possível, além disso, estabelecer uma quantificação e uma economia traduzida em números. Uma contabilidade penal, constantemente posta em dia, permite obter o balanço positivo de cada um. A "justiça" escolar levou muito longe esse sistema, de que se encontram pelo menos os rudimentos no exército ou nas oficinas. Os Irmãos das Escolas Cristãs haviam organizado uma microeconomia dos privilégios e dos castigos escritos:

> Os privilégios servirão aos escolares para se isentarem das penitências que lhes serão impostas [...]. Um escolar por exemplo terá por castigo quatro ou cinco perguntas do catecismo para copiar; ele poderá se libertar dessa penitência mediante alguns pontos de privilégios; o mestre anotará o número para cada pergunta [...]. Valendo os privilégios um número determinado de pontos, o mestre tem também outros de menor valor, que servirão como que de troco para os

---

14. Ibid.
15. DEMIA, Ch. *Règlement pour les écoles de la ville de Lyon*. 1716, p. 17.

primeiros. Uma criança, por exemplo, terá um castigo de que se poderá redimir com seis pontos; tem um privilégio de dez; apresenta-o ao mestre que lhe devolve quatro pontos; e assim outros[16].

E pelo jogo dessa quantificação, dessa circulação dos adiantamentos e das dívidas, graças ao cálculo permanente das notas a mais ou a menos, os aparelhos disciplinares hierarquizam, numa relação mútua, os "bons" e os "maus" indivíduos. Através dessa microeconomia de uma penalidade perpétua, opera-se uma diferenciação que não é a dos atos, mas dos próprios indivíduos, de sua natureza, de suas virtualidades, de seu nível ou valor. A disciplina, ao sancionar os atos com exatidão, avalia os indivíduos "com verdade"; a penalidade que ela põe em execução se integra no ciclo de conhecimento dos indivíduos.

5) A divisão segundo as classificações ou os graus tem um duplo papel: marcar os desvios, hierarquizar as qualidades, as competências e as aptidões; mas também castigar e recompensar. Funcionamento penal da ordenação e caráter ordinal da sanção. A disciplina recompensa unicamente pelo jogo das promoções que permitem hierarquias e lugares; pune rebaixando e degradando. O próprio sistema de classificação vale como recompensa ou punição. Havia sido aperfeiçoado na Escola Militar um sistema complexo de hierarquização "honorífica", em que as roupas traduziam essa classificação aos olhos de todos, e castigos mais ou menos nobres ou vergonhosos estavam ligados, como marca de privilégio ou de infâmia, às categorias assim distribuídas. Essa repartição classificatória e penal se efetua a intervalos próximos por relatórios que os oficiais, os professores, seus adjuntos fazem, sem consideração de idade ou de posto, sobre "as qualidades morais dos alunos" e sobre "seu comportamento universalmente reconhecido". A primeira classe, dita dos "muito bons", se distingue por uma dragona de prata; sua honra é ser tratada como "uma tropa puramente militar"; militares serão portanto as punições a que ela tem direito (as detenções e, nos casos graves, a prisão). A segunda classe, dos "bons", usa uma dragona de seda cor de papoula e prata; são passíveis de prisão e detenção, e também da jaula e de se ajoelhar. A classe dos "medíocres" tem direito a uma dragona de lã vermelha; às penas precedentes se acrescenta, se for o caso, o burel. A última classe, a dos "maus", é marcada por uma dragona de lã parda; "os alunos desta classe serão submetidos a todas as punições usuais no 'Hotel' ou todas as que se julgar necessário introduzir, e até à masmorra escura". A isso se acrescentou durante algum tempo a classe "vergonhosa" para a qual se

---

16. LA SALLE, J.-B. de. *Conduite des Écoles chrétiennes*. B.N., Ms. 11759, p. 156s. Temos aí a transposição do sistema das indulgências.

prepararam regulamentos especiais "de maneira que os que a compõem estarão sempre separados dos outros e vestidos de burel". Como só o mérito e o comportamento devem decidir sobre o lugar do aluno, "os das duas últimas classes poderão se orgulhar de subir às primeiras e usar suas marcas, quando, por testemunhos universais, se reconhecerá que se tornaram dignos disso pela mudança de seu comportamento e seus progressos; e os das primeiras classes também descerão para as outras se relaxarem e se relatórios reunidos e desvantajosos mostrarem que não merecem mais as distribuições e prerrogativas das primeiras classes [...]". A classificação que pune deve tender a se extinguir. A "classe vergonhosa" só existe para desaparecer: "A fim de julgar a espécie de conversão dos alunos da classe vergonhosa que nela se comportam bem", eles serão reintroduzidos nas outras classes, suas roupas lhes serão devolvidas; mas ficarão com seus camaradas de infâmia durante as refeições e as recreações; aí permanecerão se não continuarem a se comportar bem; daí "sairão absolutamente, se derem satisfação tanto nessa classe quanto nessa divisão"[17]. Duplo efeito consequentemente dessa penalidade hierarquizante: distribuir os alunos segundo suas aptidões e seu comportamento, portanto, segundo o uso que se poderá fazer deles quando saírem da escola; exercer sobre eles uma pressão constante, para que se submetam todos ao mesmo modelo, para que sejam obrigados todos juntos "à subordinação, à docilidade, à atenção nos estudos e nos exercícios, e à exata prática dos deveres e de todas as partes da disciplina". Para que, todos, se pareçam.

Em suma, a arte de punir, no regime do poder disciplinar, não visa nem a expiação, nem mesmo exatamente a repressão. Põe em funcionamento cinco operações bem distintas: relacionar os atos, os desempenhos, os comportamentos singulares a um conjunto, que é ao mesmo tempo campo de comparação, espaço de diferenciação e princípio de uma regra a seguir. Diferenciar os indivíduos em relação uns aos outros e em função dessa regra de conjunto – que se deve fazer funcionar como base mínima, como média a respeitar ou como o ótimo de que se deve chegar perto. Medir em termos quantitativos e hierarquizar em termos de valor as capacidades, o nível, a "natureza" dos indivíduos. Fazer funcionar, através dessa medida "valorizadora", a coação de uma conformidade a realizar. Enfim traçar o limite que definirá a diferença em relação a todas as diferenças, a fronteira externa do anormal (a "classe vergonhosa" da Escola Militar). A penalidade perpétua que atravessa todos os pontos e controla todos os instantes das instituições

---

17. Archives nationales. MM 658, 30/03/1758 e MM 666, 15/09/1763.

disciplinares compara, diferencia, hierarquiza, homogeniza, exclui. Em uma palavra, ela *normaliza*.

Opõe-se então termo por termo a uma penalidade judiciária que tem a função essencial de tomar por referência, não um conjunto de fenômenos observáveis, mas um corpo de leis e de textos que é preciso memorizar; não diferenciar indivíduos, mas especificar atos num certo número de categorias gerais; não hierarquizar, mas fazer funcionar pura e simplesmente a oposição binária do permitido e do proibido; não homogeneizar, mas realizar a partilha, adquirida de uma vez por todas, da condenação. Os dispositivos disciplinares produziram uma "penalidade da norma" que é irredutível em seus princípios e seu funcionamento à penalidade tradicional da lei. O pequeno tribunal que parece ter sede permanente nos edifícios da disciplina, e às vezes toma a forma teatral do grande aparelho judiciário, não deve iludir: ele não conduz, a não ser por algumas continuidades formais, os mecanismos da justiça criminal até à trama da existência cotidiana; ou ao menos não é isso o essencial; as discipli-nas inventaram – apoiando-se aliás sobre uma série de processos muito anti-gos – um novo funcionamento punitivo, e é este que pouco a pouco investiu o grande aparelho exterior que parecia reproduzir modesta ou ironicamente. O funcionamento jurídico-antropológico que toda a história da penalidade moderna revela não se origina na superposição à justiça criminal das ciências humanas, e nas exigências próprias a essa nova racionalidade ou ao humanis-mo que ela traria consigo; ele tem seu ponto de formação nessa técnica dis-ciplinar que fez funcionar esses novos mecanismos de sanção normalizadora.

Aparece, por meio das disciplinas, o poder da Norma. Nova lei da socie-dade moderna? Digamos antes que desde o século XVIII ele veio se unir a outros poderes obrigando-os a novas delimitações; o da Lei, o da Palavra e do Texto, o da Tradição. O normal se estabelece como princípio de coerção no ensino, com a instauração de uma educação estandardizada e a criação das es-colas normais; estabelece-se no esforço para organizar um corpo médico e um quadro hospitalar da nação capazes de fazer funcionar normas gerais de saúde; estabelece-se na regularização dos processos e dos produtos industriais[18]. Tal como a vigilância e junto com ela, a regulamentação é um dos grandes instru-mentos de poder no fim da Era Clássica. As marcas que significavam *status*, privilégios, filiações, tendem a ser substituídas ou pelo menos acrescidas de um conjunto de graus de normalidade, que são sinais de filiação a um corpo social homogêneo, mas que têm em si mesmos um papel de classificação, de

---

18. Sobre esse ponto, é necessário se reportar às páginas essenciais de CANGUILHEM, G. *Le normal et le pathologique*. Ed. de 1966, p. 171-191.

hierarquização e de distribuição de lugares. Em certo sentido, o poder de regulamentação obriga à homogeneidade; mas individualiza, permitindo medir os desvios, determinar os níveis, fixar as especialidades e tornar úteis as diferenças, ajustando-as umas às outras. Compreende-se que o poder da norma funcione facilmente dentro de um sistema de igualdade formal, pois dentro de uma homogeneidade, que é a regra, ele introduz, como um imperativo útil e resultado de uma medida, toda a gradação das diferenças individuais.

O exame

O exame combina as técnicas da hierarquia que vigia e as da sanção que normaliza. É um controle normalizante, uma vigilância que permite qualificar, classificar e punir. Estabelece sobre os indivíduos uma visibilidade através da qual eles são diferenciados e sancionados. É por isso que, em todos os dispositivos de disciplina, o exame é altamente ritualizado. Nele vêm-se reunir a cerimônia do poder e a forma da experiência, a demonstração da força e o estabelecimento da verdade. No coração dos processos de disciplina, ele manifesta a sujeição dos que são percebidos como objetos e a objetivação dos que se sujeitam. A superposição das relações de poder e das de saber assume no exame todo o seu brilho visível. Mais uma inovação da Era Clássica que os historiadores deixaram na sombra. Faz-se a história das experiências com cegos de nascença, meninos-lobo ou com a hipnose. Mas quem fará a história mais geral, mais vaga, mais determinante também, do "exame" – de seus rituais, de seus métodos, de seus personagens e seus papéis, de seus jogos de perguntas e respostas, de seus sistemas de notas e de classificação? Pois nessa técnica delicada estão comprometidos todo um campo de saber, todo um tipo de poder. Fala-se muitas vezes da ideologia que as "ciências" humanas pressupõem, de maneira discreta ou declarada. Mas sua própria tecnologia, esse pequeno esquema operatório que tem tal difusão (da psiquiatria à pedagogia, do diagnóstico das doenças à contratação de mão de obra), esse processo tão familiar do exame, não põe em funcionamento, dentro de um só mecanismo, relações de poder que permitem obter e constituir saber? O investimento político não se faz simplesmente no nível da consciência, das representações e no que julgamos saber, mas no nível daquilo que torna possível algum saber.

Uma das condições essenciais para a liberação epistemológica da medicina no fim do século XVIII foi a organização do hospital como aparelho de "examinar". O ritual da visita é uma de suas formas mais evidentes. No século XVII, o médico, vindo de fora, juntava a sua inspeção vários outros controles – religiosos, administrativos; não participava absolutamente da gestão cotidiana do hospital. Pouco a pouco a visita se tornou mais regular, mais rigorosa, principalmente mais extensa: ocupou uma parte cada vez mais importante do funcionamento hospitalar. Em 1661, o médico do Hôtel-Dieu de Paris era encarregado de uma visita por dia; em 1687, um médico "expectante" devia examinar, à tarde, certos doentes mais graves. Os regulamentos do século XVIII determinam os horários da visita, e sua duração (duas horas no mínimo); insistem para que um rodízio permita que seja realizado todos os dias, "inclusive domingo de Páscoa"; enfim, em 1771 se institui um médico residente, encarregado de "prestar todos os serviços de seu estado, tanto de noite como de dia, nos intervalos entre uma visita e outra de um médico de fora"[19]. A inspeção de antigamente, descontínua e rápida, se transforma em uma observação regular que coloca o doente em situação de exame quase perpétuo. Com duas consequências: na hierarquia interna, o médico, elemento até então exterior, começa a suplantar o pessoal religioso e a lhe confiar um papel determinado mas, subordinado, na técnica do exame; aparece então a categoria do "enfermeiro"; quanto ao próprio hospital, que era antes de tudo um local de assistência, vai tornar-se local de formação e aperfeiçoamento científico: viravolta das relações de poder e constituição de um saber. O hospital "bem-disciplinado" constituirá o local adequado da "disciplina" médica; esta poderá então perder seu caráter textual e encontrar suas referências menos na tradição dos autores decisivos que num campo de objetos perpetuamente oferecidos ao exame.

Do mesmo modo, a escola se torna uma espécie de aparelho de exame ininterrupto que acompanha em todo o seu comprimento a operação do ensino. Tratar-se-á cada vez menos daquelas justas em que os alunos defrontavam forças e cada vez mais de uma comparação perpétua de cada um com todos, que permite ao mesmo tempo medir e sancionar. Os Irmãos das Escolas Cristãs queriam que seus alunos fizessem provas de classificação todos os dias da semana: o primeiro dia para a ortografia, o segundo para a aritmética, o terceiro para o catecismo da manhã, e de tarde para a caligrafia etc. Além disso, devia haver uma prova todo mês, para designar os que merecessem ser submetidos ao exame do inspetor[20]. Desde 1775, há na escola de Ponts et Chaussées 16 exames por ano: 3 de matemática, 3 de arquitetura, 3 de desenho, 2 de caligrafia, 1 de corte de pedras, 1 de estilo, 1 de levantamento

---

19. *Registre des délibérations du bureau de l'Hôtel-Dieu.*
20. LA SALLE, J.-B. de. *Conduite des Écoles chrétiennes.* 1828, p. 160.

de planta, 1 de nivelamento, 1 de medição de edifícios[21]. O exame não se contenta em sancionar um aprendizado; é um de seus fatores permanentes: sustenta-o segundo um ritual de poder constantemente renovado. O exame permite ao mestre, ao mesmo tempo em que transmite seu saber, levantar um campo de conhecimentos sobre seus alunos. Enquanto que a prova com que terminava um aprendizado na tradição corporativa validava uma aptidão adquirida – a "obra-prima" autentificava uma transmissão de saber já feita – o exame é na escola uma verdadeira e constante troca de saberes: garante a passagem dos conhecimentos do mestre ao aluno, mas retira do aluno um saber destinado e reservado ao mestre. A escola se torna o local de elaboração da pedagogia. E do mesmo modo como o processo do exame hospitalar permitiu a liberação epistemológica da medicina, a era da escola "examinatória" marcou o início de uma pedagogia que funciona como ciência. A era das inspeções e das manobras indefinidamente repetidas, no exército, marcou também o desenvolvimento de um imenso saber tático que teve efeito na época das guerras napoleônicas.

O exame supõe um mecanismo que liga um certo tipo de formação de saber a uma certa forma de exercício do poder.

1) *O exame inverte a economia da visibilidade no exercício do poder*: tradicionalmente, o poder é o que se vê, se mostra, se manifesta e, de maneira paradoxal, encontra o princípio de sua força no movimento com o qual a exibe. Aqueles sobre os quais ele é exercido podem ficar esquecidos; só recebem luz daquela parte do poder que lhes é concedida, ou do reflexo que mostram um instante. O poder disciplinar, ao contrário, se exerce tornando-se invisível: em compensação impõe aos que submete um princípio de visibilidade obrigatória. Na disciplina, são os súditos que têm que ser vistos. Sua iluminação assegura a garra do poder que se exerce sobre eles. É o fato de ser visto sem cessar, de sempre poder ser visto, que mantém sujeito o indivíduo disciplinar. E o exame é a técnica pela qual o poder, ao invés de emitir os sinais de seu poderio, ao invés de impor sua marca a seus súditos, capta-os num mecanismo de objetivação. No espaço que domina, o poder disciplinar manifesta, para o essencial, seu poderio organizando os objetos. O exame vale como cerimônia dessa objetivação.

Até então o papel da cerimônia política fora dar lugar à manifestação ao mesmo tempo excessiva e regulamentada do poder; era uma expressão suntuosa de poderio, uma "despesa" ao mesmo tempo exagerada e codificada

---

21. Cf. *L'Enseignement et la diffusion des sciences au XVIII*. 1964, p. 360.

onde o poder se revigorava. Era sempre mais ou menos aparentada ao triunfo. A aparição solene do soberano trazia consigo qualquer coisa da consagração do coroamento, do retorno da vitória; até mesmo os faustos funerários se desenrolavam no brilho do poderio exibido. Já a disciplina tem seu próprio tipo de cerimônia. Não é o triunfo, é a revista, é a "parada", forma faustosa do exame. Os "súditos" são aí oferecidos como "objetos" à observação de um poder que só se manifesta pelo olhar. Não recebem diretamente a imagem do poderio soberano; apenas mostram seus efeitos – e por assim dizer em baixo--relevo – sobre seus corpos tornados exatamente legíveis e dóceis. Em 15 de março de 1666, Luís XIV passa sua primeira revista militar: 18.000 homens, "uma das ações mais brilhantes do reino", e que passava por ter "mantido toda a Europa inquieta". Muitos anos depois, foi cunhada uma medalha para comemorar o acontecimento[22]. Traz, no exergo: *Disciplina militaris restituta* e na legenda: *Prolusio ad victorias*. À direita, o rei, com o pé direito para a frente, comanda ele próprio o exercício com um bastão. Na metade esquerda, várias fileiras de soldados são vistos de frente, e alinhados no sentido da profundidade; eles estendem o braço na altura do ombro e seguram o fuzil exatamente na vertical: avançam a perna direita e estão com o pé esquerdo voltado para fora. No chão, linhas se cortam em ângulo reto, representando, sob os pés dos soldados, grandes quadrados que servem de referência para as diversas fases e posições do exercício. Bem no fundo, esboça-se uma arquitetura clássica. As colunas do palácio prolongam as constituídas pelos homens alinhados e pelos fuzis levantados, como as lajes do calçamento prolongam as linhas do exercício. Mas acima da balaustrada que coroa o edifício, estátuas representam personagens que dançam: linhas sinuosas, gestos arredondados, cortinados. O mármore é percorrido por movimentos, cujo princípio de unidade é harmônico. Já os homens estão imobilizados numa atitude uniformemente repetida de fileira em fileira e de linha em linha: unidade tática. A ordem da arquitetura, que liberta em seu topo as figuras de dança, impõe no solo suas regras e geometria aos homens disciplinados. As colunas do poder. "Bem", dizia um dia o Grão-duque Michel diante de quem as tropas haviam acabado de manobrar, "mas eles estão respirando"[23].

Tomemos essa medalha como testemunho do momento em que se reúnem de maneira paradoxal mas significativa a figura mais brilhante do poder soberano e a emergência dos rituais próprios ao poder disciplinar. A visibilida-

---

22. Sobre essa medalha, cf. o artigo de JUCQUIOT, J. In: *Le Club français de la médaille*, 4º trimestre de 1970, p. 50-54. Cf. ilustração n. 2.

23. KROPOTKINE. *Autour d'une vie*. 1902, p. 9. Devo essa referência a M.G. Canguilhem.

de malsustentável do monarca se torna em visibilidade inevitável dos súditos. E essa inversão de visibilidade no funcionamento das disciplinas é que realizará o exercício do poder até em seus graus mais baixos. Entramos na era do exame interminável e da objetivação limitadora.

2) *O exame faz também a individualidade entrar num campo documentário*: Seu resultado é um arquivo inteiro com detalhes e minúcias que se constitui no nível dos corpos e dos dias. O exame que coloca os indivíduos num campo de vigilância os situa igualmente numa rede de anotações escritas; compromete-os em toda uma quantidade de documentos que os captam e os fixam. Os procedimentos de exame são acompanhados imediatamente de um sistema de registro intenso e de acumulação documentária. Um "poder de escrita" é constituído como uma peça essencial nas engrenagens da disciplina. Em muitos pontos, modela-se pelos métodos tradicionais da documentação administrativa. Mas com técnicas particulares e inovações importantes. Umas se referem aos métodos de identificação, de assimilação, ou de descrição. Era esse o problema do exército, onde urgia encontrar os desertores, evitar as convocações repetidas, corrigir as listas fictícias apresentadas pelos oficiais, conhecer os serviços e o valor de cada um, estabelecer com segurança o balanço dos desaparecidos e mortos. Era esse o problema dos hospitais, onde era preciso reconhecer os doentes, expulsar os simuladores, acompanhar a evolução das doenças, verificar a eficácia dos tratamentos, descobrir os casos análogos e os começos de epidemias. Era o problema dos estabelecimentos de ensino, onde era forçoso caracterizar a aptidão de cada um, situar seu nível e capacidades, indicar a utilização eventual que se pode fazer dele.

> A função do registro é fornecer indicações de tempo e lugar, dos hábitos das crianças, de seu progresso na piedade, no catecismo, nas letras de acordo com o tempo na escola, seu espírito e critério que ele encontrará marcado desde sua recepção[24].

Daí a formação de uma série de códigos da individualidade disciplinar que permitem transcrever, homogeneizando-os, os traços individuais estabelecidos pelo exame: código físico da qualificação, código médico dos sintomas, código escolar ou militar dos comportamentos e dos desempenhos. Esses códigos eram ainda muito rudimentares, em sua forma qualitativa ou quantitativa, mas marcam o momento de uma primeira "formalização" do individual dentro de relações do poder.

---

24. M.I.D.B. *Instruction méthodique pour l'école paroissiale*. 1669, p. 64.

As outras inovações da escrita disciplinar se referem à correlação desses elementos, à acumulação dos documentos, sua seriação, à organização de campos comparativos que permitam classificar, formar categorias, estabelecer médias, fixar normas. Os hospitais do século XVIII foram particularmente grandes laboratórios para os métodos escriturários e documentários. A manutenção dos registros, sua especificação, os modos de transcrição de uns para os outros, sua circulação durante as visitas, sua confrontação durante as reuniões regulares dos médicos e dos administradores, a transmissão de seus dados a organismos de centralização (ou no hospital ou no escritório central dos serviços hospitalares), a contabilidade das doenças, das curas, dos falecimentos no nível de um hospital de uma cidade e até da nação inteira fizeram parte integrante do processo pelo qual os hospitais foram submetidos ao regime disciplinar. Entre as condições fundamentais de uma boa "disciplina" médica nos dois sentidos da palavra é preciso incluir os processos de escrita que permitem integrar, mas sem que se percam, os dados individuais em sistemas cumulativos: fazer de maneira que a partir de qualquer registro geral se possa encontrar um indivíduo e que inversamente cada dado do exame individual possa repercutir nos cálculos de conjunto.

Graças a todo esse aparelho de escrita que o acompanha, o exame abre duas possibilidades que são correlatas: a constituição do indivíduo como objeto descritível, analisável, não contudo para reduzi-lo a traços "específicos", como fazem os naturalistas a respeito dos seres vivos; mas para mantê-lo em seus traços singulares, em sua evolução particular, em suas aptidões ou capacidades próprias, sob o controle de um saber permanente; e por outro lado a constituição de um sistema comparativo que permite a medida de fenômenos globais, a descrição de grupos, a caracterização de fatos coletivos, a estimativa dos desvios dos indivíduos entre si, sua distribuição numa "população".

Importância decisiva, consequentemente, dessas pequenas técnicas de anotação, de registro, de constituição de processos, de colocação em colunas que nos são familiares, mas que permitiram a liberação epistemológica das ciências do indivíduo. Sem dúvida temos razão em colocar o problema aristotélico: É possível uma ciência do indivíduo, e legítima? Para um grande problema, grandes soluções talvez. Mas há o pequeno problema histórico da emergência, pelo fim do século XVIII, do que se poderia colocar sob a sigla de ciências "clínicas"; problema da entrada do indivíduo (e não mais da espécie) no campo do saber; problema da entrada de descrição singular, do interrogatório, da anamnese, do "processo" no funcionamento geral do discurso científico. Para essa simples questão de fato, é preciso sem dúvida uma resposta sem grandeza: é preciso ver o lado desses processos de escrita e de registro; é preciso ver o lado dos mecanismos de exame, o lado da formação dos dispositivos de disciplina e da formação de um novo tipo de poder sobre os corpos. O nascimento das ciências do homem? Aparentemente ele deve ser procurado nesses arquivos de pouca glória onde foi elaborado o jogo moderno das coerções sobre os corpos, os gestos, os comportamentos.

3) *O exame, cercado de todas as suas técnicas documentárias, faz de cada indivíduo um "caso"*: um caso que ao mesmo tempo constitui um objeto para o conhecimento e uma tomada para o poder. O caso não é mais, como na casuística ou na jurisprudência, um conjunto de circunstâncias que qualificam um ato e podem modificar a aplicação de uma regra, é o indivíduo tal como pode ser descrito, mensurado, medido, comparado a outros e isso em sua própria individualidade; e é também o indivíduo que tem que ser treinado ou retreinado, tem que ser classificado, normalizado, excluído etc.

Durante muito tempo a individualidade qualquer – a de baixo e de todo mundo – permaneceu abaixo do limite de descrição. Ser olhado, observado, contado detalhadamente, seguido dia por dia por uma escrita ininterrupta era um privilégio. A crônica de um homem, o relato de sua vida, sua historiografia redigida no desenrolar de sua existência faziam parte dos rituais do poderio. Os procedimentos disciplinares reviram essa relação, abaixando o limite da individualidade descritível e fazem dessa descrição um meio de controle e um método de dominação. Não mais monumento para uma memória futura, mas documento para uma utilização eventual. E essa nova descritibilidade é ainda mais marcada, porquanto é estrito o enquadramento disciplinar: a criança, o doente, o louco, o condenado se tornarão, cada vez mais facilmente a partir do século XVIII e segundo uma via que é a dos mecanismos de disciplina, objeto de descrições individuais e de relatos biográficos. Esta transcrição por escrito das existências reais não é mais um processo de heroificação; funciona como processo de objetivação e de sujeição. A vida cuidadosamente estudada dos doentes mentais ou dos delinquentes se origina, como a crônica dos reis ou a epopeia dos grandes bandidos populares, de uma certa função política da escrita, mas numa técnica de poder totalmente diversa.

O exame como fixação ao mesmo tempo ritual e "científica" das diferenças individuais, como aposição de cada um à sua própria singularidade (em oposição à cerimônia onde se manifestam os *status*, os nascimentos, os privilégios, as funções, com todo o brilho de suas marcas) indica bem a aparição de uma nova modalidade de poder em que cada um recebe como *status* sua própria individualidade, e onde está estatutariamente ligado aos traços, às medidas, aos desvios, às "notas" que o caracterizam e fazem dele, de qualquer modo, um "caso".

Finalmente, o exame está no centro dos processos que constituem o indivíduo como efeito e objeto de poder, como efeito e objeto de saber. É ele que, combinando vigilância hierárquica e sanção normalizadora, realiza as grandes funções disciplinares de repartição e classificação, de extração máxima das forças e do tempo, de acumulação genética contínua, de composição ótima das aptidões. Portanto, de fabricação da individualidade celular, orgânica, genética e combinatória. Com ele se ritualizam aquelas disciplinas que se pode caracterizar com uma palavra dizendo que são uma modalidade de poder para o qual a diferença individual é pertinente.

*

As disciplinas marcam o momento em que se efetua o que se poderia chamar a troca do eixo político da individualização. Nas sociedades de que o regime feudal é apenas um exemplo se pode dizer que a individualização é máxima do lado em que a soberania é exercida e nas regiões superiores do poder. Quanto mais o homem é detentor de poder ou de privilégio, tanto mais é marcado como indivíduo, por rituais, discursos, ou representações plásticas. O "nome de família" e a genealogia que situam, dentro de um conjunto de parentes, a realização de proezas que manifestam a superioridade das forças e que são imortalizadas por relatos, as cerimônias que marcam, por sua ordenação, as relações de poder, os monumentos ou as doações que dão uma outra vida depois da morte, os faustos e os excessos da despesa, os múltiplos laços de vassalagem e de suserania que se entrecruzam, tudo isso constitui outros procedimentos de uma individualização "ascendente". Num regime disciplinar, a individualização, ao contrário, é "descendente" à medida que o poder se torna mais anônimo e mais funcional, aqueles sobre os quais se exerce tendem a ser mais fortemente individualizados; e por fiscalizações mais que por cerimônias, por observações mais que por relatos comemorativos, por medidas comparativas que têm a "norma" como referência, e não por genealogias que dão os ancestrais como pontos de referência; por "desvios" mais que por proezas. Num sistema de disciplina, a criança é mais individualizada que o adulto, o doente o é antes do homem são, o louco e delinquente mais que o normal e o não delinquente. É em direção aos primeiros, em todo caso, que se voltam em nossa civilização todos os mecanismos individualizantes; e quando se quer individualizar o adulto são, normal e legalista, agora é sempre lhe perguntando o que ainda há nele de criança, que loucura secreta o habita, que crime fundamental ele quis cometer. Todas as ciências, análises ou práticas com radical "psico", têm seu lugar nessa troca histórica dos processos de individualização. O momento em que passamos de mecanismos histórico-rituais de formação da individualidade a mecanismos científico-disciplinares, em que o normal tomou o lugar do ancestral, e a medida o lugar do *status*, substituindo assim a individualidade do homem memorável pela do homem calculável, esse momento em que as ciências do homem se tornaram possíveis, é aquele em que foram postas em funcionamento uma nova tecnologia do poder e uma outra anatomia política do corpo. E se da Idade Média mais remota até hoje a "aventura" é o relato da individualidade, a passagem do épico ao romanesco, do feito importante à singularidade secreta, dos longos exílios à procura interior da infância, das justas aos fantasmas, se insere também na formação de uma sociedade disciplinar. São as desgraças do pequeno Hans e não mais "o bom Henriquinho" que contam a aventura de nossa infância. O Roman de La Rose é escrito hoje em dia por Mary Barnes; no lugar de Lancelot, o presidente Schreber.

Muitas vezes se afirma que o modelo de uma sociedade que teria indivíduos como elementos constituintes é tomada às formas jurídicas abstratas do contrato e da troca. A sociedade comercial se teria representado como uma associação contratual de sujeitos jurídicos isolados. Talvez. A teoria política dos séculos XVII e XVIII parece com efeito obedecer a esse esquema. Mas não se deve esquecer que existiu na mesma época uma técnica para constituir efetivamente os indivíduos como elementos correlatos de um poder e de um saber. O indivíduo é sem dúvida o átomo fictício de uma representação "ideológica" da sociedade; mas é também uma realidade fabricada por essa tecnologia específica de poder que se chama a "disciplina". Temos que deixar de descrever sempre os efeitos de poder em termos negativos: ele "exclui", "reprime", "recalca", "censura", "abstrai", "mascara", "esconde". Na verdade o poder produz; ele produz realidade; produz campos de objetos e rituais da verdade. O indivíduo e o conhecimento que dele se pode ter se originam nessa produção.

Mas emprestar tal poderio às astúcias muitas vezes minúsculas da disciplina não seria lhes conceder muito? De onde podem elas tirar tão vastos efeitos?

Capítulo III

O PANOPTISMO

Eis as medidas que se faziam necessárias, segundo um regulamento do fim do século XVII, quando se declarava a peste numa cidade[1].

Em primeiro lugar, um policiamento espacial estrito: fechamento, claro, da cidade e da "terra", proibição de sair sob pena de morte, fim de todos os animais errantes; divisão da cidade em quarteirões diversos onde se estabelece o poder de um intendente. Cada rua é colocada sob a autoridade de um síndico; ele a vigia; se a deixar, será punido de morte. No dia designado, ordena-se todos que se fechem em suas casas: proibido sair sob pena de morte. O próprio síndico vem fechar, por fora, a porta de cada casa; leva a chave, que entrega ao intendente de quarteirão; este a conserva até o fim da quarentena. Cada família terá feito suas provisões; mas para o vinho e o pão se terá preparado entre a rua e o interior das casas pequenos canais de madeira, que permitem fazer chegar a cada um sua ração, sem que haja comunicação entre os fornecedores e os habitantes; para a carne, o peixe e as verduras, utilizam-se roldanas e cestas. Se for absolutamente necessário sair das casas, tal se fará por turnos, e se evitando qualquer encontro. Só circulam os intendentes, os síndicos, os soldados da guarda e também entre as casas infectadas, de um cadáver ao outro, os "corvos", que tanto faz abandonar à morte: é "gente vil, que leva os doentes, enterra os mortos, limpa e faz muitos ofícios vis e abjetos". Espaço recortado, imóvel, fixado. Cada qual se prende a seu lugar. E, caso se mexa, corre perigo de vida, por contágio ou punição.

A inspeção funciona constantemente. O olhar está alerta em toda parte: "Um corpo de milícia considerável, comandado por bons oficiais e gente de bem", corpos de guarda nas portas, na prefeitura e em todos os bairros para tornar mais pronta a obediência do povo, e mais absoluta a autoridade dos

---

1. *Archives militaires de Vincennes*. A 1516 91 sc. Peça. Esse regulamento está, no essencial, de acordo com toda uma série de outros que datam desta mesma época ou de um período anterior.

magistrados, "assim como para vigiar todas as desordens, roubos e pilhagens". Às portas, postos de vigilância; no fim de cada rua, sentinelas. Todos os dias, o intendente visita o quarteirão de que está encarregado, verifica se os síndicos cumprem suas tarefas, se os habitantes têm queixas; eles "fiscalizam seus atos". Todos os dias também o síndico passa na rua por que é responsável; para diante de cada casa; manda colocar todos os moradores às janelas (os que habitassem nos fundos teriam designada uma janela dando para a rua onde ninguém mais poderia se mostrar); chama cada um por seu nome; informa-se do estado de todos, um por um – "no que os habitantes serão obrigados a dizer a verdade, sob pena de morte"; se alguém não se apresentar à janela, o síndico deve perguntar a razão: "Ele assim descobrirá facilmente se escondem mortos ou doentes". Cada um trancado em sua gaiola, cada um à sua janela, respondendo a seu nome e se mostrando quando é perguntado, é a grande revista dos mortos e dos vivos.

Essa vigilância se apoia num sistema de registro permanente: relatórios dos síndicos aos intendentes, dos intendentes aos almotacés ou ao prefeito. No começo da "apuração" se estabelece o papel de todos os habitantes presentes na cidade um por um; nela se anotam "o nome, a idade, o sexo, sem exceção de condição"; um exemplar para o intendente do quarteirão, um segundo no escritório da prefeitura, um outro para o síndico poder fazer a chamada diária. Tudo o que é observado durante as visitas, mortes, doenças, reclamações, irregularidades, é anotado e transmitido aos intendentes e magistrados. Estes têm o controle dos cuidados médicos; e um médico responsável; nenhum outro médico pode cuidar, nenhum boticário preparar os remédios, nenhum confessor visitar um doente, sem ter recebido dele um bilhete escrito "para impedir que se escondam e se tratem, à revelia dos magistrados, doentes do contágio". O registro do patológico deve ser constante e centralizado. A relação de cada um com sua doença e sua morte passa pelas instâncias do poder, pelo registro que delas é feito, pelas decisões que elas tomam.

Cinco ou seis dias depois do começo da quarentena se procede à purificação das casas, uma por uma. Manda-se sair todos os moradores; em cada cômodo se levantam ou se penduram "os móveis e as mercadorias"; espalha-se perfume; ele é queimado depois de bem fechadas as janelas, as portas e até os buracos de fechadura que se enche de cera. Finalmente se fecha a casa inteira enquanto se consome o perfume; como na entrada, revistam-se os perfumadores "na presença dos moradores da casa, para ver se eles não têm à saída qualquer coisa que não tivessem ao entrar". Quatro horas depois, os moradores podem entrar em casa.

Esse espaço fechado, recortado, vigiado em todos os seus pontos, onde os indivíduos estão inseridos num lugar fixo, onde os menores movimentos são controlados, onde todos os acontecimentos são registrados, onde um trabalho ininterrupto de escrita liga o centro e a periferia, onde o poder é exercido sem divisão, segundo uma figura hierárquica contínua, onde cada indivíduo é constantemente localizado, examinado e distribuído entre os vivos, os doentes e os mortos – isso tudo constitui um modelo compacto do dispositivo disciplinar. A ordem responde à peste; ela tem como função desfazer todas as confusões: a da doença que se transmite quando os corpos se misturam; a do mal que se multiplica quando o medo e a morte desfazem as proibições. Ela prescreve a cada um seu lugar, a cada um seu corpo, a cada um sua doença e sua morte, a cada um seu bem, por meio de um poder onipresente e onisciente que se subdivide ele mesmo de maneira regular e ininterrupta até a determinação final do indivíduo, do que o caracteriza, do que lhe pertence, o do que lhe acontece. Contra a peste, que é mistura, a disciplina faz valer seu poder que é de análise. Houve em torno da peste uma ficção literária da festa: as leis suspensas, os interditos levantados, o frenesi do tempo que passa, os corpos se misturando sem respeito, os indivíduos que se desmascaram, que abandonam sua identidade estatutária e a figura sob a qual eram reconhecidos, deixando aparecer uma verdade totalmente diversa. Mas houve também um sonho político da peste, que era exatamente o contrário: não a festa coletiva, mas as divisões estritas; não as leis transgredidas, mas a penetração do regulamento até nos mais finos detalhes da existência e por meio de uma hierarquia completa que realiza o funcionamento capilar do poder; não as máscaras que se colocam e se retiram, mas a determinação a cada um de seu "verdadeiro" nome, de seu "verdadeiro" lugar, de seu "verdadeiro" corpo e da "verdadeira" doença. A peste como forma real e, ao mesmo tempo, imaginária da desordem tem a disciplina como correlato médico e político. Atrás dos dispositivos disciplinares se lê o terror dos "contágios", da peste, das revoltas, dos crimes, da vagabundagem, das deserções, das pessoas que aparecem e desaparecem, vivem e morrem na desordem.

Se é verdade que a lepra suscitou modelos de exclusão que deram até um certo ponto o modelo e como que a forma geral do grande fechamento, já a peste suscitou esquemas disciplinares. Mais que a divisão maciça e binária entre uns e outros ela recorre a separações múltiplas, a distribuições individualizantes, a uma organização aprofundada das vigilâncias e dos controles, a uma intensificação e ramificação do poder. O leproso é visto dentro de uma prática da rejeição, do exílio-cerca; deixa-se que se perca lá dentro como numa massa que não tem muita importância diferenciar; os pestilentos são considerados num policiamento tático meticuloso onde as diferenciações individuais são os efeitos limitantes de um poder que se multiplica, se articula e se subdivide. O grande fechamento por um lado; o bom treinamento por outro. A lepra e sua divisão; a peste e seus recortes. Uma é marcada; a outra, analisada e repartida. O exílio do leproso e a prisão da peste não trazem consigo o mesmo sonho político. Um é o de uma comunidade pura; o outro, o de uma sociedade disciplinar. Duas maneiras de exercer poder sobre os homens, de controlar suas relações, de desmanchar suas perigosas misturas. A cidade pestilenta, atravessada inteira pela hierarquia, pela vigilância, pelo olhar, pela documentação, a cidade imobilizada no funcionamento de um poder extensivo que age de maneira diversa sobre todos os corpos individuais – é a utopia da cidade perfeitamente governada. A peste (pelo menos aquela que permanece no estado de previsão) é a prova durante a qual se pode definir idealmente o exercício do poder disciplinar. Para fazer funcionar segundo a pura teoria os direitos e as leis, os juristas se punham imaginariamente no estado de natureza; para ver funcionar suas disciplinas perfeitas, os governantes sonhavam com o estado de peste. No fundo dos esquemas disciplinares, a imagem da peste vale por todas as confusões e desordens; assim como a imagem da lepra, do contato a ser cortado, está no fundo do esquema de exclusão.

Esquemas diferentes, portanto, mas não incompatíveis. Lentamente, vemo-los se aproximarem; e é próprio do século XIX ter aplicado ao espaço de exclusão de que o leproso era o habitante simbólico (e os mendigos, os vagabundos, os loucos, os violentos formavam a população real) a técnica de poder própria do "quadriculamento" disciplinar. Tratar os "leprosos" como "pestilentos", projetar recortes finos da disciplina sobre o espaço confuso do internamento, trabalhá-lo com os métodos de repartição analítica do poder, individualizar os excluídos, mas utilizar processos de individualização para marcar exclusões – isso é o que foi regularmente realizado pelo poder disciplinar desde o começo do século XIX: o asilo psiquiátrico, a penitenciária, a casa de correção, o estabelecimento de educação vigiada, e por um lado os hospitais, de um modo geral todas as instâncias de controle individual funcional num duplo modo: o da divisão binária e da marcação (louco-não louco; perigoso-inofensivo; normal-anormal); e o da determinação coercitiva, da repartição diferencial (quem é ele; onde deve estar; como caracterizá-lo, como reconhecê-lo; como exercer sobre ele, de maneira individual, uma vigilância constante etc.). De um lado, "pestilentam-se" os leprosos; impõem-se aos excluídos a tática das disciplinas individualizantes; e de outro lado a universalidade dos controles disciplinares permite marcar quem é "leproso" e fazer funcionar contra ele os mecanismos dualistas da exclusão. A divisão constante do normal e do anormal, a que todo indivíduo é submetido, leva até nós, e aplicando-os a objetos totalmente diversos, a marcação binária e o exílio dos leprosos; a existência de todo um conjunto de técnicas e de instituições que assumem como tarefa medir, controlar e corrigir os anormais, faz funcionar os dispositivos disciplinares que o medo da peste chamava. Todos os mecanismos de poder que, ainda em nossos dias, são dispostos em torno do anormal, para marcá-lo como para modificá-lo, compõem essas duas formas de que longinquamente derivam.

*

O *Panóptico* de Bentham é a figura arquitetural dessa composição. O princípio é conhecido: na periferia uma construção em anel; no centro, uma torre: esta é vazada de largas janelas que se abrem sobre a face interna do anel; a construção periférica é dividida em celas, cada uma atravessando toda a espessura da construção; elas têm duas janelas, uma para o interior, correspondendo às janelas da torre; outra, que dá para o exterior, permite que a luz atravesse a cela de lado a lado. Basta então colocar um vigia na torre central, e em cada cela trancar um louco, um doente, um condenado, um operário ou um escolar. Pelo efeito da contraluz, pode-se perceber da torre, recortando-se exatamente sobre a claridade, as pequenas silhuetas cativas nas celas da periferia. Tantas jaulas, tantos pequenos teatros, em que cada ator está sozinho, perfeitamente individualizado e constantemente visível. O dispositivo panóptico organiza unidades espaciais que permitem ver sem parar e reconhecer imediatamente. Em suma, o princípio da masmorra é invertido; ou antes, de suas três funções – trancar, privar de luz e esconder – só se conserva a primeira e se suprimem as outras duas. A plena luz e o olhar de um vigia captam melhor que a sombra, que finalmente protegia. A visibilidade é uma armadilha.

O que permite em primeiro lugar – como efeito negativo – evitar aquelas massas compactas, fervilhantes, pululantes, que eram encontradas nos locais de encarceramento, os pintados por Goya ou descritos por Howard. Cada um, em seu lugar, está bem trancado em sua cela de onde é visto de frente pelo vigia; mas os muros laterais impedem que entre em contato com seus companheiros. É visto, mas não vê; objeto de uma informação, nunca sujeito numa comunicação. A disposição de seu quarto, em frente da torre central, lhe impõe uma visibilidade axial; mas as divisões do anel, essas celas bem separadas, implicam uma invisibilidade lateral. E esta é a garantia da ordem. Se os detentos são condenados não há perigo de complô, de tentativa de evasão coletiva, projeto de novos crimes para o futuro, más influências recíprocas; se são doentes, não há perigo de contágio; loucos, não há risco de violências recíprocas; crianças, não há "cola", nem barulho, nem conversa, nem dissipação. Se são operários, não há roubos, nem conluios, nada dessas distrações que atrasam o trabalho, tornam-no menos perfeito ou provocam acidentes. A multidão, massa compacta, local de múltiplas trocas, individualidades que se fundem, efeito coletivo, é abolida em proveito de uma coleção de individualidades separadas. Do ponto de vista do guardião, é substituída por uma multiplicidade enumerável e controlável; do ponto de vista dos detentos, por uma solidão sequestrada e olhada[2].

Daí o efeito mais importante do Panóptico: induzir no detento um estado consciente e permanente de visibilidade que assegura o funcionamento automático do poder. Fazer com que a vigilância seja permanente em seus efeitos, mesmo se é descontínua em sua ação; que a perfeição do poder tenda a tornar inútil a atualidade de seu exercício; que esse aparelho arquitetural seja uma máquina de criar e sustentar uma relação de poder independente daquele que o exerce: enfim, que os detentos se encontrem presos numa situação de poder de que eles mesmos são os portadores. Para isso, é ao mesmo tempo excessivo e muito pouco que o prisioneiro seja observado sem cessar por um vigia: muito pouco, pois o essencial é que ele se saiba vigiado; excessivo, porque ele não tem necessidade de sê-lo efetivamente. Por isso Bentham colocou o princípio de que o poder devia ser visível e inverificável. Visível: sem cessar o detento terá diante dos olhos a alta silhueta da torre central de onde é espionado. Inverificável: o detento nunca deve saber se está sendo observado; mas deve ter certeza de que sempre pode sê-lo. Para tornar indecidível a presença ou a ausência do vigia, para que os prisioneiros, de suas celas, não pudessem nem perceber uma sombra ou enxergar uma contraluz, previu Bentham, não só persianas nas janelas da sala central de vigia, mas, por dentro, separações que a cortam em ângulo reto e, para passar de um quarto a outro, não portas, mas biombos: pois a menor batida, uma luz entrevista, uma claridade numa abertura trairiam a presença do guardião[3]. O Panóptico é uma máquina de dissociar o par ver-ser visto: no anel periférico, se é totalmente visto, sem nunca ver; na torre central, vê-se tudo, sem nunca ser visto[4].

---

2. BENTHAM, J. *Panopticon, Works*. Ed. Bowring, t. IV, p. 60-64. Cf. ilustração n. 17.

3. No *Post-script to the Panopticon*, 1791, Bentham acrescenta galerias escuras pintadas de preto que fazem a volta ao prédio de vigilância, permitindo cada uma observar dois andares de celas.

4. Cf. ilustração n. 17. Bentham, em sua primeira versão do *Panopticon*, imagina também uma vigilância acústica, por tubos que iam das celas à torre central. Abandonou-a no *Post-script*, talvez porque não pudesse introduzir assimetria e impedir que os prisioneiros ouvissem o vigia tão bem quanto este os ouvia. Julius tentou aperfeiçoar um sistema de escuta assimétrica (*Leçons sur les prisons*. 1831, p. 18 [trad. francesa]).

Dispositivo importante, pois automatiza e desindividualiza o poder. Este tem seu princípio não tanto numa pessoa quanto numa certa distribuição concertada dos corpos, das superfícies, das luzes, dos olhares; numa aparelhagem cujos mecanismos internos produzem a relação na qual se encontram presos os indivíduos. As cerimônias, os rituais, as marcas pelas quais se manifesta no soberano o mais-poder são inúteis. Há uma maquinaria que assegura a dissimetria, o desequilíbrio, a diferença. Pouco importa, consequentemente, quem exerce o poder. Um indivíduo qualquer, quase tomado ao acaso, pode fazer funcionar a máquina: na falta do diretor, sua família, os que o cercam, seus amigos, suas visitas, até seus criados[5]. Do mesmo modo que é indiferente o motivo que o anima: a curiosidade de um indiscreto, a malícia de uma criança, o apetite de saber de um filósofo que quer percorrer esse museu da natureza humana, ou a maldade daqueles que têm prazer em espionar e em punir. Quanto mais numerosos esses observadores anônimos e passageiros, tanto mais aumentam para o prisioneiro o risco de ser surpreendido e a consciência inquieta de ser observado. O Panóptico é uma máquina maravilhosa que, a partir dos desejos mais diversos, fabrica efeitos homogêneos de poder.

Uma sujeição real nasce mecanicamente de uma relação fictícia. De modo que não é necessário recorrer à força para obrigar o condenado ao bom comportamento, o louco à calma, o operário ao trabalho, o escolar à aplicação, o doente à observância das receitas. Bentham se maravilha de que as instituições panópticas pudessem ser tão leves: fim das grades, fim das correntes, fim das fechaduras pesadas: basta que as separações sejam nítidas e as aberturas bem-distribuídas. O peso das velhas "casas de segurança", com sua arquitetura de fortaleza, é substituído pela geometria simples e econômica de uma "casa de certeza". A eficácia do poder, sua força limitadora, passaram, de algum modo, para o outro lado – para o lado de sua superfície de aplicação. Quem está submetido a um campo de visibilidade, e sabe disso, retoma por sua conta as limitações do poder; fá-las funcionar espontaneamente sobre si mesmo; inscreve em si a relação de poder na qual ele desempenha simultaneamente os dois papéis; torna-se o princípio de sua própria sujeição. Em consequência disso mesmo, o poder externo, por seu lado, pode-se aliviar de seus fardos físicos; tende ao incorpóreo: e quanto mais se aproxima desse limite, mais esses efeitos são constantes, profundos, adquiridos em caráter definitivo e continuamente recomeçados: vitória perpétua que evita qualquer defrontamento físico e está sempre decidida por antecipação.

---

5. BENTHAM, J. *Panopticon*, Works. T. IV, p. 45.

Bentham não diz se se inspirou, em seu projeto, no zoológico que Le Vaux construíra em Versalhes: primeiro zoológico cujos elementos não estão, como tradicionalmente, espalhados em um parque[6]: no centro, um pavilhão octogonal que, no primeiro andar, só comportava uma peça, o salão do rei; todos os lados se abriam com largas janelas, sobre sete jaulas (o oitavo lado estava reservado para a entrada), onde estavam encerradas diversas espécies de animais. Na época de Bentham, esse zoológico desaparecera. Mas encontramos no programa do Panóptico a preocupação análoga da observação individualizante, da caracterização e da classificação, da organização analítica da espécie. O Panóptico é um zoológico real; o animal é substituído pelo homem, a distribuição individual pelo grupamento específico e o rei pela maquinaria de um poder furtivo. Fora essa diferença, o Panóptico, também, faz um trabalho de naturalista. Permite estabelecer as diferenças: nos doentes, observar os sintomas de cada um, sem que a proximidade dos leitos, a circulação dos miasmas, os efeitos do contágio misturem os quadros clínicos; nas crianças, anotar os desempenhos (sem que haja limitação ou cópia), perceber as aptidões, apreciar os caracteres, estabelecer classificações rigorosas e, em relação a uma evolução normal, distinguir o que é "preguiça e teimosia" do que é "imbecilidade incurável"; nos operários, anotar as aptidões de cada um, comparar o tempo que levam para fazer um serviço, e, se são pagos por dia, calcular seu salário em vista disso[7].

Este é um dos aspectos. Por outro lado, o Panóptico pode ser utilizado como máquina de fazer experiências, modificar o comportamento, treinar ou retreinar os indivíduos. Experimentar remédios e verificar seus efeitos. Tentar diversas punições sobre os prisioneiros, segundo seus crimes e temperamento, e procurar as mais eficazes. Ensinar simultaneamente diversas técnicas aos operários, estabelecer qual é a melhor. Tentar experiências pedagógicas – e particularmente abordar o famoso problema da educação reclusa, usando crianças encontradas; ver-se-ia o que acontece quando aos dezesseis ou dezoito anos rapazes e moças se encontram; poder-se-ia verificar se, como pensa Helvetius, qualquer pessoa pode aprender qualquer coisa; poder-se-ia acompanhar "a genealogia de qualquer ideia observável"; criar diversas crianças em diversos sistemas de pensamento, fazer alguns acreditarem que dois e dois não são quatro e que a lua é um queijo, depois juntá-los todos quando tivessem vinte ou vinte e cinco anos; haveria então discussões que valeriam bem os sermões ou as conferências para as quais se gasta tanto dinheiro:

---

6. LOISEL, G. *Histoire des ménageries*. Vol. II, 1912, p. 104-107. Cf. ilustração n. 14.

7. Ibid., p. 60-64.

haveria pelo menos ocasião de fazer descobertas no campo da metafísica. O Panóptico é um local privilegiado para tornar possível a experiência com homens, e para analisar com toda certeza as transformações que se pode obter neles. O Panóptico pode até se constituir em aparelho de controle sobre seus próprios mecanismos. Em sua torre de controle, o diretor pode espionar todos os empregados que tem a seu serviço: enfermeiros, médicos, contramestres, professores, guardas; poderá julgá-los continuamente, modificar seu comportamento, impor-lhes métodos que considerar melhores; e ele mesmo, por sua vez, poderá ser facilmente observado. Um inspetor que surja sem avisar no centro do Panóptico julgará com uma única olhadela, e sem que se possa esconder nada dele, como funciona todo o estabelecimento. E aliás, fechado como está no meio desse dispositivo arquitetural, o diretor não está comprometido com ele? O médico incompetente que tiver deixado o contágio se espalhar, o diretor de prisão ou de oficina que tiver sido inábil serão as primeiras vítimas da epidemia ou da revolta.

> Meu destino, diz o mestre do Panóptico, está ligado ao deles (ao dos detentos) por todos os laços que pude inventar[8].

O Panóptico funciona como uma espécie de laboratório de poder. Graças a seus mecanismos de observação, ganha em eficácia e em capacidade de penetração no comportamento dos homens: um aumento de saber vem se implantar em todas as frentes do poder, descobrindo objetos que devem ser conhecidos em todas as superfícies onde este se exerça.

*

Cidade pestilenta, estabelecimento panóptico, as diferenças são importantes. Elas marcam, com um século e meio de distância, as transformações do programa disciplinar. Num caso, uma situação de exceção: contra um mal extraordinário, o poder se levanta; torna-se em toda parte presente e visível; inventa novas engrenagens; compartimenta, imobiliza, quadricula; constrói por algum tempo o que é ao mesmo tempo a contracidade e a sociedade perfeita; impõe um funcionamento ideal, mas que no fim das contas se reduz, como o mal que combate, ao dualismo simples vida-morte: o que se mexe traz a morte, e se mata o que se mexe. O Panóptico ao contrário deve ser compreendido como um modelo generalizável de funcionamento; uma maneira de definir as relações do poder com a vida cotidiana dos homens. Bentham sem dúvida o apresenta como uma instituição particular, bem-fe-

---

8. BENTHAM. J. *Panopticon versus New South Wales. Works.* Ed. Bowring, t. IV, p. 177.

chada em si mesma. Muitas vezes se fez dele uma utopia do encarceramento perfeito. Diante das prisões arruinadas, fervilhantes, e povoadas de suplícios gravadas por Piranese, o Panóptico aparece como jaula cruel e sábia. O fato de ele ter, até nosso tempo, dado lugar a tantas variações projetadas ou realizadas, mostra qual foi durante quase dois séculos sua intensidade imaginária. Mas o Panóptico não deve ser compreendido como um edifício onírico: é o diagrama de um mecanismo de poder levado à sua forma ideal: seu funcionamento, abstraindo-se de qualquer obstáculo, resistência ou desgaste, pode ser bem-representado como um puro sistema arquitetural e óptico: é na realidade uma figura de tecnologia política que se pode e se deve destacar de qualquer uso específico.

É polivalente em suas aplicações: serve para emendar os prisioneiros, mas também para cuidar dos doentes, instruir os escolares, guardar os loucos, fiscalizar os operários, fazer trabalhar os mendigos e ociosos. É um tipo de implantação dos corpos no espaço, de distribuição dos indivíduos em relação mútua, de organização hierárquica, de disposição dos centros e dos canais de poder, de definição de seus instrumentos e de modos de intervenção, que se podem utilizar nos hospitais, nas oficinas, nas escolas, nas prisões. Cada vez que se tratar de uma multiplicidade de indivíduos a que se deve impor uma tarefa ou um comportamento, o esquema panóptico poderá ser utilizado.

> Ele é [ressalvadas as modificações necessárias] aplicável a todos os estabelecimentos onde, nos limites de um espaço que não é muito extenso, é preciso manter sob vigilância um certo número de pessoas[9].

Em cada uma de suas aplicações, permite aperfeiçoar o exercício do poder. E isto de várias maneiras: porque pode reduzir o número dos que o exercem, ao mesmo tempo em que multiplica o número daqueles sobre os quais é exercido. Porque permite intervir a cada momento e a pressão constante age antes mesmo que as faltas, os erros, os crimes sejam cometidos. Porque, nessas condições, sua força é nunca intervir, é se exercer espontaneamente e sem ruído, é constituir um mecanismo de efeitos em cadeia. Porque sem outro instrumento físico que uma arquitetura e uma geometria, ele age diretamente sobre os indivíduos: "dá ao espírito poder sobre o espírito". O esquema panóptico é um intensificador para qualquer aparelho de poder: assegura sua economia (em material, em pessoal, em tempo); assegura sua eficácia por seu caráter

---

9. Ibid., p. 40. Se Bentham deu destaque ao exemplo da penitenciária, é porque esta tem funções múltiplas para exercer (vigilância, controle automático, confinamento, solidão, trabalho forçado, instrução).

preventivo, seu funcionamento contínuo e seus mecanismos automáticos. É uma maneira de obter poder

> numa quantidade até então sem igual, um grande e novo instrumento de governo [...]; sua excelência consiste na grande força que é capaz de dar a qualquer instituição a que seja aplicado[10].

Uma espécie de "ovo de Colombo" na ordem da política. Ele é capaz com efeito de vir se integrar a uma função qualquer (de educação, de terapêutica, de produção, de castigo); de aumentar essa função, ligando-se intimamente a ela; de constituir um mecanismo misto no qual as relações de poder (e de saber) podem-se ajustar exatamente, e até nos detalhes, aos processos que é preciso controlar; de estabelecer uma proporção direta entre o "mais-poder" e a "mais-produção". Em suma faz com que o exercício do poder não se acrescente de fora, como uma limitação rígida ou como um peso, sobre as funções que investe, mas que esteja nelas presente bastante sutilmente para aumentar-lhes a eficácia aumentando ele mesmo seus próprios pontos de apoio. O dispositivo panóptico não é simplesmente uma charneira, um local de troca entre um mecanismo de poder e uma função; é uma maneira de fazer funcionar relações de poder numa função, e uma função para essas relações de poder. O panoptismo é capaz de

> reformar a moral, preservar a saúde, revigorar a indústria, difundir a instrução, aliviar os encargos públicos, estabelecer a economia como que sobre um rochedo, desfazer, em vez de cortar, o nó górdio das leis sobre os pobres, tudo isso com uma simples ideia arquitetural[11].

Além disso, o arranjo dessa máquina é tal que seu fechamento não exclui uma presença permanente do exterior: vimos que qualquer pessoa pode vir exercer na torre central as funções de vigilância, e que fazendo isso pode adivinhar a maneira como é exercida a vigilância. Na realidade, qualquer instituição panóptica, mesmo que seja tão cuidadosamente fechada quanto uma penitenciária, poderá sem dificuldade ser submetida a essas inspeções ao mesmo tempo aleatórias e incessantes: e isso não só por parte dos controladores designados, mas por parte do público; qualquer membro da sociedade terá direito de vir constatar com seus olhos como funcionam as escolas, os hospitais, as fábricas, as prisões. Não há, consequentemente, risco de que o crescimento de poder devido à máquina panóptica possa degenerar em tirania; o dispositivo disciplinar será democraticamente controlado, pois será sem cessar

---

10. Ibid., p. 65.
11. Ibid., p. 39.

acessível "ao grande comitê do tribunal do mundo"[12]. Esse panóptico, sutilmente arranjado para que um vigia possa observar, com uma olhadela, tantos indivíduos diferentes, permite também a qualquer pessoa vigiar o menor vigia. A máquina de ver é uma espécie de câmara escura em que se espionam os indivíduos; ela se torna um edifício transparente onde o exercício do poder é controlável pela sociedade inteira.

O esquema panóptico, sem se desfazer nem perder nenhuma de suas propriedades, é destinado a se difundir no corpo social; tem por vocação se tornar aí uma função generalizada. A cidade pestilenta dava um modelo disciplinar excepcional: perfeito, mas absolutamente violento; à doença que trazia a morte, o poder opunha sua perpétua ameaça de morte; a vida nela se reduzia a sua expressão mais simples; era contra o poder da morte o exercício minucioso do direito de gládio. O Panóptico, ao contrário, tem um papel de amplificação; organiza-se o poder, não é pelo próprio poder, nem pela salvação imediata de uma sociedade ameaçada: o que importa é tornar mais fortes as forças sociais – aumentar a produção, desenvolver a economia, espalhar a instrução, elevar o nível da moral pública; fazer crescer e multiplicar.

Como reforçar esse poder de tal maneira que, longe de atrapalhar esse processo, longe de pesar sobre ele com suas exigências e seu peso, ele, ao contrário, o facilite? Que intensificador de poder poderá ao mesmo tempo ser um multiplicador de produção? Como o poder, aumentando suas forças, poderá fazer crescer as da sociedade em vez de confiscá-las ou freá-las? A solução do Panóptico para esse problema é que a majoração produtiva do poder só pode ser assegurada se por um lado ele tem possibilidade de se exercer de maneira contínua nos alicerces da sociedade, até seu mais fino grão, e se, por outro lado, ele funciona fora daquelas formas súbitas, violentas, descontínuas, que estão ligadas ao exercício da soberania. O corpo do rei, com sua estranha presença material e mítica, com a força que ele mesmo exibe ou transmite a alguns, está no extremo oposto dessa nova física do poder definida pelo panoptismo; seu campo é ao contrário toda aquela região de baixo, a dos corpos irregulares, com seus detalhes, seus movimentos múltiplos, suas forças heterogêneas, suas relações espaciais; são mecanismos que analisam distribuições, desvios, séries, combinações, e utilizam instrumentos para tornar visível, registrar, diferenciar

---

12. Ao imaginar esse fluxo contínuo de visitantes que penetravam por um subterrâneo até a torre central, e de lá observavam a paisagem circular do Panóptico, Bentham conheceria os Panoramas que Barker construía exatamente na mesma época (o primeiro parece datar de 1787), e nos quais os visitantes, que vinham ocupar o lugar central, viam em toda sua volta se desenrolar uma paisagem, uma cidade, uma batalha. Os visitantes ocupavam exatamente o lugar do olhar soberano.

e comparar: física de um poder relacional e múltiplo, que tem sua intensidade máxima não na pessoa do rei, mas nos corpos que essas relações, justamente, permitem individualizar. Em nível teórico, Bentham define outra maneira de analisar o corpo social e as relações de poder que o atravessam; em termos de prática, ele define um processo de subordinação dos corpos e das forças que a utilidade do poder deve majorar fazendo a economia do príncipe. O panoptismo é o princípio geral de uma nova "anatomia política" cujo objeto e fim não são a relação de soberania, mas as relações de disciplina.

Na famosa jaula transparente e circular, com sua torre alta, potente e sábia, será talvez o caso para Bentham de projetar uma instituição disciplinar perfeita; mas também importa mostrar como se pode "destrancar" as disciplinas e fazê-las funcionar de maneira difusa, múltipla, polivalente no corpo social inteiro. Essas disciplinas que a Era Clássica elabora em locais precisos e relativamente fechados – casernas, colégios, grandes oficinas – e cuja utilização global só fora imaginada na escala limitada e provisória de uma cidade em estado de peste. Bentham sonha fazer delas uma rede de dispositivos que estariam em toda parte e sempre alertas, percorrendo a sociedade sem lacuna nem interrupção. O arranjo panóptico dá a fórmula dessa generalização. Ele programa, no nível de um mecanismo elementar e facilmente transferível, o funcionamento de base de uma sociedade toda atravessada e penetrada por mecanismos disciplinares.

*

Duas imagens, portanto, da disciplina. Num extremo, a disciplina-bloco, a instituição fechada, estabelecida à margem, e toda voltada para funções negativas: fazer parar o mal, romper as comunicações, suspender o tempo. No outro extremo, com o panoptismo, temos a disciplina-mecanismo: um dispositivo funcional que deve melhorar o exercício do poder tornando-o mais rápido, mais leve, mais eficaz, um desenho das coerções sutis para uma sociedade que está por vir. O movimento que vai de um projeto ao outro, de um esquema da disciplina de exceção ao de uma vigilância generalizada, repousa sobre uma transformação histórica: a extensão progressiva dos dispositivos de disciplina ao longo dos séculos XVII e XVIII, sua multiplicação por meio de todo o corpo social, a formação do que se poderia chamar grosso modo a sociedade disciplinar.

Realizou-se uma generalização disciplinar, atestada pela física benthamiana do poder, no decorrer da Era Clássica. Comprova-o a multiplicação das instituições de disciplina, com sua rede que começa a cobrir uma superfície cada vez mais vasta, e principalmente a ocupar um lugar cada vez menos marginal; o que era ilha, local privilegiado, medida circunstancial ou modelo singular, torna-se fórmula geral; as regulamentações características dos exércitos protestantes e piedosos de Guilherme de Orange ou de Gustavo Adolfo se transformaram em regulamentos para todos os exércitos da Europa; os colégios modelos dos jesuítas, ou as escolas de Batencour e de Demia, depois da de Sturm, esboçam as formas gerais da disciplina escolar; a ordem estabelecida nos hospitais marítimos e militares serve de esquema para toda a reorganização hospitalar do século XVIII.

Mas essa extensão das instituições disciplinares não passa sem dúvida do aspecto mais visível de diversos processos mais profundos.

1) A *inversão funcional das disciplinas*: originalmente cabia-lhes principalmente neutralizar os perigos, fixar as populações inúteis ou agitadas, evitar os inconvenientes de reuniões muito numerosas; agora se lhes atribui (pois se tornaram capazes disso) o papel positivo de aumentar a utilidade possível dos indivíduos. A disciplina militar não é mais um simples meio de impedir a pilhagem, a deserção, ou a desobediência das tropas; torna-se uma técnica de base para que o exército exista, não mais como uma multidão ajustada, mas como uma unidade que tira dessa mesma unidade uma majoração de forças; a disciplina faz crescer a habilidade de cada um, coordena essas habilidades, acelera os movimentos, multiplica a potência de fogo, alarga as frentes de ataque sem lhes diminuir o vigor, aumenta as capacidades de resistência etc. A disciplina de oficina, sem deixar de ser uma maneira de fazer respeitar os regulamentos e as autoridades, de impedir os roubos ou a dissipação, tende a fazer crescer as aptidões, as velocidades, os rendimentos e portanto os lucros; ela continua a moralizar as condutas, mas cada vez mais ela modela os comportamentos e faz os corpos entrar numa máquina, as forças numa economia. Quando no século XVII se desenvolveram as escolas de província ou as escolas cristãs elementares, as justificações dadas eram principalmente negativas: os pobres, não tendo recursos para educar os filhos, deixavam-nos "na ignorância de suas obrigações, e entregues ao simples cuidado de viver; e tendo eles mesmos sido mal-educados, não podem comunicar uma boa educação que jamais tiveram"; o que acarreta três inconvenientes ponderáveis: a ignorância de Deus, a preguiça (com todo o seu cortejo de bebedeira, de impureza, de furtos, de banditismo) e a formação dessas tropas de mendigos, sempre prontos a provocar desordens públicas e "que só servem para esgotar os fundos do Hôtel-Dieu"[13]. Mas, no começo da Revolução, a finalidade prescrita ao

---

13. Ch. DEMIA. *Règlement pour les écoles de la ville de Lyon.* 1716, p 60s.

ensino primário será, entre outras coisas, "fortificar", "desenvolver o corpo", dispor a criança "para qualquer trabalho mecânico no futuro", dar-lhe "uma capacidade de visão rápida e global, uma mão firme, hábitos rápidos"[14]. As disciplinas funcionam cada vez mais como técnicas que fabricam indivíduos úteis. Daí se libertarem elas de sua posição marginal nos confins da sociedade, e se destacarem das formas de exclusão ou de expiação, de encarceramento ou retiro. Daí desfazerem elas lentamente seu parentesco com as regularidades e os muros religiosos. Daí também tenderem a se implantar nos setores mais importantes, mais centrais, mais produtivos da sociedade; e se fixarem em algumas das grandes funções essenciais: na produção manufatureira, na transmissão de conhecimentos, na difusão das aptidões e do *know-how*, no aparelho de guerra. Daí, enfim, a dupla tendência que vemos se desenvolver no decorrer do século XVIII de multiplicar o número das instituições de disciplina e de disciplinar os aparelhos existentes.

2) *A ramificação dos mecanismos disciplinares*: enquanto por um lado os estabelecimentos de disciplina se multiplicam, seus mecanismos têm uma certa tendência a se desinstitucionalizar, a sair das fortalezas fechadas onde funcionavam e a circular em estado "livre"; as disciplinas maciças e compactas se decompõem em processos flexíveis de controle, que se pode transferir e adaptar. Às vezes, são os aparelhos fechados que acrescentam à sua função interna e específica um papel de vigilância externa desenvolvendo uma margem de controles laterais. Assim, a escola cristã não deve simplesmente formar crianças dóceis: deve também permitir vigiar os pais, informar-se de sua maneira de viver, seus recursos, sua piedade, seus costumes. A escola tende a constituir minúsculos observatórios sociais para penetrar até nos adultos e exercer sobre eles um controle regular: o mau comportamento de uma criança, ou sua ausência, é um pretexto legítimo, segundo Demia, para se ir interrogar os vizinhos, principalmente se há razão para se pensar que a família não dirá a verdade; depois os próprios pais, para verificar se eles sabem o catecismo e as orações, se estão decididos a arrancar os vícios das crianças, quantas camas há e como eles se repartem nelas durante a noite; a visita termina eventualmente com uma esmola, o presente de uma imagem, ou a doação de camas suplementares[15]. Da mesma maneira o hospital é concebido cada vez mais como ponto de apoio para a vigilância médica da população externa; depois do incêndio do Hôtel-Dieu em 1772, muita gente pede que se substituam os

---

14. Relatório de Talleyrand à Constituinte, 10/10/1791. In: LÉON, A. *La Révolution française et l'éducation technique*. 1968, p. 106.

15. DEMIA, Ch. *Règlement pour les écoles de la ville de Lyon*. 1716, p. 39s.

grandes estabelecimentos, tão pesados e desorganizados, por uma série de hospitais de pequena dimensão; teriam por função recolher os doentes do bairro, mas também reunir informações, tomar conta dos fenômenos endêmicos ou epidêmicos, abrir dispensários, dar conselhos aos moradores e manter as autoridades a par do estado sanitário da região[16]. Vemos também se difundirem os procedimentos disciplinares, não a partir de instituições fechadas, mas de focos de controle disseminados na sociedade. Grupos religiosos, associações de beneficência muito tempo desempenharam esse papel de "disciplinamento" da população. Desde a Contrarreforma até à filantropia da monarquia de julho, multiplicaram-se iniciativas desse tipo; tinham objetivos religiosos (a conversão e a moralização), econômicos (o socorro e a incitação ao trabalho), ou políticos (tratava-se de lutar contra o descontentamento ou a agitação). Que seja suficiente citar a título de exemplo os regulamentos para as companhias de caridade das paróquias parisienses. O território a cobrir está dividido em bairros e cantões, que são repartidos pelos membros da companhia. Estes têm que visitá-los regularmente.

> Eles trabalharão para impedir os maus locais, tabacarias, academias, jogos, escândalos públicos, blasfêmias, impiedades, e outras desordens que possam chegar a seu conhecimento.

Terão também que fazer visitas individuais aos pobres; e os pontos de informação são precisados no regulamento: estabilidade de habitação, conhecimento das orações, frequência aos sacramentos, conhecimento de um ofício, moralidade (e "se não caíram na pobreza por sua culpa"); enfim,

> é preciso se informar direito de que maneira se comportam em casa, se mantêm paz entre si e com os vizinhos, se têm o cuidado de criar os filhos no temor de Deus [...] se não deitam os filhos crescidos de sexo diferente juntos e com eles, se não há libertinagem e carícias nas famílias, principalmente para com as filhas crescidas. Se há dúvida de que sejam casados, é preciso pedir-lhes uma certidão de casamento[17].

3) *A estatização dos mecanismos de disciplina*: na Inglaterra, foram grupos privados de inspiração religiosa que, muito tempo, realizaram as funções de

---

16. Na segunda metade do século XVIII, pensou-se muito em utilizar o exército como instância de vigilância e de policiamento geral, permitindo vigiar a população. O exército, ainda a disciplinar no século XVII, é concebido como "disciplinante". Cf. por ex. SERVAN, J. *Le Soldat citoyen*. 1780.

17. Arsenal, ms. 2565. Nessa numeração, encontram-se numerosos regulamentos para as companhias de caridade dos séculos XVII e XVIII.

disciplina social[18]. Na França, se uma parte desse papel ficou nas mãos das sociedades de patronatos ou de auxílio, outra – e sem dúvida a mais considerável – foi muito cedo ocupada pelo sistema policial.

A organização de uma polícia centralizada durante muito tempo foi considerada pelos contemporâneos como a expressão mais direta do absolutismo real: o soberano quisera ter

> um magistrado a quem pudesse confiar diretamente suas ordens, seus recados, suas intenções, e fosse encarregado da execução das ordens e das cartas de prego[19].

Com efeito ao mesmo tempo em que retomavam um certo número de funções preexistentes – procura dos criminosos, vigilância urbana, controle econômico e político – os chefes de polícia e a chefia geral que os coroava em Paris as transpunham para uma máquina administrativa, unitária e rigorosa:

> Todos os raios de força e de instrução que partem da circunferência chegam ao chefe geral [...]. É ele que faz funcionar as rodas cujo conjunto produz a ordem e a harmonia. Os efeitos de sua administração só podem ser bem-comparados aos movimentos dos corpos celestes[20].

Mas se a polícia como instituição foi realmente organizada sob a forma de um aparelho de Estado, e se foi mesmo diretamente ligada ao centro da soberania política, o tipo de poder que exerce, os mecanismos que põe em funcionamento e os elementos aos quais ela os aplica são específicos. É um aparelho que deve ser coextensivo ao corpo social inteiro, e não só pelos limites extremos que atinge, mas também pela minúcia dos detalhes de que se encarrega. O poder policial deve-se exercer "sobre tudo": não é, entretanto, a totalidade do Estado nem do reino como corpo visível e invisível do monarca; é a massa dos acontecimentos, das ações, dos comportamentos, das opiniões – "tudo o que acontece"[21]; o objeto da polícia são essas "coisas de todo instante", essas "coisas à toa" de que falava Catarina II em sua Grande Instrução[22]. Com a polícia estamos no indefinido de um controle que procura idealmente atingir o grão mais elementar, o fenômeno mais passageiro do corpo social:

---

18. Cf. RADZINOVITZ, L. *The English Criminal Law*, 1956, t. II, p. 203-214.

19. Nota de Duval, primeiro secretário de chefia de polícia, apud FUNCK-BRENTANO. *Catalogue des manuscrits de la bibliotèque de l'Arsenal*. T. IX, p. 1.

20. DES ESSARTS. *Dictionnaire universal de police*, 1787, p. 344, 528 [N.T.].

21. Le Maire, numa memória redigida a pedido de Sartine, para responder a dezesseis perguntas de José II sobre a polícia parisiense. Essa memória foi publicada por Gazier em 1879.

22. Suplemento à *Instruction pour la rédaction d'un nouveau code*. 1769, § 535.

O ministério dos magistrados e oficiais de polícia é dos mais importantes; os objetos que ele abarca são de certo modo indefinidos, só podemos percebê-los por um exame suficientemente detalhado[23]: o infinitamente pequeno do poder político.

E para se exercer, esse poder deve adquirir o instrumento para uma vigilância permanente, exaustiva, onipresente, capaz de tornar tudo visível, mas com a condição de se tornar ela mesma invisível. Deve ser como um olhar sem rosto que transforme todo o corpo social em um campo de percepção: milhares de olhos postados em toda parte, atenções móveis e sempre alerta, uma longa rede hierarquizada, que, segundo Le Maire, comporta para Paris os 48 comissários, os 20 inspetores, depois os "observadores", pagos regularmente, os "moscas abjetas" retribuídos por dia, depois os denunciadores, qualificados de acordo com a tarefa, enfim, as prostitutas. E essa incessante observação se deve acumular numa série de relatórios e de registros; ao longo de todo o século XVIII, um imenso texto policial tende a recobrir a sociedade graças a uma organização documentária complexa[24]. E ao contrário dos métodos de escrita judiciária ou administrativa, o que é assim registrado são comportamentos, atitudes, virtualidades, suspeitas – uma tomada de contas permanente do comportamento dos indivíduos.

Ora, é preciso notar que esse controle policial, se está inteiro "na mão do rei", não funciona numa só direção. É na realidade um sistema de entrada dupla: tem que responder, ligando o aparelho de justiça às vantagens imediatas do rei; mas é também capaz de responder às solicitações de baixo; em sua imensa maioria, as famosas cartas de prego, que foram muito tempo símbolo do arbítrio real e que politicamente desqualificaram a prática da detenção, eram na realidade solicitadas por famílias, mestres, notáveis locais, habitantes de bairros, curas de paróquia e tinham por função fazer sancionar com um internamento toda uma infrapenalidade, a da desordem, da agitação, da desobediência, do mau comportamento; o que Ledoux queria expulsar de sua cidade arquiteturalmente perfeita, e que chamava os "delitos de falta de vigilância". Em suma, a polícia do século XVIII, a seu papel de auxiliar de justiça na busca aos criminosos e de instrumento para o controle político dos complôs, dos movimentos de oposição ou das revoltas, acrescenta uma função disciplinar. Função complexa, pois une o poder absoluto do monarca às míni-

---

23. DELAMARE, N. *Traité de la police*. 1705, prefácio sem numeração de página.

24. Sobre os registros da polícia no século XVIII, podemos nos reportar a CHASSAIGNE, M. *La Lieutenance générale de police*. 1906.

mas instâncias de poder disseminadas na sociedade; pois, entre essas diversas instituições fechadas de disciplina (oficinas, exércitos, escolas), estende uma rede intermediária, agindo onde aquelas não podem intervir, disciplinando os espaços não disciplinares; mas que ela recobre, liga entre si, garante com sua força armada: disciplina intersticial e metadisciplina. "O soberano, com uma polícia disciplinada, acostuma o povo à ordem e à obediência"[25].

A organização do aparelho policial no século XVIII sanciona uma generalização das disciplinas que alcança as dimensões do Estado. Se bem que a polícia tenha estado ligada da maneira mais explícita a tudo o que, no poder real, excedia o exercício da justiça regulamentada, compreende-se por que a polícia pôde resistir com um mínimo de modificações à reorganização do poder judiciário; e por que ela não parou de lhe impor cada vez mais pesadamente, até hoje, suas prerrogativas; é sem dúvida porque ela é seu braço secular; mas é também porque, bem melhor que a instituição judiciária, ela se identifica, por sua extensão e seus mecanismos, com a sociedade de tipo disciplinar. Seria entretanto inexato pensar que as funções disciplinares tenham sido confiscadas e absorvidas definitivamente por um aparelho de Estado.

A "disciplina" não pode se identificar com uma instituição nem com um aparelho; ela é um tipo de poder, uma modalidade para exercê-lo, que comporta todo um conjunto de instrumentos, de técnicas, de procedimentos, de níveis de aplicação, de alvos; ela é uma "física" ou uma "anatomia" do poder, uma tecnologia. E pode ficar a cargo seja de instituições "especializadas" (as penitenciárias, ou as casas de correção do século XIX), seja de instituições que dela se servem como instrumento essencial para um fim determinado (as casas de educação, os hospitais), seja de instâncias preexistentes que nela encontram maneira de reforçar ou de reorganizar seus mecanismos internos de poder (um dia se precisará mostrar como as relações intrafamiliares, essencialmente na célula pais-filhos, se "disciplinaram", absorvendo desde a Era Clássica esquemas externos, escolares, militares, depois médicos, psiquiátricos, psicológicos, que fizeram da família o local de surgimento privilegiado para a questão disciplinar do normal e do anormal), seja de aparelhos que fizeram da disciplina seu princípio de funcionamento interior (disciplinação do aparelho administrativo a partir da época napoleônica), seja, enfim, de aparelhos estatais que têm por função não exclusiva, mas principalmente, fazer reinar a disciplina na escala de uma sociedade (a polícia).

---

25. VATTEL, E. de. *Le Droit des gens*. 1768, p. 162.

Pode-se então falar, em suma, da formação de uma sociedade disciplinar nesse movimento que vai das disciplinas fechadas, espécie de "quarentena" social, até o mecanismo indefinidamente generalizável do "panoptismo". Não que a modalidade disciplinar do poder tenha substituído todas as outras; mas porque ela se infiltrou no meio das outras, desqualificando-as às vezes, mas servindo-lhes de intermediária, ligando-as entre si, prolongando-as, e principalmente permitindo conduzir os efeitos de poder até os elementos mais tênues e mais longínquos. Ela assegura uma distribuição infinitesimal das relações de poder.

Poucos anos depois de Bentham, Julius redigia a certidão de nascimento dessa sociedade[26]. Falando do princípio panóptico, dizia que nele se via bem mais que um talento arquitetural: um acontecimento na "história do espírito humano". Aparentemente, não passa da solução de um problema técnico; mas por meio dela se constrói um tipo de sociedade. A Antiguidade foi uma civilização do espetáculo. "Tornar acessível a uma multidão de homens a inspeção de um pequeno número de objetos": a esse problema respondia a arquitetura dos templos, dos teatros e dos circos. Com o espetáculo predominavam a vida pública, a intensidade das festas, a proximidade sensual. Naqueles rituais em que corria sangue, a sociedade encontrava vigor e formava um instante como que um grande corpo único: A Idade Moderna coloca o problema contrário:

> Proporcionar a um pequeno número, ou mesmo a um só, a visão instantânea de uma grande multidão.

Numa sociedade em que os elementos principais não são mais a comunidade e a vida pública, mas os indivíduos privados por um lado, e o Estado por outro, as relações só podem ser reguladas numa forma exatamente inversa ao espetáculo:

> No tempo moderno, estava reservado à influência sempre crescente do Estado, à sua intervenção cada dia mais profunda em todos os detalhes e relações da vida social, aumentar e aperfeiçoar as garantias estatais, utilizando e dirigindo para essa grande finalidade a construção e a distribuição de edifícios destinados a vigiar ao mesmo tempo uma grande multidão de homens.

Julius via como um processo histórico cabalmente realizado o que Bentham descrevera como um programa técnico. Nossa sociedade não é de espetáculos, mas de vigilância: sob a superfície das imagens, investem-se os

---

26. JULIUS. N.H. *Leçons sur les prisons*. 1831. Vol. I, p. 384-386 [trad. francesa].

corpos em profundidade; atrás da grande abstração da troca, processa-se o treinamento minucioso e concreto das forças úteis; os circuitos da comunicação são os suportes de uma acumulação e centralização do saber; o jogo dos sinais define os pontos de apoio do poder; a totalidade do indivíduo não é amputada, reprimida, alterada por nossa ordem social, mas o indivíduo é cuidadosamente fabricado, segundo uma tática das forças e dos corpos. Somos bem menos gregos que pensamos. Não estamos nem nas arquibancadas nem no palco, mas na máquina panóptica, investidos por seus efeitos de poder que nós mesmos renovamos, pois somos suas engrenagens. A importância, na mitologia histórica, da personagem napoleônica, tem talvez aí uma de suas origens: encontra-se no ponto de junção do exercício monárquico e ritual da soberania e do exercício hierárquico e permanente da disciplina indefinida. É aquele que descortina tudo com um só olhar, mas a que nenhum detalhe, por ínfimo que seja, escapa jamais:

> Podeis julgar que nenhuma parte do Império está privada de vigilância, que nenhum crime, nenhum delito, nenhuma contravenção deve permanecer sem punição, e que o olho do gênio que tudo sabe acender abarca o conjunto dessa vasta máquina, sem que o mínimo detalhe lhe possa escapar[27].

A sociedade disciplinar, no momento de sua plena eclosão, assume ainda com o imperador o velho aspecto do poder de espetáculo. Como monarca ao mesmo tempo usurpador do antigo trono e organizador do novo Estado, ele recolheu numa figura simbólica e derradeira todo o longo processo pelo qual os faustos da soberania, as manifestações necessariamente espetaculares do poder se apagaram um por um no exercício cotidiano da vigilância, num panoptismo em que a penetração dos olhares entrecruzados há de em breve tornar inúteis a águia e o sol.

*

A formação da sociedade disciplinar está ligada a um certo número de amplos processos históricos no interior dos quais ela tem lugar: econômicos, jurídico-políticos, científicos etc.

1) De uma maneira global, pode-se dizer que as disciplinas são técnicas para assegurar a ordenação das multiplicidades humanas. É verdade que não há nisso nada de excepcional, nem mesmo de característico: a qualquer sistema de poder se coloca o mesmo problema. Mas o que é próprio das disciplinas

---

27. TREILHARD. J.B. *Motifs du code d'instruction criminelle*. 1808, p. 14.

é que elas tentam definir em relação às multiplicidades uma tática de poder que responde a três critérios: tornar o exercício do poder o menos custoso possível (economicamente, pela parca despesa que acarreta; politicamente, por sua discrição, sua fraca exteriorização, sua relativa invisibilidade, o pouco de resistência que suscita); fazer com que os efeitos desse poder social sejam levados a seu máximo de intensidade e estendidos tão longe quanto possível, sem fracasso, nem lacuna; ligar enfim esse crescimento "econômico" do poder e o rendimento dos aparelhos no interior dos quais se exerce (sejam os aparelhos pedagógicos, militares, industriais, médicos), em suma fazer crescer ao mesmo tempo a docilidade e a utilidade de todos os elementos do sistema. Esse triplo objetivo das disciplinas responde a uma conjuntura histórica bem conhecida. É por um lado a grande explosão demográfica do século XVIII: aumento da população flutuante (fixar é um dos primeiros objetivos da disciplina; é um processo de antinomadismo); mudança da escala quantitativa dos grupos que importa controlar ou manipular (do começo do século XVII às vésperas da Revolução Francesa, a população escolar se multiplicou, como sem dúvida a população hospitalizada; o exército em tempo de paz contava no fim do século XVIII mais de 200.000 homens). O outro aspecto da conjuntura é o crescimento do aparelho de produção, cada vez mais extenso e complexo, cada vez mais custoso também e cuja rentabilidade urge fazer crescer. O desenvolvimento dos modos disciplinares de proceder responde a esses dois processos ou antes sem dúvida à necessidade de ajustar sua correlação. Nem as formas residuais do poder feudal, nem as estruturas da monarquia administrativa, nem os mecanismos locais de controle, nem o emaranhado instável que formavam todos juntos podia desempenhar esse papel: impedia-os de fazê-lo a extensão lacunosa e sem regularidade de sua rede, seu funcionamento muitas vezes conflitante, mas principalmente o caráter "dispendioso" do poder exercido. Dispendioso em vários sentidos: porque diretamente custava muito ao Tesouro, porque o sistema dos ofícios venais ou o da cobrança dos impostos pesava de maneira indireta e muito sobre a população, porque as resistências que encontrava o arrastavam a um ciclo de reforço perpétuo, porque procedia essencialmente por retirada (retirada de dinheiro ou de produtos pelo fisco monárquico, senhorial, eclesiástico; retirada de homens ou de tempo pelos serviços obrigatórios ou pelos alistamentos, pelo encarceramento de vagabundos ou seu banimento). O desenvolvimento das disciplinas marca a aparição de técnicas elementares do poder que derivam de uma economia totalmente diversa: mecanismos de poder que, em vez de vir "em dedução", integram-se de dentro à eficácia produtiva dos aparelhos, ao crescimento dessa eficácia, e à utilização do que ela produz. As disciplinas substituem o velho princípio "retirada-violência" que regia a economia do poder pelo princípio "suavidade--produção-lucro". Devem ser tomadas como técnicas que permitem ajustar, segundo esse princípio, a multiplicidade dos homens e a multiplicação dos aparelhos de produção (e como tal se deve entender não só "produção" propriamente dita, mas a produção de saber e de aptidões na escola, a produção de saúde nos hospitais, a produção de força destrutiva com o exército).

Nessa tarefa de ajustamento, a disciplina encontra alguns problemas a resolver, para os quais a antiga economia do poder não estava suficientemente aparelhada. Pode fazer diminuir a "desutilidade" dos fenômenos de massa: reduzir aquilo que, numa multiplicidade, faz com que esta seja muito menos manejável que uma unidade; reduzir o que se opõe à utilização de cada um de seus elementos e de sua soma; reduzir tudo o que nela possa anular as vantagens do número; é por isso que a disciplina fixa; ela imobiliza ou regulamenta os movimentos; resolve as confusões, as aglomerações compactas sobre as circulações incertas, as repartições calculadas. Ela deve também dominar todas as forças que se formam a partir da própria constituição de uma multiplicidade organizada; deve neutralizar os efeitos de contrapoder que dela nascem e que formam resistência ao poder que quer dominá-la: agitações, revoltas, organizações espontâneas, conluios – tudo o que pode se originar das conjunções horizontais. Daí o fato de as disciplinas utilizarem processos de separação e de verticalidade, de introduzirem entre os diversos elementos de mesmo plano barreiras tão estanques quanto possível, de definirem redes hierárquicas precisas, em suma de oporem à força intrínseca e adversa da multiplicidade o processo da pirâmide contínua e individualizante. Elas devem também fazer crescer a utilidade singular de cada elemento da multiplicidade, mas por meios que sejam os mais rápidos e menos custosos, ou seja, utilizando a própria multiplicidade como instrumento desse crescimento: daí, para extrair dos corpos o máximo de tempo e de forças, esses métodos de conjunto que são os horários, os treinamentos coletivos, os exercícios, a vigilância ao mesmo tempo global e minuciosa. É preciso, além disso, que as disciplinas façam crescer o efeito de utilidade próprio às multiplicidades, e que tornem cada uma delas mais útil que a simples soma de seus elementos; é para fazer crescer os efeitos utilizáveis do múltiplo que as disciplinas definem táticas de distribuição, de ajustamento recíproco dos corpos, dos gestos e dos ritmos, de diferenciação das capacidades, de coordenação recíproca em relação a aparelhos ou a tarefas. Enfim, a disciplina tem que fazer funcionar as relações de poder não acima, mas na própria trama da multiplicidade, da maneira mais discreta possível, articulada do melhor modo sobre as outras funções dessas multiplicidades, e também o menos dispendiosamente possível: atendem a isso instrumentos de poder anônimos e coextensivos à multiplicidade que regimentam, como a vigilância hierárquica, o registro contínuo, o julgamento e a classificação perpétuos. Em suma, substituir um poder que se manifesta pelo brilho dos que o exercem, por um poder que objetiva insidiosamente aqueles aos quais é aplicado; formar um saber a respeito destes, mais que patentear os sinais faustosos da soberania. Em uma palavra, as disciplinas são o conjunto das minúsculas invenções técnicas que permitiram fazer crescer a extensão útil das multiplicidades fazendo diminuir os inconvenientes do poder que, justamente para torná-las úteis, deve regê-las. Uma multiplicidade, seja uma oficina ou uma nação, um exército ou uma escola, atinge o limiar da disciplina quando a de uma para com a outra se torna favorável.

Se a decolagem econômica do Ocidente começou com os processos que permitiram a acumulação do capital, pode-se dizer, talvez, que os métodos para gerir a acumulação dos homens permitiram uma decolagem política em relação a formas de poder tradicionais, rituais, dispendiosas, violentas e que, logo caídas em desuso, foram substituídas por uma tecnologia minuciosa e calculada da sujeição. Na verdade os dois processos, acumulação de homens e acumulação de capital, não podem ser separados; não teria sido possível resolver o problema da acumulação de homens sem o crescimento de um aparelho de produção capaz ao mesmo tempo de mantê-los e de utilizá-los; inversamente, as técnicas que tornam útil a multiplicidade cumulativa de homens aceleram o movimento de acumulação de capital. Em um nível menos geral, as mutações tecnológicas do aparelho de produção, a divisão do trabalho, e a elaboração das maneiras de proceder disciplinares mantiveram um conjunto de relações muito próximas[28]. Cada uma das duas tornou possível a outra, e necessária: cada uma das duas serviu de modelo para a outra. A pirâmide disciplinar constituiu a pequena célula de poder no interior da qual a separação, a coordenação e o controle das tarefas foram impostos e se tornaram eficazes: e o quadriculamento analítico do tempo, dos gestos, das forças dos corpos, constituiu um esquema operatório que pôde facilmente ser transferido dos grupos a submeter para os mecanismos da produção; a projeção maciça dos métodos militares sobre a organização industrial foi um exemplo dessa modelação da divisão do trabalho a partir de esquemas de poder. Mas em compensação, a análise técnica do processo de produção, sua decomposição "maquinal" se projetaram sobre a força de trabalho que tinha como tarefa realizá-lo: a constituição dessas máquinas disciplinares onde são compostas

---

28. Cf. MARX, K. *O Capital*. Livro I, 4ª seção, cap. XIII. E a análise muito interessante de GUERRY, F. & DELEULE, D. *Le Corps productif*. 1973.

e assim amplificadas as forças individuais que elas associam é o efeito dessa projeção. Digamos que a disciplina é o processo técnico unitário pelo qual a força do corpo é com o mínimo ônus reduzida como força "política", e maximalizada como força útil. O crescimento de uma economia capitalista fez apelo à modalidade específica do poder disciplinar, cujas fórmulas gerais, cujos processos de submissão das forças e dos corpos, cuja "anatomia política", em uma palavra, podem ser postos em funcionamento por meio de regimes políticos, de aparelhos ou de instituições muito diversas.

2) A modalidade panóptica do poder – no nível elementar, técnico, humildemente físico em que se situa – não está na dependência imediata nem no prolongamento direto das grandes estruturas jurídico-políticas de uma sociedade; ela não é entretanto absolutamente independente. Historicamente, o processo pelo qual a burguesia se tornou no decorrer do século XVIII a classe politicamente dominante, abrigou-se atrás da instalação de um quadro jurídico explícito, codificado, formalmente igualitário, e através da organização de um regime de tipo parlamentar e representativo. Mas o desenvolvimento e a generalização dos dispositivos disciplinares constituíram a outra vertente, obscura, desse processo. A forma jurídica geral que garantia um sistema de direitos em princípio igualitários era sustentada por esses mecanismos miúdos, cotidianos e físicos, por todos esses sistemas de micropoder essencialmente inigualitários e assimétricos que constituem as disciplinas. E se, de uma maneira formal, o regime representativo permite que direta ou indiretamente, com ou sem revezamento, a vontade de todos forme a instância fundamental da soberania, as disciplinas dão, na base, garantia da submissão das forças e dos corpos. As disciplinas reais e corporais constituíram o subsolo das liberdades formais e jurídicas. O contrato podia muito bem ser imaginado como fundamento ideal do direito e do poder político; o panoptismo constituía o processo técnico, universalmente difundido, da coerção. Não parou de elaborar em profundidade as estruturas jurídicas da sociedade, para fazer funcionar os mecanismos efetivos do poder ao encontro dos quadros formais de que este dispunha. As "Luzes" que descobriram as liberdades inventaram também as disciplinas.

Aparentemente as disciplinas não constituem nada mais que um infradireito. Parecem prolongar, até um nível infinitesimal das existências singulares, as formas gerais definidas pelo direito; ou, ainda, aparecem como maneiras de aprendizagem que permitem aos indivíduos se integrarem a essas exigências gerais. Constituiriam o mesmo tipo de direito fazendo-o mudar de escala, e assim tornando-o mais minucioso e sem dúvida mais indulgente. Temos antes que ver nas disciplinas uma espécie de contradireito. Elas têm o papel preciso de introduzir assimetrias insuperáveis e de excluir reciprocidades. Em primei-

214

ro lugar porque a disciplina cria entre os indivíduos um laço "privado", que é uma relação de limitações inteiramente diferente da obrigação contratual; a aceitação de uma disciplina pode ser subscrita por meio de contrato; a maneira como ela é imposta, os mecanismos que faz funcionar, a subordinação não reversível de uns em relação aos outros, o "mais-poder" que é sempre fixado do mesmo lado, a desigualdade de posição dos diversos "parceiros" em relação ao regulamento comum opõem o laço disciplinar e o laço contratual, e permitem sistematicamente falsear este último a partir do momento em que tem por conteúdo um mecanismo de disciplina. Sabemos, por exemplo, quantos procedimentos reais acomodam a seus objetivos a função jurídica do contrato de trabalho: a disciplina de oficina não é o menos importante. Além disso, enquanto os sistemas jurídicos qualificam os sujeitos de direito, segundo normas universais, as disciplinas caracterizam, classificam, especializam; distribuem ao longo de uma escala, repartem em torno de uma norma, hierarquizam os indivíduos em relação uns aos outros, e, levando ao limite, desqualificam e invalidam. De qualquer modo, no espaço e durante o tempo em que exercem seu controle e fazem funcionar as assimetrias de seu poder, elas efetuam uma suspensão, nunca total, mas também nunca anulada, do direito. Por regular e institucional que seja, a disciplina, em seu mecanismo, é um "contradireito". E se o juridismo universal da sociedade moderna parece fixar limites ao exercício dos poderes, seu panoptismo difundido em toda parte faz funcionar, ao arrepio do direito, uma maquinaria ao mesmo tempo imensa e minúscula que sustenta, reforça, multiplica a assimetria dos poderes e torna vãos os limites que lhe foram traçados. As disciplinas ínfimas, os panoptismos de todos os dias podem muito bem estar abaixo do nível de emergência dos grandes aparelhos e das grandes lutas políticas. Elas foram, na genealogia da sociedade moderna, com a dominação de classe que a atravessa, a contrapartida política das normas jurídicas segundo as quais era redistribuído o poder. Daí sem dúvida a importância que se dá há tanto tempo aos pequenos processos da disciplina, a essas espertezas à toa que ela inventou, ou ainda aos saberes que lhe emprestam uma face confessável; daí o receio de se desfazer delas se não lhes encontramos substituto; daí a afirmação de que estão no próprio fundamento da sociedade, e de seu equilíbrio, enquanto são uma série de mecanismos para desequilibrar definitivamente e em toda parte as relações de poder; daí o fato de nos obstinarmos a fazê-las passar pela forma humilde, mas concreta de qualquer moral, enquanto elas são um feixe de técnicas físico-políticas.

E, para voltar ao problema dos castigos legais, a prisão com toda a tecnologia corretiva de que se acompanha deve ser recolocada aí: no ponto em que se faz a torsão do poder codificado de punir, em um poder disciplinar de vigiar; no ponto que os castigos universais das leis vêm se aplicar seletivamente a certos indivíduos e sempre aos mesmos; no ponto em que a requalificação do sujeito de direito pela pena se torna treinamento útil do criminoso; no ponto em que o direito se inverte e passa para fora de si mesmo, e em que o contradireito se torna o conteúdo efetivo e institucionalizado das formas jurídicas. O que generaliza então o poder de punir não é a consciência universal da lei em cada um dos sujeitos de direito, é a extensão regular, é a trama infinitamente cerrada dos processos panópticos.

3) Tomados um por um, a maior parte desses processos tem uma longa história atrás de si. Mas o ponto da novidade, no século XVIII, é que, compondo-se e regularizando-se, eles atingem o nível a partir do qual formação de saber e majoração de poder se reforçam regularmente segundo um processo circular. As disciplinas atravessam então o limiar "tecnológico". O hospital primeiro, depois a escola, mais tarde ainda a oficina, não foram simplesmente "postos em ordem" pelas disciplinas: tornaram-se, graças a elas, aparelhos tais que qualquer mecanismo de objetivação pode valer neles como instrumento de sujeição, e qualquer crescimento de poder dá neles lugar a conhecimentos possíveis; foi a partir desse laço, próprio dos sistemas tecnológicos, que se puderam formar no elemento disciplinar a medicina clínica, a psiquiatria, a psicologia da criança, a psicopedagogia, a racionalização do trabalho. Duplo processo, portanto: arrancada epistemológica a partir de um afinamento das relações de poder; multiplicação dos efeitos de poder graças à formação e à acumulação de novos conhecimentos.

A extensão dos métodos disciplinares se inscreve num amplo processo histórico: o desenvolvimento mais ou menos na mesma época de várias outras tecnologias – agronômicas, industriais, econômicas. Mas temos que reconhecer: ao lado das indústrias mineiras, da química que nascia, dos métodos de contabilidade nacional, ao lado dos altos-fornos ou da máquina a vapor, o panoptismo foi pouco celebrado. Só se reconhece nele uma pequena utopia estranha, o sonho de uma maldade – um pouco como se Bentham tivesse sido o Fourier de uma sociedade policial, cujo Falanstério houvesse tido a forma do Panóptico. E, entretanto, tinha-se aí a fórmula abstrata de uma tecnologia bem real, a dos indivíduos. Que ela tenha colhido poucos elogios, há muitas razões que explicam; a mais evidente é que os discursos a que deu lugar raramente adquiriram, a não ser para as classificações acadêmicas, o *status* de ciências; mas a mais real é sem dúvida a de que o poder que ela põe em funcionamento e que ela permite aumentar é um poder direto e físico que os homens exercem uns sobre os outros. Para um ponto de chegada sem glória, uma origem difícil de confessar. Mas seria injusto confrontar os processos disciplinares com invenções como a máquina a vapor ou o microscópio de Amici. Eles são muito menos; e entretanto, de certo modo, são muito mais. Se fosse preciso encontrar para eles um equivalente histórico ou pelo menos um ponto de comparação, seria antes do lado da técnica "inquisitorial".

O século XVIII inventou as técnicas da disciplina e o exame, um pouco sem dúvida como a Idade Média inventou o inquérito judiciário. Mas por vias totalmente diversas. O processo do inquérito, velha técnica fiscal e administrativa, se desenvolveu principalmente com a reorganização da Igreja e o crescimento dos Estados principescos nos séculos XII e XIII. Foi então que ele penetrou com a amplitude que se sabe na jurisprudência dos tribunais eclesiásticos, depois nas cortes leigas. O inquérito como pesquisa autoritária de uma verdade constatada ou atestada se opunha assim aos antigos processos do juramento, da ordália, do duelo judiciário, do julgamento de Deus ou ainda da transação entre particulares. O inquérito era o poder soberano que se arrogava o direito de estabelecer a verdade por meio de um certo número de técnicas regulamentadas. Ora, embora o inquérito, desde aquele momento, se tenha incorporado à justiça ocidental (e até em nossos dias), não se deve esquecer sua origem política, sua ligação com o nascimento dos Estados e da soberania monárquica, nem tampouco sua derivação posterior e seu papel na formação do saber. O inquérito foi com efeito a peça rudimentar e fundamental, para a constituição das ciências empíricas; foi a matriz jurídico-política desse saber experimental, que, como se sabe, teve seu rápido surto no fim da Idade Média. É talvez verdade que a matemática, na Grécia, nasceu das técnicas da medida; as ciências da natureza, em todo caso, nasceram por um lado, no fim da Idade Média, das práticas do inquérito. O grande conhecimento empírico que recobriu as coisas do mundo e as transcreveu na ordenação de um discurso indefinido que consta, descreve e estabelece os "fatos" (e isto no momento em que o mundo ocidental começava a conquista econômica e política desse mesmo mundo) tem sem dúvida seu modelo operatório na Inquisição – essa imensa invenção que nosso recente amolecimento colocou na sombra da memória. Ora, o que esse inquérito político-jurídico, administrativo e criminal, religioso e leigo foi para as ciências da natureza, a análise disciplinar foi para as ciências do homem. Essas ciências com que nossa "humanidade" se encanta há mais de um século têm sua matriz técnica na minúcia tateante e maldosa das disciplinas e de suas investigações. Estas são talvez para a psicologia, a pedagogia, a psiquiatria, a criminologia, e para tantos outros estranhos conhecimentos, o que foi o terrível poder de inquérito para o saber calmo dos animais, das plantas ou da terra. Outro poder, outro saber. No limiar da Era Clássica, Bacon, o homem da lei e do Estado, tentou fazer para as ciências empíricas a metodologia do inquérito. Quem será o Grande Vigia que fará a do exame, para as ciências humanas? Tal não sucederá apenas se não for possível. Pois, se é verdade que o inquérito, ao se tornar uma técnica para as ciências empíricas, se destacou do processo inquisitorial em que tinha suas raízes históricas, já o exame permaneceu o mais próximo do poder disciplinar que o formou. É ainda e sempre uma peça intrínseca das disciplinas. É claro, ele parece ter sofrido uma depuração especulativa, ao se integrar em ciências como a psiquiatria, a psicologia. E efetivamente, sob a forma de testes, de entrevistas, de interrogatórios, de consultas, o vemos retificar aparentemente os mecanismos da disciplina: a psicologia é encarregada de corrigir os rigores da escola, como a entrevista médica ou psiquiátrica é encarregada de retificar os efeitos da disciplina de trabalho. Mas não devemos nos enganar: essas técnicas apenas mandam os indivíduos de uma instância disciplinar a outra, e reproduzem, de uma forma concentrada, ou formalizada, o esquema de poder-saber próprio a toda disciplina[29]. O grande inquérito que deu lugar às ciências da natureza se destacou de seu modelo político-jurídico; o exame, em compensação, continua preso à tecnologia disciplinar.

O procedimento do inquérito na Idade Média foi imposto à velha justiça acusatória, mas por um processo vindo de cima; já a técnica disciplinar invadiu, insidiosamente e como que por baixo, uma justiça penal que é ainda, em seu princípio, inquisitória. Todos os grandes movimentos de derivação que caracterizam a penalidade moderna – a problematização do criminoso por trás de seu crime, a preocupação com uma punição que seja correção, terapêutica, normalização, a divisão do ato do julgamento entre diversas instâncias que devem, segundo se espera, medir, avaliar, diagnosticar, curar, transformar os indivíduos – tudo isso trai a penetração do exame disciplinar na inquisição judiciária.

O que agora é imposto à justiça penal como seu ponto de aplicação, seu objeto "útil", não será mais o corpo do culpado levantado contra o corpo do rei; não será mais tampouco o sujeito de direito de um contrato ideal; mas o indivíduo disciplinar. O ponto extremo da justiça penal no Antigo Regime era o retalhamento infinito do corpo do regicida: manifestação do poder mais forte sobre o corpo do maior criminoso, cuja destruição total faz brilhar o crime em sua verdade. O ponto ideal da penalidade hoje seria a disciplina infinita: um interrogatório sem termo, um inquérito que se prolongasse sem limite numa observação minuciosa e cada vez mais analítica, um julgamento

---

29. Cf., quanto a este assunto, TORT, M. *QI*. 1974.

que seja ao mesmo tempo a constituição de um processo nunca encerrado, o amolecimento calculado de uma pena ligada à curiosidade implacável de um exame, um procedimento que seja ao mesmo tempo a medida permanente de um desvio em relação a uma norma inacessível e o movimento assintótico que obriga a encontrá-la no infinito. O suplício completa logicamente um processo comandado pela Inquisição. A "observação" prolonga naturalmente uma justiça invadida pelos métodos disciplinares e pelos processos de exame. Acaso devemos nos admirar que a prisão celular, com suas cronologias marcadas, seu trabalho obrigatório, suas instâncias de vigilância e de notação, com seus mestres de normalidade, que retomam e multiplicam as funções do juiz, tenha-se tornado o instrumento moderno da penalidade? Devemos ainda nos admirar que a prisão se pareça com as fábricas, com as escolas, com os quartéis, com os hospitais, e todos se pareçam com as prisões?

QUARTA PARTE

PRISÃO

Capítulo I

INSTITUIÇÕES COMPLETAS E AUSTERAS

A prisão é menos recente do que se diz quando se faz datar seu nascimento dos novos códigos. A forma-prisão preexiste à sua utilização sistemática nas leis penais. Ela se constituiu fora do aparelho judiciário, quando se elaboraram, por todo o corpo social, os processos para repartir os indivíduos, fixá-los e distribuí-los espacialmente, classificá-los, tirar deles o máximo de tempo e o máximo de forças, treinar seus corpos, codificar seu comportamento contínuo, mantê-los numa visibilidade sem lacuna, formar em torno deles um aparelho completo de observação, registro e notações, constituir sobre eles um saber que se acumula e se centraliza. A forma geral de uma aparelhagem para tornar os indivíduos dóceis e úteis, por meio de um trabalho preciso sobre seu corpo, criou a instituição-prisão, antes que a lei a definisse como a pena por excelência. No fim do século XVIII e princípio do XIX se dá a passagem a uma penalidade de detenção, é verdade; e era coisa nova. Mas era na verdade abertura da penalidade a mecanismos de coerção já elaborados em outros lugares. Os "modelos" da detenção penal – Gand, Gloucester, Walnut Street – marcam os primeiros pontos visíveis dessa transição, mais que inovações ou pontos de partida. A prisão, peça essencial no conjunto das punições, marca certamente um momento importante na história da justiça penal: seu acesso à "humanidade". Mas também um momento importante na história desses mecanismos disciplinares que o novo poder de classe estava desenvolvendo: o momento em que aqueles colonizam a instituição judiciária. Na passagem dos dois séculos, uma nova legislação define o poder de punir como uma função geral da sociedade que é exercida da mesma maneira sobre todos os seus membros, e na qual cada um deles é igualmente representado; mas, ao fazer da detenção a pena por excelência, ela introduz processos de dominação característicos de um tipo particular de poder. Uma justiça que se diz "igual", um aparelho judiciário

223

que se pretende "autônomo", mas que é investido pelas assimetrias das sujeições disciplinares, tal é a conjunção do nascimento da prisão, "pena das sociedades civilizadas"[1].

Pode-se compreender o caráter de obviedade que a prisão-castigo muito cedo assumiu. Desde os primeiros anos do século XIX, ter-se-á ainda consciência de sua novidade; e entretanto ela surgiu tão ligada, e em profundidade, com o próprio funcionamento da sociedade, que relegou ao esquecimento todas as outras punições que os reformadores do século XVIII haviam imaginado. Pareceu sem alternativa, e levada pelo próprio movimento da história:

> Não foi o acaso, não foi o capricho do legislador que fizeram do encarceramento a base e o edifício quase inteiro de nossa escala penal atual: foi o progresso das ideias e a educação dos costumes[2].

E se, em pouco mais de um século, o clima de obviedade se transformou, não desapareceu. Conhecem-se todos os inconvenientes da prisão, e sabe-se que é perigosa, quando não inútil. E entretanto não "vemos" o que pôr em seu lugar. Ela é a detestável solução, de que não se pode abrir mão.

Essa "obviedade" da prisão, de que nos destacamos tão mal, se fundamenta em primeiro lugar na forma simples da "privação de liberdade". Como não seria a prisão a pena por excelência numa sociedade em que a liberdade é um bem que pertence a todos da mesma maneira e ao qual cada um está ligado por um sentimento "universal e constante"?[3] Sua perda tem portanto o mesmo preço para todos; melhor que a multa, ela é o castigo "igualitário". Clareza de certo modo jurídica da prisão. Além disso ela permite quantificar exatamente a pena segundo a variável do tempo. Há uma forma-salário da prisão que constitui, nas sociedades industriais, sua "obviedade" econômica. E permite que ela pareça como uma reparação. Retirando tempo do condenado, a prisão parece traduzir concretamente a ideia de que a infração lesou, mais além da vítima, a sociedade inteira. Obviedade econômico-moral de uma penalidade que contabiliza os castigos em dias, em meses, em anos e estabelece equivalências quantitativas delitos-duração. Daí a expressão tão frequente, e que está tão de acordo com o funcionamento das punições, se bem que contrária à teoria estrita do direito penal, de que a pessoa está na prisão para

---

1. ROSSI, P. *Traité de droit pénal*. Vol. III, 1829, p. 169.
2. VAN MEENEN. "Congresso penitenciário de Bruxelas". *Annales de la Charité*, 1847, p. 529s.
3. DUPORT, A. "Discurso à constituinte". *Archives parlementaires*.

"pagar sua dívida". A prisão é "natural" como é "natural" na nossa sociedade o uso do tempo para medir as trocas[4].

Mas a obviedade da prisão se fundamenta também em seu papel, suposto ou exigido, de aparelho para transformar os indivíduos. Como não seria a prisão imediatamente aceita, pois se só o que ela faz, ao encarcerar, ao retreinar, ao tornar dócil, é reproduzir, podendo sempre acentuá-los um pouco, todos os mecanismos que encontramos no corpo social? A prisão: um quartel um pouco estrito, uma escola sem indulgência, uma oficina sombria, mas, levando ao fundo, nada de qualitativamente diferente. Esse duplo fundamento – jurídico-econômico por um lado, técnico-disciplinar por outro – fez a prisão aparecer como a forma mais imediata e mais civilizada de todas as penas. E foi esse duplo funcionamento que lhe deu imediata solidez. Uma coisa, com efeito, é clara: a prisão não foi primeiro uma privação de liberdade a que se teria dado em seguida uma função técnica de correção; ela foi desde o início uma "detenção legal" encarregada de um suplemento corretivo, ou ainda uma empresa de modificação dos indivíduos que a privação de liberdade permite fazer funcionar no sistema legal. Em suma, o encarceramento penal, desde o início do século XIX, recobriu ao mesmo tempo a privação de liberdade e a transformação técnica dos indivíduos.

Lembremos um certo número de fatos. Nos códigos de 1808 e de 1810, e nas medidas que os seguiram ou os precederam imediatamente, o encarceramento nunca se confunde com a simples privação de liberdade. É, ou deve ser em todo caso, um mecanismo diferenciado e finalizado. Diferenciado pois não deve ter: a mesma forma, consoante se trate de um indiciado ou de um condenado, de um contraventor ou de um criminoso: cadeia, casa de correção, penitenciária devem em princípio corresponder mais ou menos a essas diferenças, e realizar um castigo não só graduado em intensidade, mas diversificado em seus objetivos. Pois a prisão tem um fim, apresentado de saída:

> Como a lei inflige penas umas mais graves que outras, não pode permitir que o indivíduo condenado a penas leves se encontre preso no mesmo local que o criminoso condenado a penas mais graves [...]; se a pena infligida pela lei tem como objetivo principal a reparação do crime, ela pretende também que o culpado se emende[5].

---

4. O jogo entre as duas "naturezas" da prisão ainda é constante. Há alguns dias o chefe da nação lembrou o "princípio" de que a detenção só devia ser uma "privação de liberdade" – a pura essência do encarceramento libertado da realidade da prisão; e acrescentou que a prisão só se podia justificar por seus efeitos "corretivos" ou readaptadores.

5. *Motifs du Code d'instruction criminelle*. p. 244. [Relatório de G.A. Real].

E deve-se requerer essa transformação aos efeitos internos do encarceramento. Prisão-castigo, prisão-aparelho:

> A ordem que deve reinar nas cadeias pode contribuir fortemente para regenerares condenados; os vícios da educação, o contágio dos maus exemplos, a ociosidade [...] originaram crimes. Pois bem, tentemos fechar todas essas fontes de corrupção; que sejam praticadas regras de sã moral nas casas de detenção; que, obrigados a um trabalho de que terminarão gostando, quando dele recolherem o fruto, os condenados contraiam o hábito, o gosto e a necessidade da ocupação; que se deem respectivamente o exemplo de uma vida laboriosa; ela logo se tornará uma vida pura; logo começarão a lamentar o passado, primeiro sinal avançado de amor pelo dever[6].

As técnicas corretivas imediatamente fazem parte da armadura institucional da detenção penal.

Devemos lembrar também que o movimento para reformar as prisões, para controlar seu funcionamento, não é um fenômeno tardio. Não parece sequer ter nascido de um atestado de fracasso devidamente lavrado. A "reforma" da prisão é mais ou menos contemporânea da própria prisão. Ela é como que seu programa. A prisão se encontrou, desde o início, engajada numa série de mecanismos de acompanhamento, que aparentemente devem corrigi-la, mas que parecem fazer parte de seu próprio funcionamento, de tal modo têm estado ligados a sua existência em todo o decorrer de sua história. Houve, imediatamente, uma tecnologia loquaz da prisão. Inquéritos: o de Chaptal já em 1801 (quando se tratava de fazer o levantamento do que se podia utilizar para implantar na França o aparelho carcerário), o de Decazes em 1819, o livro de Villermé publicado em 1820, o relatório sobre as penitenciárias preparado por Martignac em 1829, os inquéritos conduzidos nos Estados Unidos por Beaumont de Tocqueville em 1831, por Demetz e Blouet em 1835, os questionários dirigidos por Montalivet aos diretores de penitenciárias e aos conselhos gerais quando se está em pleno debate sobre o isolamento dos detentos. Sociedades, para controlar o funcionamento das prisões e propor sua melhora:

---

6. Ibid., Relatório de Treilhard, p. 8s. Nos anos anteriores, encontramos frequentemente o mesmo tema: "A pena de detenção pronunciada pela lei tem principalmente por objeto corrigir os indivíduos, ou seja, torná-los melhores, prepará-los, com provas mais ou menos longas, para retomar seu lugar na sociedade sem tornar a abusar... Os meios mais seguros de tornar melhores os indivíduos são o trabalho e a instrução". Esta consiste não só em aprender a ler e a calcular, mas também em reconciliar os condenados "com as ideias de ordem, de moral, de respeito por si mesmos e pelos outros" (Beugnot, prefeito de Seine-Inférieure, portaria de Frimário, ano X). Nos relatórios pedidos por Chaptal aos conselhos gerais, mais de uma dúzia pedem prisões onde se possa fazer os detentos trabalharem.

em 1818, é a muito oficial "Sociedade para a melhoria das prisões", um pouco mais tarde a "sociedade das prisões" e diversos grupos filantrópicos. Inúmeras providências – portarias, instruções ou leis: desde a reforma que a primeira Restauração havia previsto logo no mês de setembro de 1814, e que nunca foi aplicada, até à lei de 1844, preparada por Tocqueville e que por algum tempo encerrou um longo debate sobre os meios de tornar eficaz a prisão. Programas para assegurar o funcionamento da máquina-prisão[7]: programas de tratamento para os detentos: modelos de arranjo material, alguns permanecendo puros projetos como os de Danjou, de Blouet, de Harou-Romain, outros tomando forma em instruções (como a circular de 9 de agosto de 1841 sobre as construções das cadeias), outras se tornando arquiteturas muito reais, como a Petite Roquette, onde pela primeira vez na França foi organizado o encarceramento celular.

A que se devem ainda acrescentar as publicações mais ou menos diretamente saídas da prisão e redigidas ou por filantropos, como Appert, ou um pouco mais tarde por "especialistas" (assim como os *Annales de la Charité*[8], ou ainda por antigos detentos; *Pauvre Jacques* no fim da Restauração, ou a *Gazette de Sainte-Pélagie* no começo da monarquia de julho[9].

A prisão não deve ser vista como uma instituição inerte, que volta e meia teria sido sacudida por movimentos de reforma. A "teoria da prisão" foi seu modo de usar constante, mais que sua crítica incidente – uma de suas condições de funcionamento. A prisão fez sempre parte de um campo ativo onde abundaram os projetos, os remanejamentos, as experiências, os discursos teóricos, os testemunhos, os inquéritos. Em torno da instituição carcerária, toda uma prolixidade, todo um zelo. A prisão, região sombria e abandonada? O simples fato de que não se pare de dizê-lo há cerca de dois séculos prova que

---

7. Os mais importantes foram sem dúvida os propostos por Ch. Lucas, Marquet-Wasselot, Faucher, Bonneville, um pouco mais tarde Ferrus. Deve-se ressaltar que a maior parte destes não eram filantropos, que criticavam do exterior a instituição carcerária, mas que estavam ligados, de um modo ou de outro, à administração das prisões. Técnicos oficiais.

8. Na Alemanha Julius dirigia os *Jahrbücher für Strafs- und Besserungs Anstalten.*

9. Se bem que esses jornais tenham sido principalmente órgãos de defesa dos prisioneiros por dívidas e que várias vezes marcaram sua distância em relação aos delinquentes propriamente ditos, encontramos a afirmação de que "as colunas de *Pauvre Jacques* não são absolutamente consagradas a uma única especialidade. A terrível lei da coação por corpo, sua funesta aplicação não serão o único ponto atacado pelo prisioneiro jornalista... *Pauvre Jacques* levará a atenção dos leitores aos locais de reclusão, de detenção, às cadeias, aos centros de refúgio, não manterá silêncio sobre os locais de tortura onde o homem culpado é entregue aos suplícios, quando a lei só o condena aos trabalhos..." (*Pauvre Jacques*, ano I, n. 7). Assim também a *Gazette de Sainte-Pélagie* milita por um sistema penitenciário que tivesse por finalidade a "melhoria da espécie", sendo todo o resto "expressão de uma sociedade ainda bárbara" (21/03/1833).

ela não o era? Ao se tornar punição legal, ela carregou a velha questão jurídico-
-política do direito de punir com todos os problemas, todas as agitações que
surgiram em torno das tecnologias corretivas do indivíduo.

*

"Instituições completas e austeras", dizia Baltard[10]. A prisão deve ser um
aparelho disciplinar exaustivo. Em vários sentidos: deve tomar a seu cargo
todos os aspectos do indivíduo, seu treinamento físico, sua aptidão para o
trabalho, seu comportamento cotidiano, sua atitude moral, suas disposições;
a prisão, muito mais que a escola, a oficina ou o exército, que implicam sempre numa certa especialização, é "onidisciplinar". Além disso a prisão é sem
exterior nem lacuna; não se interrompe, a não ser depois de terminada totalmente sua tarefa; sua ação sobre o indivíduo deve ser ininterrupta: disciplina
incessante. Enfim, ela dá um poder quase total sobre os detentos; tem seus
mecanismos internos de repressão e de castigo: disciplina despótica. Leva à
mais forte intensidade todos os processos que encontramos nos outros dispositivos de disciplina. Ela tem que ser a maquinaria mais potente para impor
uma nova forma ao indivíduo pervertido; seu modo de ação é a coação de
uma educação total:

> Na prisão o governo pode dispor da liberdade da pessoa e do tem-
> po do detento; a partir daí, concebe-se a potência da educação
> que, não em só um dia, mas na sucessão dos dias e mesmo dos
> anos, pode regular para o homem o tempo da vigília e do sono,
> da atividade e do repouso, o número e a duração das refeições, a
> qualidade e a ração dos alimentos, a natureza e o produto do tra-
> balho, o tempo da oração, o uso da palavra e, por assim dizer, até o
> do pensamento, aquela educação que, nos simples e curtos trajetos
> do refeitório à oficina, da oficina à cela, regula os movimentos do
> corpo e até nos momentos de repouso determina o horário, aquela
> educação, em uma palavra, que se apodera do homem inteiro, de
> todas as faculdades físicas e morais que estão nele e do tempo em
> que ele mesmo está[11].

Esse "reformatório" integral prescreve uma recodificação da existência
bem diferente da pura privação jurídica de liberdade e bem diferente também
da simples mecânica de representações com que sonhavam os reformadores
na época da Ideologia.

---

10. BALTARD, L. *Architectonographie des prisons*. 1829.
11. LUCAS, Ch. *De la réforme des prisons*. Vol. II, 1838, p. 123s.

1) Primeiro princípio, o isolamento. Isolamento do condenado em relação ao mundo exterior, a tudo o que motivou a infração, às cumplicidades que a facilitaram. Isolamento dos detentos uns em relação aos outros. Não somente a pena deve ser individual, mas também individualizante. E isso de duas maneiras. Em primeiro lugar, a prisão deve ser concebida de maneira a que ela mesma apague as consequências nefastas que atrai ao reunir num mesmo local condenados muito diversos: abafar os complôs e revoltas que se possam formar, impedir que se formem cumplicidades futuras ou nasçam possibilidades de chantagem (no dia em que os detentos se encontrarem livres), criar obstáculo à imoralidade de tantas "associações misteriosas". Enfim, que a prisão não forme, a partir dos malfeitores que reúne, uma população homogênea e solidária:

> Existe entre nós neste momento uma sociedade organizada de criminosos [...] formam uma pequena nação no seio da grande. Quase todos esses homens se conheceram nas prisões ou nelas se encontram. São os membros dessa sociedade que importa hoje dispersar[12].

Além disso, a solidão deve ser um instrumento positivo de reforma. Pela reflexão que suscita, e pelo remorso que não pode deixar de chegar:

> Jogado na solidão o condenado reflete. Colocado a sós em presença de seu crime, ele aprende a odiá-lo, e se sua alma ainda não estiver empedernida pelo mal é no isolamento que o remorso virá assaltá-lo[13].

Pelo fato também de que a solidão realiza uma espécie de autorregulação da pena, e permite uma como que individualização espontânea do castigo: quanto mais o condenado é capaz de refletir, mais ele foi culpado de cometer seu crime; mas mais também o remorso será vivo, e a solidão dolorosa; em compensação, quando estiver profundamente arrependido, e corrigido sem a menor dissimulação, a solidão não lhe será mais pesada:

> Assim, segundo essa admirável disciplina, cada inteligência e cada moralidade levam em si mesmas o princípio e a medida de uma repressão cuja certeza e invariável equidade não poderiam ser alteradas pelo erro e pela falibilidade humanas [...]. Não é em verdade como o selo de uma justiça divina e providencial?[14]

---

12. TOCQUEVILLE, A. de. "Rapport à la Chambre des Députés". In: BEAUMONT & TOCQUEVILLE. *Le Système pénitentiaire aux Etats-Unis*. 3. ed., 1845, p. 392s.

13. BEAUMONT, E. de & TOCQUEVILLE, A. de. Ibid., p. 109.

14. AYLIES, S. *Du système pénitentiaire*. 1837, p. 132s.

Enfim, e talvez principalmente, o isolamento dos condenados garante que se possa exercer sobre eles, com o máximo de intensidade, um poder que não será abalado por nenhuma outra influência; a solidão é a condição primeira da submissão total:

> Imagine-se [dizia Charles Lucas, evocando o papel do diretor, do professor, do sacerdote e das "pessoas caridosas" sobre o detento isolado], imagine-se a força da palavra humana que intervém no meio da terrível disciplina do silêncio para falar ao coração, à alma, à pessoa humana[15].

O isolamento assegura o encontro do detento a sós com o poder que se exerce sobre ele.

É nesse ponto que se situa a discussão sobre os dois sistemas americanos de encarceramento, o de Auburn e o de Filadélfia. Na realidade, essa discussão que ocupa tanto lugar[16] só se refere à realização de um isolamento, admitido por todos.

O modelo de Auburn prescreve a cela individual durante a noite, o trabalho e as refeições em comum, mas, sob a regra do silêncio absoluto, os detentos só podendo falar com os guardas, com a permissão destes e em voz baixa. Referência clara tomada ao modelo monástico; referência também tomada à disciplina de oficina. A prisão deve ser um microcosmo de uma sociedade perfeita onde os indivíduos estão isolados em sua existência moral, mas onde sua reunião se efetua num enquadramento hierárquico estrito, sem relacionamento lateral, só se podendo fazer comunicação no sentido vertical. Vantagem do sistema auburniano segundo seus partidários: é uma repetição da própria sociedade. A coação é assegurada por meios materiais, mas sobretudo por uma regra que se tem que aprender a respeitar e é garantida por uma vigilância e punições. Mais que manter os condenados "a sete chaves como uma fera em sua jaula", deve-se associá-lo aos outros, "fazê-los participar em comum de exercícios úteis, obrigá-los em comum a bons hábitos, prevenindo o contágio moral por uma vigilância ativa, e mantendo o recolhimento pela regra do silêncio". Esta regra habitua o detento a "considerar a lei como um

---

15. LUCAS, Ch. *De la réforme des prisons*. T.1, 1836, p. 167.

16. A discussão aberta na França por volta de 1830 não estava encerrada em 1850; Charles Lucas, partidário de Auburn, inspirara a portaria de 1839 sobre o regime das Centrais (trabalho em comum e silêncio absoluto). A vaga de revolta que se segue e talvez a agitação geral no país durante os anos 1842-1843 fazem que seja preferido em 1844 o regime pensilvaniano do isolamento absoluto, gabado por Demetz, Blouet, Tocqueville. Mas o 3° congresso penitenciário em 1847 opta contra esse método.

preceito sagrado cuja infração acarreta um mal justo e legítimo"[17]. Assim esse jogo do isolamento, da reunião sem comunicação, e da lei garantida por um controle ininterrupto, deve requalificar o criminoso como indivíduo social: ele o treina para uma "atividade útil e resignada"[18]; devolve-lhe "hábitos de sociabilidade"[19].

No isolamento absoluto – como em Filadélfia – não se pede a requalificação do criminoso ao exercício de uma lei comum, mas à relação do indivíduo com sua própria consciência e com aquilo que pode iluminá-lo de dentro[20].

> Sozinho em sua cela o detento está entregue a si mesmo; no silêncio de suas paixões e do mundo que o cerca, ele desce à sua consciência, interroga-a e sente despertar em si o sentimento moral que nunca perece inteiramente no coração do homem[21].

Não é portanto um respeito exterior pela lei ou apenas o receio da punição que vai agir sobre o detento, mas o próprio trabalho de sua consciência. Antes uma submissão profunda que um treinamento superficial; uma mudança de "moralidade" e não de atitude. Na prisão pensilvaniana, as únicas operações da correção são a consciência e a arquitetura muda contra a qual ela esbarra. Em Cherry Hill, "os muros são a punição do crime; a cela põe o detento em presença de si mesmo; ele é forçado a ouvir sua consciência". Donde o fato de que o trabalho é aí antes um consolo que uma obrigação; que os vigias não têm que exercer uma coação que é realizada pela materialidade das coisas, e que sua autoridade, consequentemente, pode ser aceita:

> A cada visita, algumas palavras benevolentes saem dessa boca honesta e levam ao coração do detento, junto com o reconhecimento, a esperança e o consolo; ele ama seu guarda; e o ama porque este é suave e tem compaixão. Os muros são terríveis e o homem é bom[22].

Nessa cela fechada, sepulcro provisório, facilmente crescem os mitos da ressurreição. Depois da noite e do silêncio, a vida regenerada. Auburn era a

---

17. MITTERMAIER, K. In: *Revue française et étrangère de législation*, 1836.

18. GASPARIN, A.E. de. *Rapport au ministre de l'Intérieur sur la réforme des prisons.*

19. BEAUMONT, E. de & TOCQUEVILLE, A. de. *Du système penal aux Etats-Unis.* Ed. de 1945, p. 112.

20. "Cada homem, dizia Fox, é iluminado pela luz divina e eu a vi brilhar através de cada homem". Nesta linha dos quakers e de Walnut Street é que foram organizadas a partir de 1820 as prisões de Pensilvânia, Pitsburgo, depois Cherry Hill.

21. *Journal des économistes*, vol. II, 1842.

22. ABEL BLOUET. *Projet des prisons cellulaires.* 1843.

própria vida renovada em seus vigores essenciais. Cherry Hill, a vida aniquilada e recomeçada. O catolicismo recupera rapidamente em seus discursos essa técnica quaker.

> Só vejo em vossa cela um horroroso sepulcro, no qual, em lugar dos vermes, os remorsos e o desespero avançam em vossa direção para roer-vos e fazer de vossa existência um inferno antecipado. Mas [...] aquilo que para o prisioneiro sem religião não passa de uma tumba, um ossário repulsivo, torna-se, para o detento sinceramente cristão, o próprio berço da imortalidade bem-aventurada[23].

Na oposição entre esses dois modelos veio se fixar toda uma série de conflitos diferentes: religioso (deve a conversão ser a peça principal da correção?), médico (o isolamento completo enlouquece?), econômico (onde está o menor custo?), arquitetural e administrativo (qual é a forma que garante a melhor vigilância?). Donde, sem dúvida, o tamanho da polêmica. Mas no centro das discussões, e as tornando possíveis, este objetivo primeiro da ação carceral: a individualização coercitiva, pela ruptura de qualquer relação que não seja controlada pelo poder ou ordenada de acordo com a hierarquia.

> 2) O trabalho que se alterna com as refeições acompanha o detento até à oração da noite; então um novo sono lhe dá um repouso agradável que não vem perturbar os fantasmas de uma imaginação desregrada. Assim se passam seis dias da semana. São seguidos por um dia exclusivamente consagrado à oração, à instrução e a meditações salutares. É assim que se sucedem e se substituem as semanas, os meses, os anos; assim o prisioneiro que, em sua entrada para o estabelecimento, era um homem inconstante ou que só tinha convicção de sua irregularidade, procurando destruir sua existência pela variedade de seus vícios, torna-se pouco a pouco pela força de um hábito inicialmente puramente exterior, mas logo transformado em segunda natureza, tão familiarizado com o trabalho e os gozos dele decorrentes que, por pouco que uma instrução sábia tenha aberto sua alma ao arrependimento, ele poderá ser exposto com mais confiança às tentações que lhe serão trazidas pela recuperação de sua liberdade[24].

---

23. ABBÉ PETIGNY. *Allocution adressée aux prisonniers, à l'occasion de l'inauguration des bâtiments cellulaires de la prison de Versailles.* Cf. alguns anos mais tarde, em *Monte-Cristo*, uma versão muito claramente cristológica da ressurreição depois do encarceramento; mas então se trata, não de aprender na prisão a docilidade às leis, mas de adquirir por um saber secreto o poder de fazer justiça além da injustiça dos magistrados.

24. JULIUS, N.H. *Leçons sur les prisons.* 1831, t. 1, p. 417s. [trad. francesa].

O trabalho é definido, junto com o isolamento, como um agente da transformação carcerária. E isso desde o código de 1808:

> Se a pena infligida pela lei tem por objetivo a reparação do crime, ela pretende também que o culpado se emende, e esse duplo objetivo será cumprido se o malfeitor for arrancado a essa ociosidade funesta que, tendo-o atirado à prisão, aí viria encontrá-lo de novo e dele se apoderar para conduzi-lo ao último grau da depravação[25].

O trabalho não é nem uma adição nem um corretivo ao regime de detenção: quer se trate de trabalhos forçados, da reclusão, do encarceramento, é concebido, pelo próprio legislador, como tendo que acompanhá-la necessariamente. Mas uma necessidade que justamente não é aquela de que falavam os reformadores do século XVIII, quando queriam fazer da prisão ou um exemplo para o público, ou uma reparação útil para a sociedade. No regime carcerário a ligação do trabalho e da punição é de outro tipo.

Várias polêmicas surgidas na Restauração ou durante a monarquia de julho esclarecem a função que se empresta ao trabalho penal. Discussão em primeiro lugar sobre o salário. O trabalho dos detentos era remunerado na França. Problema: se uma retribuição recompensa o trabalho em prisão, é porque esta não faz realmente parte da pena; e o detento pode então recusá-lo. Além disso, o benefício recompensa a habilidade do operário e não a regeneração do culpado:

> Os piores elementos são quase em toda parte os mais hábeis operários; são os mais retribuídos, consequentemente os mais intemperantes e os menos aptos ao arrependimento[26].

A discussão que nunca se encerrou totalmente recomeça, e muito vivamente, nos anos 1840-1845: época de crise econômica, época de agitação operária, época também em que começa a se cristalizar a oposição do operário

---

25. REAL, G.A. *Motifs du Code d'instruction criminelle*. Antes disso, várias instruções do Ministério do Interior haviam lembrado a necessidade de fazer trabalhar os detentos: 5 Frutidor ano VI, 3 Messidor ano VIII, 8 Pluvioso e 28 Ventoso ano IX, 7 Brumário ano X. Logo depois dos códigos de 1808 e de 1810, encontramos ainda novas instruções: 20 de outubro de 1811, 8 de dezembro de 1812; ou ainda a longa Instrução de 1816: "É da maior importância ocupar o mais possível os detentos. Deve-se fazer nascer neles o desejo de trabalhar, diferenciando o destino dos que se ocupam e dos detentos que querem permanecer ociosos. Os primeiros serão mais bem-nutridos, mais bem-acomodados que os segundos". Melun e Clairvaux foram muito cedo organizados em grandes oficinas.

26. MARQUET-WASSELOT, J.J. T. III, p. 171.

e do delinqüente[27]. Há greves contra as oficinas de prisão: quando um fabricante de luvas de Chaumont arranja para organizar uma oficina em Clairvaux, os operários protestam, declaram que seu trabalho está desonrado, ocupam a manufatura e forçam o patrão a renunciar a seu projeto[28]. Há também uma campanha de imprensa nos jornais operários sobre o tema de que o governo favorece o trabalho penal para fazer baixar os salários "livres"; sobre o tema de que os inconvenientes dessas oficinas de prisão são ainda mais graves para as mulheres, a quem eles retiram o trabalho, levando-as à prostituição, portanto, à prisão, onde essas mesmas mulheres, que não podiam mais trabalhar quando eram livres, vêm então fazer concorrência às que ainda têm serviço[29]; sobre o tema de que se reservam aos detentos os trabalhos mais seguros – "os ladrões vivendo em prisões bem-aquecidas e bem-abrigados executam os trabalhos de chapelaria e de marcenaria", enquanto o chapeleiro reduzido ao desemprego tem que ir "ao abatedouro humano fabricar alvaiade a 2 francos por dia"[30]; sobre o tema de que a filantropia dá muita importância às condições de trabalho dos detentos, mas negligencia as do trabalhador livre: "Temos certeza de que, se os prisioneiros trabalhassem com mercúrio, por exemplo, a ciência seria bem mais rápida do que é para encontrar meios de preservar os trabalhadores do perigo de suas emanações: 'Esses pobres condenados!', diria aquele que quase não fala dos operários douradores. Que se há de fazer, é preciso ter matado ou roubado para atrair a compaixão ou o interesse dos outros". Sobre o tema principalmente de que se a prisão tender a se tornar uma oficina, logo para lá serão enviados os mendigos e os desempregados, reconstituindo assim os velhos "hospitais gerais" da França ou as *workhouses* da Inglaterra[31]. Houve ainda, principalmente depois da votação da lei de 1844, petições e cartas – uma petição é recusada pela Câmara de Paris, que "achou desumano que se propusesse empregar assassinos, ladrões, em trabalhos que pertencem agora a alguns milhares de operários"; "a Câmara preferiu Barrabás a nós"[32]; operários tipógrafos enviam uma carta ao ministro ao tomarem conhecimento de que foi instalada uma gráfica na Central de Melun:

---

27. Cf. abaixo, p. 251.

28. Cf. AGUET, J.P. *Les Grèves sous la monarchie de Juillet*. 1954, p. 30s.

29. *L'Atelier*, 30º ano, n. 4, dez./1842.

30. Ibid., 6º ano, n. 2, nov./1845.

31. Ibid.

32. *L'Atelier*, 4º ano, n. 9, jun./1844 e 5º ano, n. 7, abr./1845; cf. tb. na mesma época *La Démocratie pacifique*.

Tendes a escolher entre reprovados justamente atingidos pela lei, e cidadãos que sacrificam seus dias, na abnegação e na probidade, à existência de suas famílias, tanto quanto à riqueza da pátria[33].

Ora, a toda essa campanha as respostas dadas pelo governo e pela administração são muito constantes. O trabalho penal não pode ser criticado pelo desemprego que provocaria: com sua parca extensão, seu fraco rendimento, ele não pode ter incidência geral sobre a economia. Não é como atividade de produção que ele é intrinsecamente útil, mas pelos efeitos que toma na mecânica humana. É um princípio de ordem e de regularidade; pelas exigências que lhe são próprias, veicula, de maneira insensível, as formas de um poder rigoroso; sujeita os corpos a movimentos regulares, exclui a agitação e a distração, impõe uma hierarquia e uma vigilância que serão ainda mais bem-aceitas, e penetrarão ainda mais profundamente no comportamento dos condenados, por fazerem parte de sua lógica: com o trabalho,

> a regra é introduzida numa prisão, ela reina sem esforço, sem emprego de nenhum meio repressivo e violento. Ocupando-se o detento, são-lhe dados hábitos de ordem e de obediência; tornamo-lo diligente e ativo, de preguiçoso que era [...] com o tempo, ele encontra no movimento regular da casa, nos trabalhos manuais a que foi submetido [...] um remédio certo contra os desvios de sua imaginação[34].

O trabalho penal deve ser concebido como sendo por si mesmo uma maquinaria que transforma o prisioneiro violento, agitado, irrefletido em uma peça que desempenha seu papel com perfeita regularidade. A prisão não é uma oficina; ela é, ela tem que ser em si mesma uma máquina de que os detentos-operários são ao mesmo tempo as engrenagens e os produtos; ela os "ocupa" e isso

> continuamente, mesmo se fora com o único objetivo de preencher seus momentos. Quando o corpo se agita, quando o espírito se aplica a um objeto determinado, as ideias importunas se afastam, a calma renasce na alma[35].

Se, no fim das contas, o trabalho da prisão tem um efeito econômico, é produzindo indivíduos mecanizados segundo as normas gerais de uma sociedade industrial:

---

33. *L'Atelier*, 5º ano, n. 6, mar./1845.

34. BÉRENGER. *Rapport à l'Académie des sciences morales*, junho de 1836.

35. DANJOU, E. *Des prisons*. 1821, p. 180.

O trabalho é a providência dos povos modernos; serve-lhes como moral, preenche o vazio das crenças e passa por ser o princípio de todo bem. O trabalho devia ser a religião das prisões. A uma sociedade-máquina, seriam necessários meios de reforma puramente mecânicas[36].

Fabricação de indivíduos-máquinas, mas também de proletários; efetivamente, quando o homem possui apenas "os braços como bens", só poderá viver "do produto de seu trabalho, pelo exercício de uma profissão, ou do produto do trabalho alheio, pelo ofício do roubo"; ora, se a prisão não obrigasse os malfeitores ao trabalho, ela reproduziria em sua própria instituição, pelo fisco, essa vantagem de uns sobre o trabalho de outros:

> A questão da ociosidade é a mesma que na sociedade; é do trabalho dos outros que têm que viver os detentos, se não vivem do seu próprio[37].

O trabalho pelo qual o condenado atende a suas próprias necessidades requalifica o ladrão em operário dócil. E é nesse ponto que intervém a utilidade de uma retribuição pelo trabalho penal; ela impõe ao detento a forma "moral" do salário como condição de sua existência. O salário faz com que se adquira "amor e hábito" ao trabalho[38]; dá a esses malfeitores que ignoram a diferença entre o meu e o teu o sentido da propriedade – "daquela que se ganhou com o suor do rosto"[39]; ensina-lhes também, a eles que viveram na dissipação, o que é a previdência, a poupança, o cálculo do futuro[40]; enfim, propondo uma medida do trabalho feito, permite avaliar quantitativamente o zelo do detento e os progressos de sua regeneração[41]. O salário do trabalho penal não retribui uma produção; funciona como motor e marca transformações individuais: uma ficção jurídica, pois não representa a "livre" cessão de uma força de trabalho, mas um artifício que se supõe eficaz nas técnicas de correção.

A utilidade do trabalho penal? Não é um lucro; nem mesmo a formação de uma habilidade útil; mas a constituição de uma relação de poder, de uma

---

36. FAUCHER, L. *De la réforme des prisons*. 1838, p. 64. Na Inglaterra, o *tred-mill* e a bomba realizariam uma mecanização disciplinar dos detentos, sem nenhum efeito produtivo.

37. LUCAS, Ch. *De la réforme des prisons*. Vol. II, 1838, p. 313s.

38. Ibid., p. 243.

39. DANJOU, E. *Des prisons*. 1821, p. 210s.; cf. tb. *L'Atelier*, 6º ano, n. 2, nov./1845.

40. LUCAS, Ch. Op. cit. Um terço do salário diário era posto de lado para a saída do detento.

41. DUCPÉTIAUX, E. *Du système de l'emprisonnement cellulaire*. 1857, p. 30s.

forma econômica vazia, de um esquema da submissão individual e de seu ajustamento a um aparelho de produção.

Imagem perfeita do trabalho de prisão: a oficina de mulheres em Clairvaux; a exatidão silenciosa da maquinaria humana atinge aí o rigor regulamentar do convento:

> Num púlpito, acima do qual há um crucifixo, está sentada uma freira; diante dela, e alinhadas em duas fileiras, as prisioneiras efetuam a tarefa que lhes é imposta, e, como domina quase exclusivamente o trabalho de agulha, resulta que o mais rigoroso silêncio é constantemente mantido [...]. Parece que nessas salas tudo respira a penitência e a expiação. Ocorre-nos, como por um movimento espontâneo, os tempos dos veneráveis hábitos desta tão antiga habitação; lembra-nos os penitentes voluntários que aqui se fechavam para dizer adeus ao mundo[42].

3) Mas a prisão excede a simples privação de liberdade de uma maneira mais importante. Ela tende a se tornar um instrumento de modulação da pena: um aparelho que, através da execução da sentença de que está encarregado, teria o direito de retomar, pelo menos em parte, seu princípio. É claro que esse "direito" não foi recebido pela instituição carcerária no século XIX, nem mesmo ainda no XX, salvo sob uma forma fragmentária (por via das liberações condicionais, das semiliberdades, da organização das centrais de reforma). Mas deve-se notar que foi muito cedo reclamado pelos responsáveis pela administração penitenciária, como a própria condição de um bom funcionamento da prisão, e de sua eficácia nessa tarefa de regeneração que a própria justiça lhe confia.

Assim para a duração do castigo: ela permite quantificar exatamente as penas, graduá-las segundo as circunstâncias, e dar ao castigo legal a forma mais ou menos explícita de um salário; mas corre o risco de não ter valor corretivo, se for fixada em caráter definitivo, no nível do julgamento. A extensão da pena não deve medir o "valor de troca" da infração; ela deve se ajustar à transformação "útil" do detento no decorrer de sua condenação. Não um tempo-medida, mas um tempo com meta prefixada. Mais que a forma do salário, a forma da operação.

---

42. Compare-se com o seguinte texto de Faucher: "Entrai numa fábrica de tecidos; ouvi as conversas dos operários e o ruído das máquinas. Haverá no mundo um contraste mais aflitivo que a regularidade e a previsão desses movimentos mecânicos, comparados com a desordem de ideias e de costumes produzida pelo contato de tantos homens, mulheres e crianças?" *De la réforme des prisons*. 1838, p. 20.

Do mesmo modo que o médico prudente para a medicação ou continua com ela conforme o doente tenha ou não chegado à cura perfeita, assim também, na primeira dessas duas hipóteses, a expiação deveria cessar diante da regeneração completa do condenado; pois, nesse caso, qualquer detenção se terá tornado inútil, e, portanto, tão desumana para com o regenerado quanto inútil e onerosa para o Estado[43].

A justa duração da pena deve, portanto, variar não só com o ato e suas circunstâncias, mas com a própria pena tal como ela se desenrola concretamente. O que equivale a dizer que, se a pena deve ser individualizada, não é a partir do indivíduo-infrator, sujeito jurídico de seu ato, autor responsável do delito, mas a partir do indivíduo punido, objeto de uma matéria controlada de transformação, o indivíduo em detenção inserido no aparelho carcerário, modificado por este ou a ele reagindo.

> O importante é apenas reformar o mau. Uma vez operada essa reforma, o criminoso deve voltar à sociedade[44].

A qualidade e o conteúdo da infração não deveriam tampouco ser determinados só pela natureza da infração. A gravidade jurídica de um crime não tem absolutamente valor de sinal unívoco para o caráter corrigível ou não do condenado. Particularmente a distinção crime-contravenção, a que o código faz corresponder a distinção entre prisão e reclusão ou trabalhos forçados, não é operatória em termos de regeneração. É a opinião quase geral formulada pelos diretores de penitenciárias, quando de uma pesquisa feita pelo ministério em 1836:

> Os contraventores são em geral os mais viciosos [...]. Entre os criminosos, encontram-se muitos homens que sucumbiram à violência de suas paixões e às necessidades de uma família numerosa. O comportamento dos criminosos é bem melhor que o dos contraventores; os primeiros são mais submissos, mais laboriosos que os últimos, que são em geral ladinos, devassos, preguiçosos[45].

---

43. BONNEVILLE, A. *Des libérations préparatoires*. 1846, p. 6. Bonneville propunha medidas de "liberdade preparatória", mas também de "suplemento de sofrimento" ou de aumento penitenciário se se evidencia que "a prescrição penal, fixada aproximadamente de acordo com o grau provável de endurecimento do delinquente, não foi suficiente para produzir o efeito esperado". Esse suplemento não devia ultrapassar um oitavo da pena; a liberdade preparatória podia intervir depois de três quartos da pena (*Traité des diverses instructions complémentaires*. p. 251s.).

44. LUCAS, Ch. In: *Gazette des tribunaux*, 06/04/1837.

45. In: *Gazette des tribunaux*. Cf. tb. MARQUET-WASSELOT. *La Ville du refuge*. 1832, p. 64-76. Ch. Lucas anota que os contraventores "são geralmente recrutados nas populações urbanas" e "as moralidades reclusionárias provêm geralmente das populações agrícolas". *De la réforme des prisons*. Vol. 1, 1836, p. 46-50.

Donde a ideia de que o rigor punitivo não deve estar em proporção direta com a importância penal do ato condenado. Nem determinado de uma vez por todas.

Operação corretora, o encarceramento tem suas exigências e peripécias próprias. Seus efeitos é que devem determinar suas etapas, agravações temporárias, atenuações sucessivas; o que Charles Lucas chamava "a classificação móvel das moralidades". O sistema progressivo aplicado em Genebra desde 1825[46] foi muitas vezes reclamado na França. Sob a forma, por exemplo, dos três setores: o de prova para a generalidade dos detentos, o setor de punição e o setor de recompensa para os que estão no caminho da melhora[47]. Ou sob a forma das quatro fases: período de intimidação (privação de trabalho e de qualquer relação interior ou exterior); período de trabalho (isolamento, mas trabalho que depois da fase de ociosidade forçada seria acolhido como um benefício); regime de moralização ("conferências" mais ou menos frequentes com os diretores e os visitantes oficiais); período de trabalho em comum[48]. Se o princípio da pena é sem dúvida uma decisão de justiça, sua gestão, sua qualidade e seus rigores devem pertencer a um mecanismo autônomo que controla os efeitos da punição no próprio interior do aparelho que os produz. Todo um regime de punições e de recompensas que não é simplesmente uma maneira de fazer respeitar o regulamento da prisão, mas de tornar efetiva a ação da prisão sobre os detentos. Acontece que a própria autoridade judiciária o reconheça:

> Não devemos, dizia a Corte de Cassação, consultada a respeito do projeto de lei sobre as prisões, nos espantar com a ideia de conceder recompensas que poderão consistir seja num pecúlio maior, seja num melhor regime alimentar, seja mesmo em abreviações de pena. Se alguma coisa há que possa despertar no espírito dos condenados as noções de bem e de mal, levá-los a considerações morais e elevá-los um pouco a seus próprios olhos, é a possibilidade de conseguir alguma recompensa[49].

E para todos esses atos que retificam a pena, à medida que ela se desenrola, é forçoso admitir que as instâncias judiciárias não podem ter autoridade imediata. Trata-se com efeito de medidas que por definição só poderiam intervir

---

46. FRESNEL, R. *Considérations sur les maisons de refuge*. Paris, 1829, p. 29-31.

47. LUCAS, Ch. *De la réforme des prisons*. Vol. II, 1838, p. 440.

48. DURAS, L. Artigo publicado no *Le Progressif* e citado por *La Phalange*, 01/12/1838.

49. LUCAS, Ch. Ibid., p. 441s.

depois do julgamento e só podem agir sobre as coisas que não sejam infrações. Autonomia indispensável, por conseguinte, do pessoal que gere a detenção quando importa individualizar e variar a aplicação da pena; fiscais, um diretor de estabelecimento, um sacerdote ou um professor são mais capazes de exercer essa função corretiva que os detentores do poder penal. É seu julgamento (entendido como constatação, diagnóstico, caracterização, precisão, classificação diferencial) e não mais um veredicto em forma de determinação de culpa, que deve servir de suporte a essa modulação interna da pena – a sua atenuação ou mesmo a sua interrupção. Quando Bonneville em 1846 apresentou seu projeto de liberdade condicional, ele a definiu como

> o direito que teria a administração, com opinião favorável da autoridade judiciária, de pôr em liberdade provisória depois de um tempo suficiente de expiação e mediante certas condições o condenado completamente regenerado, com a possibilidade de reintegrá-lo à prisão à mínima queixa fundamentada[50].

Todo aquele "arbitrário" que, no antigo regime penal, permitia aos juízes modular a pena e aos príncipes eventualmente dar fim a ela, todo aquele arbitrário que os códigos modernos retiraram do poder judiciário, vemo-lo se reconstituir, progressivamente, do lado do poder que gere e controla a punição. Soberania sábia do guardião:

> Verdadeiro magistrado chamado a reinar soberanamente na casa [...] e que deve, para não estar abaixo de sua missão, unir à mais eminente virtude uma ciência profunda dos homens[51].

E chegamos, formulado claramente por Charles Lucas, a um princípio que bem poucos juristas ousariam hoje admitir sem reticências, se bem que ele marque a direção essencial do funcionamento penal moderno; chamemo-lo a Declaração de Independência carcerária – que reivindica o direito de ser um poder que tem não somente sua autonomia administrativa, mas como que uma parte da soberania punitiva. Essa afirmação dos direitos da prisão coloca em princípio: que o julgamento criminal é uma unidade arbitrária; que tem que ser decomposta; que os redatores dos códigos já tiveram razão de distinguir o nível legislativo (que classifica os atos e lhes atribui as penas), e o nível do julgamento (que exara as sentenças); que a tarefa hoje é analisar por sua vez esse último nível; que é preciso distinguir nele o que é propriamente

---

50. BONNEVILLE, A. *Des libérations préparatoires*. 1846, p. 5.
51. BÉRENGER, A. *Rapport à l'Académie des sciences morales et politiques*, jun./1836.

judiciário (apreciar menos os atos que os agentes, medir "as intencionalidades que dão aos atos humanos tantas moralidades diversas", e portanto retificar, se possível, as avaliações do legislador); e dar autonomia ao "julgamento penitenciário", o que é talvez o mais importante; em relação a ele, a avaliação do tribunal não passa de uma "maneira de prejulgar", pois a moralidade do agente só pode ser apreciada quando "posta à prova. O juiz precisa, portanto, por sua vez, de um controle necessário e retificativo de suas avaliações; e é esse controle que a prisão penitenciária deve fornecer"[52]. Pode-se, portanto, falar de um excesso ou de uma série de excessos do encarceramento em relação à detenção legal do "carcerário" em relação ao "judiciário". Ora, esse excesso é desde muito cedo constatado, desde o nascimento da prisão, seja sob a forma de práticas reais, seja sob a forma de projetos. Ele não veio, em seguida, como um efeito secundário. A grande maquinaria carcerária está ligada ao próprio funcionamento da prisão. Podemos bem ver o sinal dessa autonomia nas violências "inúteis" dos guardas ou no despotismo de uma administração que tem os privilégios das quatro paredes. Sua raiz está em outra parte: no fato, justamente, de que se pede à prisão que seja "útil", no fato de que a privação de liberdade – essa retirada jurídica sobre um bem ideal – teve, desde o início, que exercer um papel técnico positivo, realizar transformações nos indivíduos. E para essa operação o aparelho carcerário recorreu a três grandes esquemas: o esquema político-moral do isolamento individual e da hierarquia; o modelo econômico da força aplicada a um trabalho obrigatório; o modelo técnico-médico da cura e da normalização. A cela, a oficina, o hospital. A margem pela qual a prisão excede a detenção é preenchida de fato por técnicas de tipo disciplinar. E esse suplemento disciplinar em relação ao jurídico, é a isso, em suma, que se chama o "penitenciário".

*

Este acréscimo não foi aceito sem problemas. Questão que foi primeiro de princípio: a pena não deve ser mais nada além da privação da liberdade; como nossos atuais governantes, Decazes o dizia, mas com o brilho de sua linguagem: "A lei deve seguir o culpado à prisão onde o levou"[53]. Mas rapidamente – e isso é um fato característico – esses debates se tornarão batalha para a apropriação do controle desse "suplemento" penitenciário; os juízes pedirão direito de vista sobre os mecanismos carcerários:

---

52. LUCAS, Ch. *De la réforme des prisons*. Vol. II, 1838, p. 418-422.
53. DECAZES, E. "Rapport au Roi sur les prisons". *Le Moniteur*, 11/04/1819.

A moralização dos detentos exige numerosos cooperadores; só com visitas de inspeção, comissões de fiscalização, sociedades patrocinadoras ela pode se realizar. Precisa então de auxiliares e é a magistratura que deve fornecê-los[54].

Desde aquela época, a ordem penitenciária adquiria consistência bastante para que se pudesse procurar não desfazê-la, mas tomá-la a seu cargo. Eis então o juiz assaltado pelo desejo da prisão. Disso nascerá, um século depois, um filho bastardo, e entretanto disforme: o juiz da aplicação das penas.

Mas se o penitenciário, em seu "excesso" em relação à detenção, pôde de fato se impor, bem mais, apanhar toda a justiça penal e trancar os próprios juízes, é porque ele conseguiu introduzir a justiça criminal em relações de saber que agora se tornaram para ela seu labirinto infinito.

A prisão, local de execução da pena, é ao mesmo tempo local de observação dos indivíduos punidos. Em dois sentidos. Vigilância, é claro. Mas também conhecimento de cada detento, de seu comportamento, de suas disposições profundas, de sua progressiva melhora; as prisões devem ser concebidas como um local de formação para um saber clínico sobre os condenados;

> o sistema penitenciário não pode ser uma concepção *a priori*; é uma indução do estado social. Há doenças morais assim como acidentes da saúde em que o tratamento depende do foco e da direção do mal[55].

O que implica dois dispositivos essenciais. É preciso que o prisioneiro possa ser mantido sob um olhar permanente; é preciso que sejam registradas e contabilizadas todas as anotações que se possa tomar sobre eles. O tema do Panóptico – ao mesmo tempo vigilância e observação, segurança e saber, individualização e totalização, isolamento e transparência – encontrou na prisão seu local privilegiado de realização. Se é verdade que os processos panópticos, como formas concretas de exercício do poder, tiveram, pelo menos em estado disperso, larga difusão, foi só nas instituições penitenciárias que a utopia de Bentham pôde, num bloco, tomar forma material. O Panóptico se tornou, por volta dos anos 1830-1840, o programa arquitetural da maior parte dos projetos de prisão. Era a maneira mais direta de traduzir "na pedra a inteligên-

---

54. VIVIEN. In: FERRUS, G. *Des prisonniers*. 1850, p. VIII. Uma ordenação de 1847 criara as comissões de vigilância.

55. FAUCHER, L. *De la réforme des prisons*. 1838, p. 6.

cia da disciplina"[56]; de tornar a arquitetura transparente à gestão do poder[57]; de permitir que a força ou as coações violentas fossem substituídas pela eficácia suave de uma vigilância sem falha; de ordenar o espaço segundo a recente humanização dos códigos e a nova teoria penitenciária:

> A autoridade, por um lado, e o arquiteto, por outro, têm que saber se as prisões devem ser combinadas no sentido da suavização das penas ou num sistema de regeneração dos culpados, e em conformidade com uma legislação que, remontando à origem dos vícios do povo, se torna um princípio regenerador das virtudes que este deve praticar[58].

No total, constituir uma prisão-máquina[59] com uma cela de visibilidade onde o detento se encontrará preso como "na casa de vidro do filósofo grego"[60] e um ponto central de onde um olhar permanente possa controlar ao mesmo tempo os prisioneiros e o pessoal. Em torno dessas duas exigências, muitas variações possíveis: o Panóptico benthamiano em sua forma estrita, ou em semicírculo, ou em forma de cruz, ou a disposição em estrela[61]. No meio de todas essas discussões, o Ministro do Interior em 1841 lembra os princípios fundamentais:

> A sala central de inspeção é o eixo do sistema. Sem ponto central de inspeção, a vigilância deixa de ser assegurada, contínua e geral; pois é impossível ter inteira confiança na atividade, no zelo e na inteligência do preposto que vigia imediatamente as celas [...]. O arquiteto deve então colocar toda a sua atenção nesse objeto; há aí ao mesmo tempo uma questão de disciplina e de economia. Quanto mais for exata e fácil a vigilância, menos será necessário procurar na força dos edifícios garantias contra as tentativas de evasão e contra as comunicações dos detentos entre si. Ora, a vigilância será perfeita se de uma sala central o diretor ou o preposto em chefe, sem mudar de lugar, vê sem ser visto não só a entrada de todas as celas e até o

---

56. LUCAS, Ch. *De la réforme des prisons*. Vol. I, 1836, p. 69.

57. "Se quisermos tratar a questão administrativa abstraindo a de construção, expomo-nos a estabelecer princípios a que não corresponde a realidade; enquanto que, com o suficiente conhecimento das necessidades administrativas, um arquiteto pode muito bem admitir esse ou aquele sistema de encarceramento que a teoria talvez houvesse colocado entre as utopias" (ABEL BLOUET. *Projet de prison cellulaire*. 1843, p. 1).

58. BALTARD, L. *Architectonographie des prisons*. 1829, p. 4s.

59. "Os ingleses trazem em todas as suas obras o gênio da mecânica... e quiseram que seus edifícios funcionassem com uma máquina submetida à ação de um único motor". Ibid., p. 18.

60. HAROU-ROMAIN, N.P. *Projet de pénitencier*. 1840, p. 8.

61. Cf. ilustrações n. 18-26.

interior do maior número de celas quando a porta está toda aberta, mas ainda os vigias destacados à guarda dos prisioneiros em todos os andares [...] com a fórmula das prisões circulares ou semicirculares, seria aparentemente possível ver de um centro único todos os prisioneiros em suas celas, e os guardas nas galerias de vigilância[62].

Mas o Panóptico penitenciário é também um sistema de documentação individualizante e permanente. No mesmo ano em que se recomendava as variantes do sistema benthamiano para construir as prisões, tornava-se obrigatório o sistema de "conta moral": boletim individual de modelo uniforme em todas as prisões, e no qual o diretor ou o chefe dos guardas, o sacerdote, o professor são chamados a inscrever suas observações a respeito de cada detento:

> É de certo modo a vade-mecum da administração da prisão, que lhe dá condições de avaliar cada caso, cada circunstância, e de tornar claro em consequência o tratamento a ser aplicado a cada prisioneiro individualmente[63].

Muitos outros sistemas de registro, bem mais completos, foram projetados ou tentados[64]. Trata-se de qualquer maneira de fazer da prisão um local de constituição de um saber que deve servir de princípio regulador para o exercício da prática penitenciária. A prisão não tem só que conhecer a decisão dos juízes e aplicá-la em função dos regulamentos estabelecidos: ela tem que coletar permanentemente do detento um saber que permitirá transformar a medida penal em uma operação penitenciária; que fará da pena tornada necessária pela infração uma modificação do detento, útil para a sociedade. A autonomia do regime carcerário e o saber que ela torna possível permitem multiplicar essa utilidade da pena que o código colocara no princípio de sua filosofia punitiva:

> Quanto ao diretor, ele não pode perder nenhum detento de vista, porque em qualquer setor que se encontre o detento, esteja ele entrando, esteja ele saindo, ou que fique, o diretor deve igualmente justificar os motivos de sua manutenção em tal classe ou de sua passagem para tal outra. É um verdadeiro contador. Cada detento é para ele, na esfera da educação individual, um capital colocado no interesse penitenciário[65].

---

62. DUCATEL. *Instruction pour la construction des maisons d'arrêt.* p. 9.

63. DUCPÉTIAUX, E. *Du système de l'emprisonnement cellulaire.* 1847, p. 56s.

64. Cf. por ex. GREGORY, G. de. *Projet de Code pénal universel.* 1832, p. 199s. • GRELLET-WAMMY. *Manuel des prisons.* Vol. II, 1839, p. 23-25 e 199-203.

65. LUCAS, Ch. *De la réforme des prisons.* Vol. II, 1838, p. 449s.

A prática penal, tecnologia sábia, rentabiliza o capital investido no sistema penal e a construção das pesadas prisões.

Correlatamente, o delinquente se torna indivíduo a conhecer. Esta exigência de saber não se insere, em primeira instância, no próprio ato jurídico, para melhor fundamentar a sentença e determinar na verdade a medida da culpa. É como condenado, e a título de ponto de aplicação de mecanismos punitivos, que o infrator se constitui como objeto de saber possível.

Mas isso implica que o aparelho penitenciário, com todo o programa tecnológico de que é acompanhado, efetue uma curiosa substituição: das mãos da justiça ele recebe um condenado; mas aquilo sobre que ele deve ser aplicado não é a infração, é claro, nem mesmo exatamente o infrator, mas um objeto um pouco diferente, e definido por variáveis que pelo menos no início não foram levadas em conta na sentença, pois só eram pertinentes para uma tecnologia corretiva. Esse outro personagem, que o aparelho penitenciário coloca no lugar do infrator condenado, é o *delinquente*.

O delinquente se distingue do infrator pelo fato de não ser tanto seu ato quanto sua vida o que mais o caracteriza. A operação penitenciária, para ser uma verdadeira reeducação, deve totalizar a existência do delinquente, tornar a prisão uma espécie de teatro artificial e coercitivo onde é preciso refazê-la totalmente. O castigo legal se refere a um ato; a técnica punitiva a uma vida; cabe-lhe, por conseguinte, reconstituir o ínfimo e o pior na forma do saber; cabe-lhe modificar seus efeitos ou preencher suas lacunas, através de uma prática coercitiva. Conhecimento da biografia, e técnica da existência retreinada. A observação do delinquente

> deve remontar não só às circunstâncias, mas às causas de seu crime; procurá-las na história de sua vida, sob o triplo ponto de vista da organização, da posição social e da educação, para conhecer e constatar as inclinações perigosas da primeira, as predisposições nocivas da segunda e os maus antecedentes da terceira. Esse inquérito biográfico é parte essencial da instrução judiciária para a classificação das penalidades antes de se tornar uma condição do sistema penitenciário para a classificação das moralidades. Deve acompanhar o detento do tribunal à prisão, onde o ofício do diretor é não somente recolher, mas também completar, controlar e retificar seus elementos no decorrer da detenção[66].

---

66. LUCAS, Ch. *De la réforme des prisons*. Vol. II, 1838, p. 440-442.

Por trás do infrator, a quem o inquérito dos fatos pode atribuir a responsabilidade de um delito, revela-se o caráter delinquente cuja lenta formação transparece na investigação biográfica. A introdução do "biográfico" é importante na história da penalidade. Porque ele faz existir o "criminoso" antes do crime e, num raciocínio-limite, fora deste. E porque a partir daí uma causalidade psicológica vai, acompanhando a determinação jurídica da responsabilidade, confundir-lhe os efeitos. Entramos então no dédalo "criminológico" de que estamos bem longe de ter saído hoje em dia: qualquer causa que, como determinação, só pode diminuir a responsabilidade, marca o autor da infração com uma criminalidade ainda mais temível e que exige medidas penitenciárias ainda mais estritas. À medida que a biografia do criminoso acompanha na prática penal a análise das circunstâncias, quando se trata de medir o crime, vemos os discursos penal e psiquiátrico confundirem suas fronteiras; e aí, em seu ponto de junção, forma-se aquela noção de indivíduo "perigoso" que permite estabelecer uma rede de causalidade na escala de uma biografia inteira e estabelecer um veredicto de punição-correção[67].

O delinquente se distingue também do infrator pelo fato de não somente ser o autor de seu ato (autor responsável em função de certos critérios da vontade livre e consciente), mas também de estar amarrado a seu delito por um feixe de fios complexos (instintos, pulsões, tendências, temperamento). A técnica penitenciária se exerce não sobre a relação de autoria, mas sobre a afinidade do criminoso com seu crime. O delinquente, manifestação singular de um fenômeno global de criminalidade, se distribui em classes quase naturais, dotadas cada uma de suas características definidas e a cada uma cabendo um tratamento específico, como o que Marquet-Wasselot chamava em 1841 de *Ethnographie des prisons*:

> Os condenados são [...] outro povo num mesmo povo: que tem seus hábitos, seus instintos, seus costumes à parte[68].

---

67. Seria necessário estudar como a prática da biografia se difundiu a partir da constituição do indivíduo delinquente nos mecanismos punitivos; biografia ou autobiografia de prisioneiros em Appert; estabelecimento de dossiês biográficos sobre o modelo psiquiátrico; utilização da biografia na defesa dos acusados. Sobre esse último ponto poderíamos comparar as grandes memórias justificativas do fim do século XVIII para os três homens condenados à roda, ou para Jeanne Salmon – e as defesas criminais, da época de Luís Filipe. Chaix d'Est-Age defendia La Roncière: "Se muito tempo antes do crime, muito tempo antes da acusação, podeis escrutar a vida do acusado, penetrar em seu coração, sondar seu âmago mais escondido, pôr a descoberto todos os seus pensamentos, sua alma inteira..." (*Discours et Plaidoyers*. Vol. II, p. 166).

68. MARQUET-WASSELOT, J.J. *L'Ethnographie des prisons*. 1841, p. 9.

Estamos aí ainda muito próximos das descrições "pitorescas" do mundo dos malfeitores – velha tradição que remonta longe e se revigora na primeira metade do século XIX, no momento em que a percepção de outra forma de vida vem se articular sobre a de outra classe e outra espécie humana. Uma zoologia das subespécies sociais, uma etnologia das civilizações de malfeitores, com seus ritos e língua, esboçam-se numa forma de paródia. Mas aí se manifesta, entretanto, o trabalho de constituição de uma nova objetividade onde o criminoso pertence a uma tipologia ao mesmo tempo natural e desviante. A delinquência, desvio patológico da espécie humana, pode ser analisada como síndromes mórbidas ou como grandes formas teratológicas. Com a classificação de Ferrus, temos uma das primeiras conversões da velha "etnografia" do crime em uma tipologia sistemática dos delinquentes. É uma análise rápida, é verdade, mas nela vemos funcionar claramente o princípio de que a delinquência deve ser especificada menos em função da lei que da norma. Três tipos de condenados:

> Há os que são dotados "de recursos intelectuais superiores à média de inteligência que estabelecemos", mas que se tornam perversos quer pelas "tendências de sua organização" e "predisposição inata"; quer por uma "lógica perniciosa", por uma "moral iníqua", por uma "perigosa apreciação dos deveres sociais". Para esses seria necessário o isolamento de dia e de noite, o passeio solitário, e quando for preciso mantê-los em contato com os outros, usar "uma máscara leve em tela metálica, parecida com as que se usam para cortar pedras ou na esgrima". A segunda categoria é feita de condenados "viciosos, limitados, embrutecidos ou passivos que são arrastados ao mal por indiferença pela vergonha como pelo bem, por covardia, por preguiça, digamos, e falta de resistência às más incitações": o regime que lhes convém é mais de educação do que de repressão, e se possível de educação mútua: isolamento de noite, trabalho em comum de dia, conversas permitidas, só em voz alta, leituras em comum, seguidas de interrogações recíprocas, sancionadas por recompensas. Enfim, há os condenados "inaptos ou incapazes" que uma "organização incompleta torna impróprios para qualquer ocupação que exija esforços pensados e força de vontade, que se encontram então na impossibilidade de sustentar a concorrência do trabalho com os operários inteligentes, e não tendo nem instrução bastante para conhecer os deveres sociais, nem inteligência bastante para compreendê-los e combater seus instintos pessoais, são levados ao crime por sua própria incapacidade. Para esses, a solidão só serviria para fomentar a inércia; devem portanto viver em comum, mas de

maneira a formar grupos pouco numerosos, sempre estimulados por ocupações coletivas, e submetidos a uma vigilância rígida[69].

Assim se estabelece progressivamente um conhecimento "positivo" dos delinquentes e de suas espécies, muito diferente da qualificação jurídica dos delitos e de suas circunstâncias: mas distinto também do conhecimento médico que permite ressaltar a loucura do indivíduo e apagar, consequentemente, o caráter delituoso do ato. Ferrus enuncia claramente o princípio:

> Os criminosos considerados em massa são apenas loucos; haveria injustiça para com esses últimos, se os confundíssemos com homens coincidentemente perversos.

Nesse novo saber importa qualificar "cientificamente" o ato enquanto delito e principalmente o indivíduo enquanto delinquente. Surge a possibilidade de uma criminologia.

O correlativo da justiça penal é o próprio infrator, mas o do aparelho penitenciário é outra pessoa; é o delinquente, unidade biográfica, núcleo de "periculosidade", representante de um tipo de anomalia. E se é verdade que à detenção privativa de liberdade que o direito definira a prisão acrescentou o "suplemento" do penitenciário, este por sua vez introduziu um personagem a mais, que se meteu entre aquele que a lei condena e aquela que executa essa lei. Onde desapareceu o corpo marcado, recortado, queimado, aniquilado do supliciado, apareceu o corpo do prisioneiro, acompanhado pela individualidade do "delinquente", pela pequena alma do criminoso, que o próprio aparelho do castigo fabricou como ponto de aplicação do poder de punir e como objeto do que ainda hoje se chama a ciência penitenciária. Dizem que a prisão fabrica delinquentes; é verdade que ela leva de novo, quase fatalmente, diante dos tribunais aqueles que lhe foram confiados. Mas ela os fabrica no outro sentido de que ela introduziu no jogo da lei e da infração, do juiz e do infrator, do condenado e do carrasco, a realidade incorpórea da delinquência que os liga uns aos outros e, há um século e meio, os pega todos juntos na mesma armadilha.

*

A técnica penitenciária e o homem delinquente são de algum modo irmãos gêmeos. Ninguém creia que foi a descoberta do delinquente por uma

---

69. FERRUS, G. *Des prisonniers*. 1850, p. 182s e 278s.

racionalidade científica que trouxe para as velhas prisões o aperfeiçoamento das técnicas penitenciárias. Nem tampouco que a elaboração interna dos métodos penitenciários terminou trazendo à luz a existência "objetiva" de uma delinquência que a abstração e a inflexibilidade judiciárias não podiam perceber. Elas apareceram as duas juntas e no prolongamento uma da outra como um conjunto tecnológico que forma e recorta o objeto a que aplica seus instrumentos. E é essa delinquência, formada nos subterrâneos do aparelho judiciário, no nível das "obras vis" de que a justiça desvia os olhos, pela vergonha que sente de punir os que condena, é ela que se faz presente agora nos tribunais serenos e na majestade das leis; ela é que tem que ser conhecida, avaliada, medida, diagnosticada, tratada, quando se proferem sentenças, é ela agora, essa anomalia, esse desvio, esse perigo inexorável, essa doença, essa forma de existência, que deverão ser considerados ao se reelaborarem os códigos. A delinquência é a vingança da prisão contra a justiça. Revanche tão temível que pode fazer calar o juiz. É então que os criminologistas se impõem.

Mas devemos não esquecer que a prisão, figura concentrada e austera de todas as disciplinas, não é um elemento endógeno no sistema penal definido entre os séculos XVIII e XIX. O tema de uma sociedade punitiva e de uma semiotécnica geral da punição que sustentou os códigos "ideológicos" – beccarianos ou benthamianos – não fazia apelo ao uso universal da prisão. Essa prisão vem de outro lugar – dos mecanismos próprios a um poder disciplinar. Ora, apesar dessa heterogeneidade, os mecanismos e os efeitos da prisão se difundiram ao longo de toda a justiça criminal moderna; a delinquência e os delinquentes a infestaram toda. Será necessário procurar a razão dessa temível "eficácia" da prisão. Mas já podemos anotar uma coisa: a justiça penal definida no século XVIII pelos reformadores traçava duas linhas de objetivação possíveis do criminoso, mas duas linhas divergentes: uma era a série dos "monstros", morais ou políticos, caídos do pacto social; outra, a do sujeito jurídico requalificado pela punição. Ora, o "delinquente" permite justamente unir as duas linhas e constituir com a caução da medicina, da psicologia ou da criminologia, um indivíduo no qual o infrator da lei e o objeto de uma técnica científica se superpõem – aproximadamente. Que o enxerto da prisão no sistema penal não tenha acarretado reação violenta de rejeição se deve sem dúvida a muitas razões. Uma delas é que, ao fabricar delinquência, ela deu à justiça criminal um campo unitário de objetos, autentificado por "ciências" e que assim lhe permitiu funcionar num horizonte geral de "verdade".

A prisão, essa região mais sombria do aparelho de justiça, é o local onde o poder de punir, que não ousa mais se exercer com o rosto descoberto, organiza silenciosamente um campo de objetividade em que o castigo poderá funcionar em plena luz como terapêutica e a sentença se inscrever entre os discursos do saber. Compreende-se que a justiça tenha adotado tão facilmente uma prisão que não fora entretanto filha de seus pensamentos. Ela lhe era agradecida por isso.

Capítulo II

ILEGALIDADE E DELINQUÊNCIA

No que se refere à lei, a detenção pode ser privação de liberdade. O encarceramento que a realiza sempre comportou um projeto técnico. A passagem dos suplícios, com seus rituais de ostentação, com sua arte misturada à cerimônia do sofrimento, a penas de prisões enterradas em arquiteturas maciças e guardadas pelo segredo das repartições, não é passagem a uma penalidade indiferenciada, abstrata e confusa; é a passagem de uma arte de punir a outra, não menos científica que ela. Mutação técnica. Dessa passagem, um sintoma e um resumo: a substituição, em 1837, da cadeia dos forçados pelo carro celular.

A cadeia, tradição que remontava à época das galeras, ainda subsistia sob a monarquia de julho. A importância que parece ter adquirido como espetáculo no começo do século XIX talvez esteja ligada ao fato de que ela juntava numa só manifestação dois modos de castigo: o caminho para a detenção se desenrolava como um cerimonial de suplício[1]. Os relatos da "última cadeia" – na verdade, as que cruzaram a França em todos os sentidos no verão de 1836 – e de seus escândalos permitem encontrar esse funcionamento, bem estranho às regras da "ciência penitenciária". À saída, um ritual de cadafalso; é a selagem das coleiras de ferro e das cadeias, no pátio de Bicêtre: o forçado fica com a nuca virada sobre a bigorna, como uma estaca de ferro; mas desta vez a arte do carrasco, ao martelar, é não esmagar a cabeça – habilidade invertida que sabe não dar a morte.

> O grande pátio de Bicêtre exibe os instrumentos do suplício: várias fileiras de cadeias com suas gargantilhas. Os *artoupans* (chefes dos guardas), ferreiros temporários, dispõem a bigorna e o martelo. À grade do caminho da ronda estão coladas todas aquelas cabeças com uma expressão indiferente ou atrevida, e que o operador vai rebitar.

---

1. Faucher notava que a cadeia era um espetáculo popular "principalmente depois que se haviam quase suprimido os cadafalsos".

Mais alto, em todos os andares da prisão, veem-se pernas e braços pendurados pelas grades dos cubículos, parecendo um bazar de carne humana; são os detentos que vêm assistir à toalete de seus companheiros da véspera [...] ei-los na atitude do sacrifício. Estão sentados no chão, emparelhados ao acaso e de acordo com o tamanho; esses ferros de que cada um deve levar 8 libras por seu lado pesam-lhes sobre os joelhos. O operador passa-os em revista tomando a medida das cabeças e adaptando os enormes colares de uma polegada de espessura. Para rebitar uma gargantilha é necessário o concurso de três carrascos: um aguenta a bigorna, o outro mantém reunidos os dois lados do colar de ferro e preserva com os dois braços estendidos a cabeça do paciente, e o terceiro bate com pancadas redobradas e achata o cravo sob seu martelo maciço. Cada golpe abala a cabeça e o corpo [...] aliás, não se pensa no perigo que a vítima poderia correr se o martelo se desviasse; esta impressão é nula, ou antes ela se desfaz diante da impressão profunda de horror que se experimenta ao contemplar a criatura de Deus num tal rebaixamento[2].

Depois é a dimensão do espetáculo público; segunda a *Gazette des tribunaux*[3], mais de 100.000 pessoas veem a cadeia partir de Paris a 19 de julho: "A descida da Courtille ao Mardi Gras..." A ordem e a riqueza vêm ver passar de longe a grande tribo nômade acorrentada, essa outra espécie, a "raça diferente que tem o privilégio de povoar os campos de trabalhos forçados e as prisões". Já os espectadores populares, como no tempo dos suplícios públicos, levam avante com os condenados as trocas ambíguas de injúrias, de ameaças, de encorajamentos, de golpes, de sinais de ódio ou de cumplicidade. Qualquer coisa de violento se ergue e não para de correr ao longo de toda a procissão: cólera contra uma justiça severa ou indulgente em excesso; gritos contra criminosos detestados; movimentos a favor dos prisioneiros conhecidos e que são saudados; defrontações com a polícia:

Durante todo o trajeto percorrido desde a barreira de Fontainebleau, grupos de exaltados davam gritos de indignação contra Delacollonge: Abaixo o padre, diziam, abaixo esse homem execrável; deveriam ter feito justiça com ele. Sem a energia e a firmeza da guarda municipal, poderiam ter sido cometidas graves desordens. Em Vaugirard,

---

2. *Revue de Paris*, 07/06/1836. Essa parte do espetáculo em 1836 não era mais pública; só alguns espectadores privilegiados eram admitidos a ela. O relato da ferração que se encontra na *Revue de Paris* é exatamente de acordo – às vezes com as mesmas palavras – com o de *Dernier jour d'un condamné*, 1829.

3. *Gazette des tribunaux*, 20/07/1836.

eram as mulheres que estavam mais furiosas. Gritavam: Abaixo o mau padre! Abaixo o monstro Delacollonge! Os delegados de polícia de Montrouge, de Vaugirard e vários prefeitos e seus assessores acorreram com a echarpe aberta para fazer respeitar a decisão da justiça. A pouca distância de Issy, François, percebendo M. Allard e os agentes da brigada, lançou sobre eles sua gamela de madeira. Lembraram-se então que a família de alguns antigos companheiros desse condenado morava em Ivry. Desde esse momento os inspetores do serviço se escalonaram pela estrada e acompanharam de perto a carroça dos forçados. Os do cordão de Paris, sem exceção, lançaram cada um sua gamela de madeira à cabeça dos agentes, e alguns foram atingidos. Nesse momento, a multidão se encolerizou, e uns se atiravam contra os outros[4].

Entre Bicêtre e Sèvres um número considerável de casas teria sido pilhado durante a passagem da cadeia[5].

Nessa festa dos condenados que partem, há um pouco dos ritos do bode expiatório que é surrado ao ser banido, um pouco da festa dos loucos onde se pratica a inversão dos papéis, uma parte das velhas cerimônias de cadafalso onde a verdade deve brilhar em plena luz do dia, uma parte também daqueles espetáculos populares, onde se vêm reconhecer os personagens famosos ou os tipos tradicionais: jogo da verdade e da infâmia, desfile da notoriedade e da vergonha, invectivas contra os culpados que se desmascaram, e, por outro lado, alegre confissão dos crimes. Todos procuram reconhecer o rosto dos criminosos que tiveram sua glória; folhas volantes recordam os crimes dos que se veem passar; os jornais, com antecedência, dão seus nomes e contam suas vidas; às vezes fazem a descrição deles, descrevem sua roupa, para que sua identidade não possa escapar: programas para os espectadores[6]. O povo vem também contemplar tipos de criminosos, tentar distinguir pelo traje ou pelo rosto a "profissão" do condenado, se é assassino ou ladrão: jogo de máscaras e marionetes, mas onde se introduz também, para olhares mais educados, como que uma etnografia empírica do crime. Dos espetáculos de saltimbancos à

---

4. Ibid.

5. *La Phalange*, 01/07/1836.

6. A *Gazette des tribunaux* publica regularmente essas listas e notas "criminais". Exemplo de descrição para se reconhecer bem Delacollonge: "Calças de sarja, velhas, cobrindo um par de botas, um boné do mesmo tecido com viseira e uma blusa cinza [...] casaco de sarja azul" (06/06/1836). Mais tarde, resolvem disfarçar Delacollonge para fazê-lo escapar das violências da multidão. A *Gazette des tribunaux* descreve logo o disfarce: "Calças listradas, blusa de tela azul, chapéu de palha" (20/07).

frenologia de Gall, utilizam-se, de acordo com o meio a que se pertence, as semiologias do crime de que se dispõe:

> As fisionomias são tão variadas quanto os trajes: aqui, uma cabeça majestosa, como as figuras de Murillo; lá, um rosto depravado, enquadrado por sobrancelhas espessas, que anuncia uma energia de um celerado específico [...] acolá uma cabeça de árabe se ergue sobre um corpo de garoto. Aqui vemos traços femininos e suaves, são cúmplices; olhai essas figuras lustrosas de devassidão, são os preceptores[7].

A esse jogo respondem os próprios condenados, arvorando seus crimes e dando a representação de sua falta: é uma das funções da tatuagem, vinheta de sua proeza ou de seu destino:

> Eles levam as insígnias, seja uma guilhotina tatuada no braço esquerdo, seja no peito um punhal enterrado num coração que sangra.

Ao passar representam em gestos a cena de seu crime, debocham dos juízes ou da polícia, gabam-se de malfeitos que não foram descobertos. François, o antigo cúmplice de Lacenaire, conta que é o inventor de um método para matar um homem sem fazê-lo gritar, e sem derramar uma gota de sangue. A grande feira ambulante do crime tinha seus truões e suas máscaras, onde a afirmação cômica da verdade respondia à curiosidade e às invectivas. Toda uma série de cenas, naquele verão de 1836, em torno de Delacollonge: a seu crime (ele cortara em pedaços a amante grávida) sua qualidade de sacerdote dera muita ostentação; permitira-lhe também escapar do cadafalso. Parece que foi perseguido por um grande ódio popular. Já antes, na carroça que o levara a Paris em junho de 1836, ele fora insultado e não conseguira reter as lágrimas; não quisera entretanto ser transportado de carro, considerando que a humilhação fazia parte de seu castigo. À partida de Paris,

> não se pode imaginar o que a multidão esgotou como indignação virtuosa, cólera moral e covardia sobre esse homem; ele foi coberto de terra e de lama; as pedras choviam-lhe em cima com os gritos da fúria pública. Era uma incrível explosão de raiva; as mulheres principalmente, verdadeiras fúrias, mostravam uma inacreditável exaltação de ódio[8].

Para protegê-lo, mandam-no trocar de roupa. Alguns espectadores enganados pensam reconhecê-lo em François. Que, de brincadeira, aceita o papel;

---

7. *Revue de Paris*, jun. 1836. Cf. *Claude Gueux*: "Apalpai todos esses crânios; cada um desses homens caídos tem por baixo seu tipo bestial [...]. Eis o lobo, eis o gato, eis o macaco, eis o abutre, eis a hiena".

8. *La Phalange*, 01/08/1836.

mas, à comédia do crime que não cometeu, ele acrescenta a do padre que não é; ao relato de "seu" crime, mistura orações e grandes gestos de bênção dirigidos à multidão que o invectiva e ri. A alguns passos de lá, o verdadeiro Delacollonge, "que parecia um mártir", sofria a dupla afronta dos insultos que não recebia, mas lhe eram dirigidos, e do ridículo que fazia reaparecer, sob a forma de outro criminoso, o padre que ele era e que quisera esconder. Sua paixão era representada, sob seus olhos, por um bufão assassino a que estava acorrentado.

Em todas as cidades por onde passava, a cadeia trazia consigo a festa; eram as saturnais do castigo; nela a pena virava privilégio. E por uma curiosa tradição, que, de seu lado, parece escapar aos ritos comuns dos suplícios, provocava nos condenados menos as marcas obrigadas do arrependimento que a explosão de uma alegria louca que negava a punição. Ao ornamento da coleira e dos ferros os próprios forçados juntavam o enfeite de fitas, de palha trançada, de flores ou de uma roupa preciosa. A cadeia é a roda e a dança; é o acasalamento também, o casamento forçado no amor proibido. Núpcias, festa e sagração sob as correntes:

> Eles acorrem diante dos ferros com um buquê na mão, fitas ou borlas de palha enfeitam seus bonés e os mais hábeis preparam capacetes com cimeira [...]. Outros usam meias com aberturas em tamancos, ou um colete na moda por baixo de uma blusa de trabalho[9].

E, durante toda a tarde que se seguia à ferração, a cadeia formava uma grande farândola, que girava sem parar no pátio de Bicêtre:

> Ai dos vigias se a cadeia os reconhecesse; ela os embrulhava e os sufocava em seus anéis; os forçados permaneciam donos do campo de batalha até o fim do dia[10].

O sabá dos condenados respondia ao cerimonial da justiça com faustos que inventava. Invertia os esplendores, a ordem do poder e seus sinais, as formas do prazer. Mas alguma coisa do sabá político não estava longe. Só sendo surdo para não se ouvir um pouco desses novos acentos. Os forçados canta-

---

9. *Revue de Paris*, 07/06/1836. Segundo a *Gazette des tribunaux*, o capitão Thorez, que comandava a cadeia de 19 de julho, quis mandar retirar esses enfeites: "É inconveniente que, indo para os trabalhos forçados expiar vossos crimes, levais a afronta ao ponto de enfeitar a cabeça, como se fosse para vós um dia de núpcias".

10. *Revue de Paris*, 07/06/1836. Nessa data, a cadeia fora encurtada para impedir a farândola, e os soldados encarregados de manter a ordem até à partida da cadeia. O sabá dos forçados é descrito no *Dernier jour d'un condamné*. "A sociedade lá estava, representada pelos carcereiros e curiosos apavorados, enquanto o crime zombava dela um pouco, fazendo desse tremendo castigo uma festa de família".

vam canções de marcha, de celebridade rápida e que durante muito tempo foram repetidas em toda parte. Encontrava-se aí sem dúvida o eco das queixas emprestadas aos criminosos pelas folhas volantes – afirmação do crime, heroicização negra, evocação de castigos terríveis e do ódio geral que os cerca:

> Fama, a nós as trombetas [...]. Coragem, crianças, soframos sem estremecer o destino horrível que paira sobre nossas cabeças [...]. Nossos ferros são pesados, mas nós os suportaremos. Para os forçados não há voz que se eleve: aliviemo-los.

Há entretanto nesses cantos coletivos uma outra tonalidade; inverte-se o código moral a que obedecia a maior parte das velhas queixas. O suplício, em vez de trazer o remorso, aguça a vaidade; a justiça que condenou é recusada, e recebe vitupérios a multidão que vem contemplar o que ela pensa ser arrependimentos ou humilhações:

> Tão longe dos lares, às vezes, gememos. Nossas frontes sempre severas farão empalidecer nossos juízes [...]. Ávidos de desgraça, vossos olhares em nosso meio procuram encontrar uma raça vencida que chora e se humilha. Mas nossos olhares são orgulhosos.

Encontramos aí também a afirmação de que a vida nos trabalhos forçados, com seus companheirismos, reserva prazeres que a liberdade não conhece.

> Acorrentemos os prazeres com o tempo. Sob os ferrolhos nascerão dias de festa [...]. Os prazeres são fugitivos. Fugirão dos carrascos, seguirão as canções.

E principalmente a ordem atual não durará para sempre; não só os condenados serão libertados e recobrarão seus direitos, mas seus acusadores virão tomar-lhes o lugar. Entre os criminosos e os juízes, virá o dia do grande julgamento às avessas:

> A nós, forçados, o desprezo pelos homens. A nós também todo o ouro que eles deificam. Esse ouro, um dia, passará a nossas mãos. Nós o compramos pelo preço de nossa vida. Outros retomarão essas cadeias que hoje vós nos fazeis levar; eles se tornarão escravos. Nós, rompendo os encraves, o astro de liberdade terá reluzido para nós [...]. Adeus, pois desprezamos tanto vossos ferros quanto vossas leis[11].

---

11. Uma canção do mesmo gênero é citada pela *Gazette des tribunaux* de 10/04/1836. Era cantada com a melodia da "Marselhesa". O canto da guerra patriótica nela se torna claramente o canto da guerra social: "Que quer de nós esse povo imbecil, vem insultar a desgraça? Vê-nos com um olhar tranquilo. Nossos carrascos não o horrorizam".

O teatro piedoso imaginado pelas folhas volantes, e onde o condenado exortava a multidão a nunca imitá-lo, está se tornando uma cena ameaçadora onde a multidão é obrigada a escolher entre a barbárie dos carrascos, a injustiça dos juízes e a desgraça dos condenados vencidos hoje, mas que triunfarão um dia.

O grande espetáculo da cadeia se relacionava com a antiga tradição dos suplícios públicos; relacionava-se também com aquela múltipla representação do crime dada na época pelos jornais, pasquins, palhaços, teatros de bulevar[12]; mas se relacionava igualmente com defrontações e lutas cujo estrondo carrega consigo; ele lhes dá como que uma saída simbólica: o exército da desordem, aterrorizado pela lei, promete voltar; o que foi expulso pela violência da ordem trará ao retornar a reviravolta libertadora. "Fiquei apavorado de ver tantas faíscas reaparecerem naquelas cinzas"[13]. A agitação que sempre cercara os suplícios entra em ressonância com ameaças precisas. Compreende-se que a monarquia de julho tenha decidido suprimir a cadeia pelas mesmas razões – mas mais precisas – que exigiam, no século XVIII, a abolição dos suplícios:

> Não faz parte de nossos costumes levar homens desta maneira; deve-se evitar proporcionar nas cidades atravessadas pela caravana um espetáculo tão feio que aliás não é de nenhuma instrução para a população[14].

Necessidade portanto de romper com esses ritos públicos; de fazer as transferências de condenados passarem pela mesma mutação que os próprios castigos; e de colocá-los, a eles também, sob o signo do pudor administrativo.

Ora, o que foi adotado, em junho de 1837, para substituir a cadeia, não foi a simples carroça coberta de que se falara um momento, mas uma máquina bem cuidadosamente elaborada. Uma carruagem concebida como prisão ambulante. Um equivalente móvel do Panóptico, dividido em todo o comprimento por um corredor central: de um lado e de outro, seis celas onde os detentos estão sentados de frente. Seus pés são passados em anéis forrados de

---

12. Há uma classe de escritores que "se dedicou a colocar malfeitores dotados de espantosa habilidade na glorificação do crime, que os faz desempenhar o papel principal e entrega os agentes da autoridade a suas piadas, ironias e sua zombaria maldisfarçada. Quem tiver visto representar *Auberge des Adrets* ou *Robert Macaire*, drama famoso no meio do povo, reconhecerá facilmente a justeza de minhas observações. É o triunfo, é a apoteose da audácia e do crime. A gente honesta e a polícia são totalmente mistificadas" (FREGIER, H.A. *Les classes dangereuses*. Vol. II, 1840, p. 187s.).

13. *Le dernier jour d'un condamné.*

14. *Gazette des tribunaux*, 19/07/1836.

lá por dentro e reunidos entre si por cadeias de 18 polegadas; as pernas são presas em joelheiras de metal. O condenado fica sentado sobre "uma espécie de funil de zinco e carvalho aberto sobre a via pública". A cela não tem nenhuma janela para fora; é inteiramente forrada de chapas metálicas; só um basculante, também de lata furada, dá passagem a "uma corrente de ar conveniente". Do lado do corredor, a porta de cada cela é guarnecida de um guichê com um compartimento duplo: um para os alimentos, outro, de grades, para a vigilância.

> A abertura e a direção oblíqua dos guichês são combinadas de tal modo que os guardas mantêm constantemente os olhos sobre os prisioneiros, e entendem suas menores palavras, sem que estes possam chegar a se ver ou se ouvir entre si. [De tal maneira que] a mesma viatura pode, sem o menor inconveniente, conter ao mesmo tempo um forçado e um simples acusado, homens e mulheres, crianças e adultos. Qualquer que seja o comprimento do trajeto, uns e outros são levados a seu destino sem poder ter se visto nem se falado.

Enfim, a vigilância constante dos dois guardas que estão armados com uma pequena maça de carvalho "com grandes cravos de diamante, rombudos", permite fazer funcionar um sistema de punições, conforme o regulamento interno da carruagem: regime de pão e água, dedos polegares amarrados, privação da almofada para dormir, os dois braços amarrados. "É proibida qualquer leitura senão a dos livros de moral."

Houvera ela tido apenas sua suavidade e rapidez, essa máquina "teria feito honra à sensibilidade de seu autor"; mas seu mérito é ser uma verdadeira carruagem penitenciária. Por seus efeitos externos ela é de uma perfeição toda benthamiana:

> Na passagem rápida dessa prisão sobre rodas que em seus lados silenciosos e sombrios só leva como inscrição as palavras: Transporte de Forçados, há qualquer coisa de misterioso e lúgubre que Bentham requer na execução das sentenças criminais e que deixa no espírito dos espectadores uma impressão mais salutar e durável que a visão daqueles cínicos e alegres viajantes[15].

Ela tem também efeitos internos: já nos poucos dias de transporte (durante os quais os detentos não ficam soltos um só instante), funciona como um aparelho de correção. Sai-se dela espantosamente bem comportado:

---

15. *Gazette des tribunaux*, 15/06/1837.

Do ponto de vista moral esse transporte, que entretanto dura só setenta e duas horas, é um suplício horrível cujo efeito age durante muito tempo, ao que parece, sobre o prisioneiro. [Os próprios forçados são testemunhas disso]: No carro celular, quando não estamos dormindo, só podemos pensar. De tanto pensar, parece que me arrependo do que fiz; afinal, entendem, eu teria medo de me tornar melhor e não quero[16].

Breve história a da carruagem panóptica. Entretanto, a maneira como ela substitui a cadeia e as razões dessa substituição resumem todo o processo pelo qual em oitenta anos a detenção penal tomou o lugar dos suplícios: como uma técnica pensada para modificar os indivíduos. A carruagem celular é um aparelho de reforma. O que substituiu o suplício não foi um encarceramento maciço, foi um dispositivo disciplinar cuidadosamente articulado. Pelo menos em princípio.

*

Pois logo a seguir a prisão, em sua realidade e seus efeitos visíveis, foi denunciada como o grande fracasso da justiça penal. Estranhamente, a história do encarceramento não segue uma cronologia ao longo da qual se sucedessem logicamente: o estabelecimento de uma penalidade de detenção, depois o registro de seu fracasso; depois a lenta subida dos projetos de reforma, que chegariam à definição mais ou menos coerente de técnica penitenciária; depois a implantação desse projeto; enfim a constatação de seus sucessos ou fracassos. Houve na realidade uma superposição ou em todo caso outra distribuição desses elementos. E do mesmo modo que o projeto de uma técnica corretiva acompanhou o princípio de uma detenção punitiva, a crítica da prisão e de seus métodos aparece muito cedo, nesses mesmos anos de 1820-1845; ela aliás se fixa num certo número de formulações que – a não ser pelos números – se repetem hoje sem quase mudança nenhuma.

– As prisões não diminuem a taxa de criminalidade: pode-se aumentá-las, multiplicá-las ou transformá-las, a quantidade de crimes e de criminosos permanece estável, ou, ainda pior, aumenta:

> Avalia-se na França em cerca de 108 mil o número de indivíduos que estão em condição de hostilidade flagrante à sociedade. Os meios de repressão de que dispomos são: a forca, o pelourinho, 3

---

16. *Gazette des tribunaux*, 23/07/1837. A 9 de agosto, a *Gazette* conta que a carruagem virou nos arredores de Guingamp: em vez de se amotinar, os prisioneiros "ajudaram os guardas a erguer o veículo comum". A 30 de outubro, entretanto, ela indica uma evasão em Valence.

campos de trabalhos forçados, 19 casas centrais, 86 casas de justiça, 362 cadeias, 2.800 prisões de cantão, 2.238 quartos de segurança nos postos de polícia. Apesar desta série de meios, o vício conserva sua audácia. O número de crimes não diminui [...]; o número de reincidências aumenta mais que decresce[17].

– A detenção provoca a reincidência; depois de sair da prisão, têm-se mais chance que antes de voltar para ela, os condenados são, em proporção considerável, antigos detentos; 38% dos que saem das casas centrais são condenados novamente e 33% são forçados[18]; de 1828 a 1834, de cerca de 35.000 condenados por crime, perto de 7.400 eram reincidentes (ou seja, um em cada 4,7 condenados); em mais de 200.000 contraventores, quase 35 mil o eram também (1 em cada 6); no total, um reincidente para 5,8 condenados[19]; em 1831, em 2.174 condenados por reincidência, 350 haviam saído dos trabalhos forçados, 1.682 das casas centrais, 142 das 4 casas de correção submetidas ao mesmo regime que as centrais[20]. E o diagnóstico se torna cada vez mais pesado ao longo de toda a monarquia de julho: em 1835, contam-se 1.486 reincidentes em 7.223 condenados criminosos; em 1839, 1.749 em 7.858; em 1844, 1.821 em 7.195. Entre os 980 detentos de Loos havia 570 reincidentes e, em Melun, 745 dos l.088 prisioneiros[21]. A prisão, consequentemente, em vez de devolver à liberdade indivíduos corrigidos, espalha na população delinquentes perigosos:

> 7.000 pessoas entregues cada ano à sociedade [...], são 7.000 princípios de crimes ou de corrupção espalhados no corpo social. E quando pensamos que essa população cresce sem parar, que ela vive e se agita em torno de nós, pronta para aproveitar todas as chances de desordem, e a se prevalecer de todas as crises da sociedade para experimentar suas forças, podemos permanecer impassíveis diante de tal espetáculo?[22]

– A prisão não pode deixar de fabricar delinquentes. Fabrica-os pelo tipo de existência que faz os detentos levarem: que fiquem isolados nas celas, ou que lhes seja imposto um trabalho inútil, para o qual não encontrarão utili-

---

17. *La Fraternité*, n. 10, fev. 1842.

18. Número citado por G. de la Rochefoucauld durante a discussão sobre a reforma do Código Penal, 2/12/1831. *Archives parlementaires*, t. LXXII, p. 209s.

19. DUCPÉTIAUX, E. *De la réforme pénitentiaire*. 1837, t. III, p. 276s.

20. Ibid.

21. FERRUS, G. *Des prisonniers*. 1850, p. 363-367.

22. BEAUMONT, E. de & TOCQUEVILLE, A. de. *Note sur le système pénitentiaire*. 1831, p. 22s.

dade, é de qualquer maneira não "pensar no homem em sociedade; é criar uma existência contra a natureza inútil e perigosa"; queremos que a prisão eduque os detentos, mas um sistema de educação que se dirige ao homem pode ter razoavelmente como objetivo agir contra o desejo da natureza?[23] A prisão fabrica também delinquentes impondo aos detentos limitações violentas; ela se destina a aplicar as leis e a ensinar o respeito por elas; ora, todo o seu funcionamento se desenrola no sentido do abuso de poder. Arbitrário da administração:

> O sentimento de injustiça que um prisioneiro experimenta é uma das causas que mais podem tornar indomável seu caráter. Quando se vê assim exposto a sofrimentos que a lei não ordenou nem mesmo previu, ele entra num estado habitual de cólera contra tudo o que o cerca; só vê carrascos em todos os agentes da autoridade: não pensa mais ter sido culpado; acusa a própria justiça[24].

Corrupção, medo e incapacidade dos guardas:

> 1.000 a 5.000 vigias que só mantêm alguma segurança contando com a delação, ou seja, com a corrupção que eles mesmos têm o cuidado de semear. Quem são esses guardas? Soldados que receberam baixa, homens sem instrução, sem inteligência de sua função, que guardam os malfeitores por profissão[25].

Exploração por um trabalho penal, que nessas condições não pode ter nenhum caráter educativo:

> Fala-se muito contra o tráfico de negros. Como eles, os detentos não são vendidos pelos empresários e comprados pelos comerciantes? [...] Os prisioneiros recebem neste ponto lições de probidade? Não ficam mais desencorajados por esses exemplos de abominável exploração?[26]

– A prisão torna possível, ou melhor, favorece a organização de um meio de delinquentes, solidários entre si, hierarquizados, prontos para todas as cumplicidades futuras:

---

23. LUCAS, Ch. *De la réforme des prisons*. Vol. I, 1836, p. 127 e 130.

24. PRÉAMENEU, F. Bigot. *Rapport au conseil général de la société des prisons*. 1819.

25. *La Fraternité*, mar. 1842.

26. Texto dirigido a *L'Atelier*, out. 1842, 3º ano, n. 3, por um operário preso por conluio. Ele pôde anotar esse protesto a uma época em que o mesmo jornal fazia campanha contra a concorrência do trabalho penal. No mesmo número, outra carta de outro operário sobre o mesmo assunto. Cf. tb. *La Fraternité*, mar. 1842, 1º ano, n. 10.

A sociedade proíbe as associações de mais de 20 pessoas [...] e ela mesma constitui associações de 200, de 500, de 1.200 condenados nas casas centrais que são para eles construídas *ad hoc*, e que para seu maior conforto ela divide em oficinas, em pátios, refeitórios comuns [...] e se multiplica por toda a superfície da França, de tal modo que, onde houver uma prisão, há uma associação [...] outros tantos clubes antissociais[27].

E nesses clubes é feita a educação do jovem delinquente que está em sua primeira condenação:

O primeiro desejo que nele nascerá será de aprender com os colegas hábeis como se escapa aos rigores da lei; a primeira lição será tirada dessa lógica cerrada dos ladrões que os leva a considerar a sociedade como inimiga; a primeira moral será a delação, a espionagem honrada nas nossas prisões; a primeira paixão que nele será excitada virá assustar a jovem natureza por aquelas monstruosidades que devem ter nascido nas masmorras e que a pena se recusa a citar [...] ele agora rompeu com tudo o que o ligava à sociedade[28].

Faucher falava dos "quartéis do crime".

– As condições dadas aos detentos libertados nos condenam fatalmente à reincidência: porque estão sob a vigilância da polícia; porque têm designação de domicílio, ou proibição de permanência; porque só

saem da prisão com um passaporte que têm que mostrar em todo lugar onde vão e que menciona a condenação que sofreram[29].

A quebra de banimento, a impossibilidade de encontrar trabalho, a vadiagem são os fatores mais frequentes da reincidência. A *Gazette des tribunaux*, mas também os jornais operários citam muitas vezes casos semelhantes, como o daquele operário condenado por roubo, posto sob vigilância em Rouen, preso novamente por roubo, e que os advogados desistiram de defender; ele mesmo toma então a palavra diante do tribunal, faz o histórico de sua vida, explica como, saído da prisão e com determinação de residência, não consegue recuperar seu ofício de dourador, sendo recusado em toda parte por sua qualidade de presidiário; a polícia recusa-lhe o direito de procurar trabalho

---

27. MOREAU-CHRISTOPHE, L. *De la mortalité et de la folie dans le régime pénitentiaire*. 1839, p. 7.

28. *L'Almanach populaire de la France*. 1839, assinado D., p. 49-56.

29. MARBOIS, F. de Barbe. *Rapport sur l'état des prisons du Calvados, de l'Eure, la Manche et la Seine Inférieure*. 1823, p. 17.

em outro lugar; ele se viu preso a Rouen e fadado a morrer aí de fome e miséria como efeito dessa vigilância opressiva. Pediu trabalho à prefeitura; ficou ocupado 8 dias nos cemitérios por 14 soldos por dia:

> Mas, diz ele, sou moço, tenho bom apetite, eu comia mais de duas libras de pão a 5 soldos a libra; que fazer com 14 soldos para me alimentar, lavar roupa e morar? Estava reduzido ao desespero, queria voltar a ser um homem honesto; a vigilância me fez mergulhar de novo na desgraça. Desgostei-me de tudo; foi então que conheci Lemaitre que também está na miséria; tínhamos que viver e a má ideia de roubar nos voltou[30].

– Enfim, a prisão fabrica indiretamente delinquentes, ao fazer cair na miséria a família do detento:

> A mesma ordem que manda para a prisão o chefe de família reduz cada dia a mãe à penúria, os filhos ao abandono, a família inteira à vagabundagem e à mendicância. Sob esse ponto de vista o crime ameaça se prolongar[31].

Devemos notar que essa crítica monótona da prisão é feita constantemente em duas direções: contra o fato de que prisão não era efetivamente corretora, que a técnica penitenciária nela permanecia em estado rudimentar; contra o fato de que, ao querer ser corretiva, ela perde sua força de punição[32], que a verdadeira técnica penitenciária é o rigor[33], e que a prisão é um duplo erro econômico: diretamente pelo custo intrínseco de sua organização e indiretamente pelo custo da delinquência que ela não reprime[34]. Ora, a essas críticas, a

---

30. *Gazette des tribunaux*, 03/12/1829. Cf. no mesmo sentido *Gazette des tribunaux*, 19/07/1839; a *Ruche populaire*, ago. 1840, *La Fraternité*, jul.-ago./1847.

31. LUCAS, C. *De la réforme des prisons*. Vol. II, 1838, p. 64.

32. Essa campanha foi muito viva antes e depois da nova regulamentação das centrais em 1839. Regulamentação severa (silêncio, supressão do vinho e do fumo, diminuição da cantina) que foi seguida por revoltas. *Le Moniteur*, 03/10/1840: "Era escandaloso ver os detentos se fartarem de vinho, de carne, de caça, de guloseimas de todo tipo e tomar a prisão por um hotel confortável onde lhes eram proporcionadas todas as comodidades que muitas vezes o estado de liberdade lhes recusava".

33. Em 1826, muitos conselhos gerais pedem que a deportação substitua um encarceramento constante e sem eficácia. Em 1842, o Conselho Geral dos Hautes-Alpes pede que as prisões se tornem "verdadeiramente expiatórias"; no mesmo sentido, o de Drôme, de Eure-et-Loir, de Nièvre, de Rhône e de Seine-et-Oise.

34. Segundo uma pesquisa feita em 1839 junto aos diretores de prisões centrais. Diretor de Embrun: "O excesso de bem-estar nas prisões provavelmente contribui muito para o aumento assustador das reincidências". Eysses: "O regime atual não é suficientemente severo, e, se uma coisa é certa, é que para muitos detentos a prisão tem encantos e eles nela encontram gozos depravados que

resposta foi invariavelmente a mesma: a recondução dos princípios invariáveis da técnica penitenciária. Há um século e meio que a prisão vem sempre sendo dada como seu próprio remédio; a reativação das técnicas penitenciárias como a única maneira de reparar seu fracasso permanente; a realização do projeto corretivo como o único método para superar a impossibilidade de torná-lo realidade.

Um fato o comprova: as revoltas de detentos, nas últimas semanas, que a reforma definida em 1945 nunca se efetuara realmente; que era então necessário voltar a seus princípios fundamentais. Ora, esses princípios, de que ainda hoje se esperam efeitos tão maravilhosos, são conhecidos: constituem há quase 150 anos as sete máximas universais da boa "condição penitenciária".

1) A detenção penal deve então ter por função essencial a transformação do comportamento do indivíduo:

> A recuperação do condenado como objetivo principal da pena é um princípio sagrado cuja aparição formal no campo da ciência e principalmente no da legislação é bem recente (Congresso Penitenciário de Bruxelas, 1847). [E a comissão amor, de maio de 1945, repete fielmente]: A pena privativa de liberdade tem como objetivo principal a recuperação e a reclassificação social do condenado (**Princípio da correção**).

2) Os detentos devem ser isolados ou pelo menos repartidos de acordo com a gravidade penal de seu ato, mas principalmente segundo sua idade, suas disposições, as técnicas de correção que se pretende utilizar para com eles, as fases de sua transformação.

> Deve-se levar em conta, no uso dos meios modificadores, das grandes diferenças físicas e morais, que comportam a organização dos condenados, de seu grau de perversidade, das chances desiguais de correção que podem oferecer (fevereiro de 1850). [1945]: a repartição nos estabelecimentos penitenciários dos indivíduos com pena inferior a um ano tem por base o sexo, a personalidade e o grau de perversão do delinquente (**Princípio da classificação**).

3) As penas, cujo desenrolar deve poder ser modificado segundo a individualidade dos detentos, os resultados obtidos, os progressos ou as recaídas.

---

são tudo para eles". Limoges: "O regime atual das casas centrais que na realidade não passam, para os reincidentes, de verdadeiros pensionatos, não é absolutamente repressivo" (cf. MOREAU--CHRISTOPHIE, L. *Polémiques pénitentiaires*. 1840, p. 86). Comparar com as declarações feitas em julho de 1974 pelos responsáveis pelos sindicatos de administração penitenciária, a respeito dos efeitos da liberalização na prisão.

264

Sendo o objetivo principal da pena a reforma do culpado, seria desejável que se pudesse soltar qualquer condenado quando sua regeneração moral estivesse suficientemente garantida (CH. LUCAS, 1836). [1945]: É aplicado um regime progressivo [...] com vistas a adaptar o tratamento do prisioneiro à sua atitude e ao seu grau de regeneração. Este regime vai da colocação em cela à semiliberdade [...]. O benefício da liberdade condicional é estendido a todas as penas temporárias (**Princípio da modulação das penas**).

4) O trabalho deve ser uma das peças essenciais da transformação e da socialização progressiva dos detentos. O trabalho penal

> não deve ser considerado como o complemento e, por assim dizer, como uma agravação da pena, mas sim como uma suavização cuja privação seria totalmente possível. Deve permitir aprender ou praticar um ofício, e dar recursos ao detento e a sua família (DUCPÉTIAUX, 1857). [1945]: Todo condenado de direito comum é obrigado ao trabalho [...]. Nenhum pode ser obrigado a permanecer desocupado (**Princípio do trabalho como obrigação e como direito**).

5) A educação do detento é, por parte do poder público, ao mesmo tempo uma precaução indispensável no interesse da sociedade e uma obrigação para com o detento.

> Só a educação pode servir de instrumento penitenciário. A questão do encarceramento penitenciário é uma questão de educação (CH. LUCAS, 1838). [1945]: O tratamento infligido ao prisioneiro, fora de qualquer promiscuidade corruptora [...] deve tender principalmente à sua instrução geral e profissional e à sua melhora (**Princípio da educação penitenciária**).

6) O regime da prisão deve ser, pelo menos em parte, controlado e assumido por um pessoal especializado que possua as capacidades morais e técnicas de zelar pela boa formação dos indivíduos. Ferrus, em 1850, a respeito do médico da prisão:

> Seu concurso é útil com todas as formas de encarceramento [...] ninguém mais intimamente que um médico poderia possuir a confiança dos detentos, conhecer melhor seu temperamento, exercer ação mais eficaz sobre seus sentimentos, aliviando-lhes os males físicos e aproveitando essa forma de ascendência para fazê-los ouvir palavras severas ou encorajamentos úteis. [1945]: em todo estabelecimento penitenciário funciona um serviço social e médico-psicológico (**Princípio do controle técnico da detenção**).

7) O encarceramento deve ser acompanhado de medidas de controle e de assistência até a readaptação definitiva do antigo detento. Seria necessário não só vigiá-lo à sua saída da prisão,

> mas prestar-lhe apoio e socorro (Boulet e Benquot na Câmara de Paris). [1945]: É dada assistência aos prisioneiros durante e depois da pena com a finalidade de facilitar sua reclassificação (**Princípio das instituições anexas**).

Palavra por palavra, de um século a outro, as mesmas proposições fundamentais se repetem. E são dadas a cada vez como a formulação enfim obtida, enfim aceita de uma reforma até então sempre fracassada. Poder-se-ia ter tomado as mesmas frases ou quase as mesmas de outros períodos "fecundos" da reforma: o fim do século XIX, e o "movimento da defesa social"; ou ainda os anos mais recentes, com as revoltas dos detentos.

Não devemos então conceber a prisão, seu "fracasso" e sua reforma mais ou menos bem-aplicada como três tempos sucessivos. Devemos antes pensar num sistema simultâneo que historicamente se sobrepôs à privação jurídica da liberdade: um sistema de quatro termos que compreende: o "suplemento" disciplinar da prisão – elemento de sobrepoder; a produção de uma objetividade, de uma técnica, de uma "racionalidade" penitenciária – elemento do saber conexo; a recondução de fato, se não a acentuação de uma criminalidade que a prisão devia destruir – elemento de eficácia inversa; enfim a repetição de uma reforma que é isomorfa, apesar de sua "idealidade", ao funcionamento disciplinar da prisão – elemento do desdobramento utópico. É este conjunto complexo que constitui o "sistema carcerário" e não só a instituição da prisão, com seus muros, seu pessoal, seus regulamentos e sua violência. O sistema carcerário junta numa mesma figura discursos e arquitetos, regulamentos coercitivos e proposições científicas, efeitos sociais reais e utopias invencíveis, programas para corrigir a delinquência e mecanismos que solidificam a delinquência. O pretenso fracasso não faria então parte do funcionamento da prisão? Não deveria ser inscrito naqueles efeitos de poder que a disciplina e a tecnologia conexa do encarceramento induziram no aparelho de justiça, de uma maneira mais geral na sociedade e que podemos agrupar sob o nome de "sistema carcerário"? Se a instituição-prisão resistiu tanto tempo, e em tal imobilidade, se o princípio da detenção penal nunca foi seriamente questionado, é sem dúvida porque esse sistema carcerário se enraizava em profundidade e exercia funções precisas. Dessa solidez tomemos como testemunho um fato recente: a prisão modelo que foi aberta em Fleury-Mérogis em 1969 apenas se serviu em sua distribuição de conjunto da estrela panóptica que em 1836 dera à Petite-Roquette a fama que esta teve. É a mesma maquinaria de poder que aí se concretiza e assume forma simbólica. Mas para desempenhar que papel?

*

Vamos admitir que a lei se destine a definir infrações, que o aparelho penal tenha como função reduzi-las e que a prisão seja o instrumento dessa repressão; temos então que passar um atestado de fracasso. Ou antes – pois para estabelecê-la em termos históricos seria preciso poder medir a incidência da penalidade de detenção no nível global da criminalidade – temos que nos admirar de que há 150 anos a proclamação do fracasso da prisão se acompanhe sempre de sua manutenção. A única alternativa realmente apontada foi a deportação que a Inglaterra abandonara desde o começo do século XIX e que a França retomou sob o Segundo Império, mas antes como uma forma ao mesmo tempo rigorosa e longínqua de encarceramento.

Mas talvez devamos inverter o problema e nos perguntar para que serve o fracasso da prisão; qual é a utilidade desses diversos fenômenos que a crítica, continuamente, denuncia: manutenção da delinquência, indução em reincidência, transformação do infrator ocasional em delinquência. Talvez devamos procurar o que se esconde sob o aparente cinismo da instituição penal que, depois de ter feito os condenados pagar sua pena, continua a segui-los por meio de toda uma série de marcações (vigilância que era de direito antigamente e o é de fato hoje; passaportes dos degredados de antes, e agora folha corrida) e que persegue assim como "delinquente" aquele que quitou sua punição como infrator? Não podemos ver aí mais que uma contradição, uma consequência? Deveríamos então supor que a prisão e de uma maneira geral, sem dúvida, os castigos, não se destinam a suprimir as infrações; mas antes a distingui-las, a distribuí-las, a utilizá-las; que visam, não tanto tornar dóceis os que estão prontos a transgredir as leis, mas que tendem a organizar a transgressão das leis numa tática geral das sujeições. A penalidade seria então uma maneira de gerir as ilegalidades, de riscar limites de tolerância, de dar terreno a alguns, de fazer pressão sobre outros, de excluir uma parte, de tornar útil outra, de neutralizar estes, de tirar proveito daqueles. Em resumo, a penalidade não "reprimiria" pura e simplesmente as ilegalidades; ela as "diferenciaria", faria sua "economia" geral. E se podemos falar de uma justiça não é só porque a própria lei ou a maneira de aplicá-la servem aos interesses de uma classe, é porque toda a gestão diferencial das ilegalidades por intermédio da penalidade faz parte desses mecanismos de dominação. Os castigos legais devem ser recolocados numa estratégia global das ilegalidades. O "fracasso" da prisão pode sem dúvida ser compreendido a partir daí.

O esquema geral da reforma penal foi aplicado no fim do século XVIII na luta contra as ilegalidades: rompeu-se o equilíbrio de tolerâncias, de apoios e de interesses recíprocos, que sob o Antigo Regime mantivera umas ao lado das outras as ilegalidades de diversas camadas sociais. Formara-se então a utopia de uma sociedade universal e publicamente punitiva onde mecanismos penais sempre em atividade funcionariam sem atraso nem mediação nem incerteza; uma lei, duplamente ideal, pois perfeita em seus cálculos e presente na representação de cada cidadão, bloquearia, desde a origem, quaisquer práticas de ilegalidade. Ora, na passagem do século XVIII ao XIX, e contra os novos códigos, surge o perigo de um novo ilegalismo popular. Ou mais exatamente, talvez, as ilegalidades populares se desenvolvam então segundo dimensões novas: as que trazem consigo todos os movimentos que, desde os anos 1780 até às revoluções de 1848, entrecruzam os conflitos sociais, as lutas contra os regimes políticos, a resistência ao movimento de industrialização, os efeitos das crises econômicas. Esquematicamente, podemos definir três processos característicos. Em primeiro lugar, o desenvolvimento da dimensão política das ilegalidades populares; e isso de duas maneiras: práticas até então localizadas e de certo modo limitadas a elas mesmas (como a recusa do imposto, do recrutamento, das cobranças, das taxações; a confiscação violenta de mercadorias desapropriadas; a pilhagem de lojas e a venda autoritária dos produtos pelo "justo preço"; as defrontações com os representantes do poder) resultaram durante a Revolução em lutas diretamente políticas, que tinham por finalidade, não simplesmente fazer ceder o poder ou transferir uma medida intolerável, mas mudar o governo e a própria estrutura do poder. Em contraposição, certos movimentos políticos se apoiaram de maneira explícita nas formas existentes de ilegalidade (como a agitação realista do oeste ou do sul da França utilizou a recusa dos camponeses das novas leis sobre a propriedade, a religião, o recrutamento); essa dimensão política da ilegalidade se tornará ao mesmo tempo mais complexa e mais marcada nas relações entre o movimento operário e os partidos republicanos no século XIX, na passagem das lutas operárias (greves, conluios proibidos, associações ilícitas) à revolução política. Em todo caso, no horizonte dessas práticas ilegais – e que se multiplicam com legislações cada vez mais restritivas – entreveem-se as lutas propriamente políticas; nem todas têm em mira a eventual derrubada do poder, longe disso; mas boa parte delas pode se capitalizar para combates políticos de conjunto e às vezes até conduzir diretamente a isso.

Por outro lado, através da recusa da lei ou dos regulamentos, reconhecem-se facilmente as lutas contra aqueles que os estabelecem em conformidade com seus interesses: não se luta mais contra os arrendatários de impostos, o pessoal das finanças, os agentes do rei, os oficiais prevaricadores ou os maus ministros, contra todos os agentes da injustiça; mas contra a própria lei e a justiça que é encarregada de aplicá-la, contra os proprietários próximos e que impõem os novos direitos; contra os empregadores que se entendem entre si, mas mandam proibir os conluios; contra os chefes de empresa que multiplicam as máquinas, baixam os salários, prolongam as horas de trabalho, tornam cada vez mais rigorosos os regulamentos de fábricas. Foi sem dúvida contra o novo regime de propriedade da terra – instaurado pela burguesia, que aproveitou a Revolução – que se desenvolveu a ilegalidade camponesa que sem dúvida conheceu suas formas mais violentas do Termidor ao Consulado, mas não desapareceu então; foi contra o novo regime de exploração legal do trabalho que se desenvolveram as ilegalidades operárias no começo do século XIX: desde os mais violentos, como as quebras de máquinas, ou os mais duráveis como a constituição de associações, até os mais cotidianos como o absenteísmo, o abandono do serviço, a vadiagem, as fraudes nas matérias-primas, na quantidade e qualidade do trabalho terminado. Uma série de ilegalidades surge em lutas onde sabemos que se defrontam ao mesmo tempo a lei e a classe que a impôs.

Enfim, se é verdade que no decorrer do século XVIII vimos[35] a criminalidade tender para formas especializadas, inclinar-se cada vez mais para o roubo fácil e se tornar em parte coisa de marginais, isolados no meio de uma população que lhes era hostil – pudemos assistir, nos últimos anos do século XVIII, à reconstituição de certos laços ou ao estabelecimento de novas relações; não, como diziam os contemporâneos, que os líderes da agitação popular tivessem sido criminosos, mas porque as novas formas do direito, os rigores da regulamentação, as exigências ou do Estado, ou dos proprietários, ou dos empregadores, e as técnicas mais cerradas de vigilância, multiplicavam as ocasiões de delito, e faziam se bandear para o outro lado da lei muitos indivíduos que, em outras condições, não teriam passado para a criminalidade especializada; foi tendo por fundo as novas leis sobre a propriedade, tendo também por fundo o recrutamento recusado, que uma ilegalidade camponesa se desenvolveu nos últimos anos da Revolução, multiplicando as violências, as agressões, os roubos, as pilhagens, e até as grandes formas de "banditismo político"; foi também tendo por fundo uma legislação ou regulamento muito pesados (referentes ao certificado de reservista, aos aluguéis, aos horários, às ausências) que se desenvolveu uma vagabundagem operária que muitas vezes ia de par com a estrita delinquência. Toda uma série de práticas ilegais que du-

---

35. Cf. supra, p. 79s.

rante o século anterior tinham tido tendência a se decantar e se isolar parecem agora reatar relações para formar uma nova ameaça.

Tríplice generalização das ilegalidades populares na passagem dos dois séculos (e fora mesmo de uma extensão quantitativa que é problemática e ainda fica por medir): trata-se de sua inserção num horizonte político geral; de sua articulação explícita sobre lutas sociais; da comunicação entre diferentes formas e níveis de infração. Esses processos não seguiram sem dúvida um desenvolvimento pleno; certamente não se formou no começo do século XIX uma ilegalidade maciça, ao mesmo tempo política e social. Mas em sua forma esboçada e apesar de sua dispersão foram suficientemente marcados para servir de suporte ao grande medo de uma plebe que se acredita toda em conjunto criminosa e sediciosa, ao mito da classe bárbara, imoral e fora da lei que, do império à monarquia de julho, está continuamente no discurso dos legisladores, dos filantropos, ou dos pesquisadores da vida operária. São processos que encontramos atrás de toda uma série de afirmações bem estranhas à teoria penal do século XVIII: que o crime não é uma virtualidade que o interesse ou as paixões introduziram no coração de todos os homens, mas que é coisa quase exclusiva de uma certa classe social; que os criminosos, que antigamente eram encontrados em todas as classes sociais, saem agora "quase todos da última fileira da ordem social"[36]; "que nove décimos de matadores, de assassinos, de ladrões e de covardes procedem do que chamamos a base social"[37]; que não é o crime que torna estranho à sociedade, mas antes que ele mesmo se deve ao fato de que se está na sociedade como um estranho, que se pertence àquela "raça abastarda" de que falava Target, àquela "classe degradada pela miséria cujos vícios se opõem como um obstáculo invencível às generosas intenções que querem combatê-la"[38]; que nessas condições seria hipocrisia ou ingenuidade acreditar que a lei é feita para todo mundo em nome de todo mundo; que é mais prudente reconhecer que ela é feita para alguns e se aplica a outros; que em princípio ela obriga a todos os cidadãos, mas se dirige principalmente às classes mais numerosas e menos esclarecidas; que, ao contrário do que acontece com as leis políticas ou civis, sua aplicação não se refere a todos da mesma forma[39]; que nos tribunais não é a sociedade inteira que julga um de seus membros, mas uma categoria social encarregada da ordem sanciona outra fadada à desordem:

---

36. COMTE, Ch. *Traité de législation*. 1843, p. 49.
37. LAUVERGNE, H. *Les Forçats*. 1841, p. 337.
38. BURÉ, E. *De la misère des classes laborieuses en Angleterre et en France*. Vol. II, 1840, p. 391.
39. ROSSI, P. *Traité de droit pénal*. Vol. I, 1829, p. 32.

Percorrei os locais onde se julga, se prende, se mata [...]. Um fato nos chama a atenção sempre; em toda parte vedes duas classes bem distintas de homens, dos quais uns se encontram sempre nos assentos dos acusadores e dos juízes, e os outros nos bancos dos réus e dos acusados.

O que é explicado pelo fato de que os últimos, por falta de recursos e de educação, não sabem permanecer nos limites da probidade legal[40], tanto que a linguagem da lei que se pretende universal é, por isso mesmo, inadequada; ela deve ser, se é para ser eficaz, o discurso de uma classe a outra, que não tem nem as mesmas ideias que ela, nem as mesmas palavras:

> Ora, com nossas línguas pudicas, desdenhosas, e embaraçadas com a etiqueta, será fácil fazer-se compreender por aqueles que nunca ouviram senão o dialeto rude, pobre, irregular, mas vivo, franco, pitoresco do mercado, dos cabarés e da feira [...]. Que língua, que método seria preciso usar na redação das leis para agir de maneira eficaz sobre o espírito inculto dos que podem menos resistir às tentações do crime?[41]

A lei e a justiça não hesitam em proclamar sua necessária dissimetria de classe.

Se tal é a situação, a prisão, ao aparentemente "fracassar", não erra seu objetivo; ao contrário, ela o atinge na medida em que suscita no meio das outras uma forma particular de ilegalidade, que ela permite separar, pôr em plena luz e organizar como um meio relativamente fechado, mas penetrável. Ela contribui para estabelecer uma ilegalidade, visível, marcada, irredutível a um certo nível e secretamente útil – rebelde e dócil ao mesmo tempo; ela desenha, isola e sublinha uma forma de ilegalidade que parece resumir simbolicamente todas as outras, mas que permite deixar na sombra as que se quer ou se deve tolerar. Essa forma é a delinquência propriamente dita. Não devemos ver nesta a forma mais intensa e mais nociva da ilegalidade, aquela que o aparelho penal deve mesmo tentar reduzir pela prisão por causa do perigo que representa; ela é antes um efeito da penalidade (e da penalidade de detenção) que permite diferenciar, arrumar e controlar as ilegalidades. Sem dúvida a delinquência é uma das formas da ilegalidade; em todo caso, tem suas raízes nela; mas é uma ilegalidade que o "sistema carcerário", com todas as suas ramificações, investiu, recortou, penetrou, organizou, fechou num meio definido e ao qual

---

40. LUCAS, Ch. *De la réforme des prisons*. Vol. II, 1838, p. 82.
41. ROSSI, P. Loc. cit., p. 33.

deu um papel instrumental, em relação às outras ilegalidades. Em resumo, se a oposição jurídica ocorre entre a legalidade e a prática ilegal, a oposição estratégica ocorre entre as ilegalidades e a delinquência.

O atestado de que a prisão fracassa em reduzir os crimes deve talvez ser substituído pela hipótese de que a prisão conseguiu muito bem produzir a delinquência, tipo especificado, forma política ou economicamente menos perigosa – talvez até utilizável – de ilegalidade; produzir os delinquentes, meio aparentemente marginalizado, mas centralmente controlado; produzir o delinquente como sujeito patologizado. O sucesso da prisão: nas lutas em torno da lei e das ilegalidades, especificar uma "delinquência". Vimos como o sistema carcerário substituiu o infrator pelo "delinquente". E afixou também sobre a prática jurídica todo um horizonte de conhecimento possível. Ora, esse processo de constituição da delinquência-objeto se une à operação política que dissocia as ilegalidades e delas isola a delinquência. A prisão é o elo desses dois mecanismos; permite-lhes se reforçarem perpetuamente um ao outro, objetivar a delinquência por trás da infração, consolidar a delinquência no movimento das ilegalidades. O sucesso é tal que, depois de um século e meio de "fracasso", a prisão continua a existir, produzindo os mesmos efeitos e que se têm os maiores escrúpulos em derrubá-la.

*

A penalidade de detenção fabricaria – daí sem dúvida sua longevidade – uma ilegalidade fechada, separada e útil. O circuito da delinquência não seria o subproduto de uma prisão que, ao punir, não conseguisse corrigir; seria o efeito direto de uma penalidade que, para gerir as práticas ilegais, investiria algumas delas num mecanismo de "punição-reprodução" de que o encarceramento seria uma das peças principais. Mas por que e como teria sido a prisão chamada a funcionar na fabricação de uma delinquência que seria de seu dever combater?

A instituição de uma delinquência que constitua como que uma ilegalidade fechada apresenta com efeito um certo número de vantagens. É possível, em primeiro lugar, controlá-la (localizando os indivíduos, infiltrando-se no grupo, organizando a delação mútua): a agitação imprecisa de uma população que pratica uma ilegalidade de ocasião que é sempre suscetível de se propagar, ou ainda aqueles bandos incertos de vagabundos que recrutam segundo o itinerário ou as circunstâncias, desempregados, mendigos, refratários e que crescem às vezes – isso fora visto no fim do século XVIII – até formar forças temíveis de pilhagem e de motim, são substituídos por um grupo relativamente restrito e fechado de indivíduos sobre os quais se pode efetuar vigilância constante. É possível além disso orientar essa delinquência fechada em si mesma para as formas de ilegalidade que são menos perigosas: mantidos pela pressão dos controles nos limites da sociedade, reduzidos a precárias condições de existência, sem ligação com uma população que poderia sustentá-los, como se fazia antigamente para os contrabandistas ou certas formas de banditismo[42], os delinquentes se atiram fatalmente a uma criminalidade localizada, sem poder de atração, politicamente sem perigo e economicamente sem consequência. Mas essa ilegalidade concentrada, controlada e desarmada é diretamente útil. Ela o pode ser em relação a outras ilegalidades: isolada e junto a elas, voltada para suas próprias organizações internas, fadada a uma criminalidade violenta cujas primeiras vítimas são muitas vezes as classes pobres, acoçada de todos os lados pela polícia, exposta a longas penas de prisão, depois a uma vida definitivamente "especializada". A delinquência, esse outro mundo, perigoso e muitas vezes hostil, bloqueia ou ao menos mantém a um nível bastante baixo as práticas ilegais correntes (pequenos roubos, pequenas violências, recusas ou desvios cotidianos da lei), impede que elas resultem em formas amplas e manifestas, um pouco como se o efeito de exemplo que antigamente se exigia da ostentação dos suplícios fosse procurado agora menos no rigor das punições que na existência visível, marcada, da própria delinquência: ao se diferenciar das outras ilegalidades populares, a delinquência pesa sobre elas.

Mas a delinquência é também capaz de utilização direta. Ocorre-nos o exemplo da colonização. Mas não é o que melhor comprova; com efeito, se a deportação dos criminosos foi várias vezes pedida sob a Restauração, tanto pela Câmara dos Deputados, quanto pelos Conselhos Gerais, foi essencialmente para aliviar os encargos financeiros exigidos por todo o aparelho da detenção; e apesar de todos os projetos que se pôde fazer sob a monarquia de julho para que os delinquentes, os soldados indisciplinados, as prostitutas e as crianças abandonadas pudessem participar da colonização da Argélia, esta foi formalmente excluída pela lei de 1854 que criava os campos de trabalhos forçados nas colônias; na realidade a deportação para a Guiana ou mais tarde para a Nova Caledônia não teve importância econômica real, apesar de serem os condenados obrigados a permanecer na colônia onde haviam cumprido pena um número de anos pelo menos igual a seu tempo de detenção (em certos casos, deviam mesmo permanecer toda a vida)[43]. Na realidade a utili-

---

42. Cf. HOBSBAWM, E.J. *Les Bandits*. 1972 [tradução francesa].

43. Sobre o problema da deportação, cf. BARBÉ-MARBOIS, F. de (*Observations sur les votes de 41 conseils généraux*) e a discussão entre Blosseville e La Pilorgerie (a respeito de Botany Bay). Buré, o coronel Marengo e L. de Carné, entre outros, fizeram projetos de colonização da Argélia com delinquentes.

zação da delinquência como meio ao mesmo tempo separado e manejável foi feita principalmente nas margens da legalidade. Ou seja, instalou-se também no século XIX uma espécie de ilegalidade subordinada, cuja docilidade é garantida por sua organização em delinquência, com todas as vigilâncias em que isto implica. A delinquência, ilegalidade dominada, é um agente para a ilegalidade dos grupos dominantes. A implantação das redes de prostituição no século XIX é característica a respeito[44]: os controles de polícia e de saúde sobre as prostitutas, sua passagem regular pela prisão, a organização em grande escala dos lupanares, a hierarquia cuidadosa que era mantida no meio da prostituição, seu enquadramento por delinquentes-indicadores, tudo isso permitia canalizar e recuperar, através de uma série de intermediários, os enormes lucros sobre um prazer sexual que uma moralização cotidiana cada vez mais insistente votava a uma semiclandestinidade e tornava naturalmente dispendioso; na computação do preço do prazer, na constituição de lucro da sexualidade reprimida e na recuperação desse lucro, o meio delinquente era cúmplice de um puritanismo interessado: um agente fiscal ilícito sobre práticas ilegais[45]. Os tráficos de armas, os de álcool nos países de lei seca, ou mais recentemente os de droga, mostrariam da mesma maneira esse funcionamento da "delinquência útil"; a existência de uma proibição legal cria em torno dela um campo de práticas ilegais, sobre o qual se chega a exercer controle e a tirar um lucro ilícito por meio de elementos ilegais, mas tornados manejáveis por sua organização em delinquência. Esta é um instrumento para gerir e explorar as ilegalidades.

É também um instrumento para a ilegalidade que o próprio exercício do poder atrai a si. A utilização política dos delinquentes – sob a forma de espias,

---

44. Um dos primeiros episódios foi a organização sob controle da polícia das casas de tolerância (1823), o que ultrapassava largamente as disposições da lei de 14 de julho de 1791 sobre a fiscalização nas casas de prostituição. Cf. sobre esse ponto os registros manuscritos da Delegacia de Polícia (20-26). Particularmente esta circular do delegado de polícia, de 14 de junho de 1823: "O estabelecimento das casas de prostituição deveria naturalmente desagradar a qualquer homem que se interesse pela moralidade pública; não me espanta absolutamente que os Srs. Comissários de Polícia se oponham com todas as suas forças ao estabelecimento dessas casas em seus diversos bairros [...]. A polícia acreditaria ter cuidado bastante bem da ordem pública, se conseguisse fechar a prostituição em casas toleradas sobre as quais sua ação pode ser constante e uniforme e não pudessem escapar à fiscalização".

45. O livro de Parent-Duchatelet sobre a prostituição em Paris (*Prostitution à Paris*, 1836) pode ser lido como testemunha dessa ramificação, patrocinada pela polícia e pelas instituições penais, do meio delinquente sobre a prostituição. O caso da máfia italiana transplantada para os Estados Unidos e utilizada em conjunto para a obtenção de lucros ilícitos e fins políticos é um belo exemplo da colonização de uma ilegalidade de origem popular.

denunciantes, provocadores – era fato sabido bem antes do século XIX[46]. Mas depois da Revolução essa prática tomou dimensões completamente diversas: a infiltração nos partidos políticos e associações operárias, o recrutamento de homens de ação contra os grevistas e amotinados, a organização de uma subpolítica – que trabalha em relação direta com a polícia legal e suscetível, em último caso, de se tornar uma espécie de exército paralelo –, todo um funcionamento extralegal do poder foi em parte realizado pela massa de manobra constituída pelos delinquentes: polícia clandestina e exército de reserva do poder. Na França, parece que foi em torno da Revolução de 1848 e da tomada do poder de Luís Napoleão que essas práticas atingiram seu pleno florescimento[47]. Pode-se dizer que a delinquência, solidificada por um sistema penal centrado sobre a prisão, representa um desvio de ilegalidade para os circuitos de lucro e de poder ilícitos da classe dominante.

A organização de uma ilegalidade isolada e fechada na delinquência não teria sido possível sem o desenvolvimento dos controles policiais. Fiscalização geral da população, vigilância

> muda, misteriosa, desapercebida [...] é o olho do governo incessantemente aberto e velando indistintamente sobre todos os cidadãos, sem para isso submetê-los a qualquer medida coercitiva [...] ela não tem necessidade de estar escrita na lei[48].

Controle particular e previsto pelo código de 1810 dos criminosos libertados e de todos aqueles que, tendo já passado pela justiça por fatos graves, presume-se legalmente que devam atentar de novo contra o repouso da sociedade. Mas a vigilância também de meios e de grupos considerados como perigosos pelos espias ou indicadores, que são quase todos antigos delinquentes, controlados como tais pela polícia: a delinquência, objeto entre outros da vigilância policial, é um dos instrumentos privilegiados dessa mesma vigilância. Todas essas vigilâncias pressupõem a organização de uma hierarquia em parte oficial, em parte secreta (era essencialmente na polícia parisiense o "serviço de segurança" que compreendia, além dos "agentes ostensivos" – inspetores e cabos – os "agentes secretos" e indicadores movidos pelo receio do castigo

---

46. Sobre esse papel dos delinquentes na vigilância policial e principalmente política, cf. a memória redigida por Lemaire. Os "denunciantes" são gente que "espera indulgência"; são "geralmente maus elementos que servem para descobrir os que o são mais. Além disso, o simples fato de alguém ser incluído uma só vez no registro da polícia, desde esse momento não é mais perdido de vista".

47. MARX, K. *Le 18-Brumaire de Louis-Napoléon Bonaparte*. Ed. Sociales, 1969, p. 76-78.

48. BONNEVILLE, A. *Des institutions complémentaires du système pénitencier*. 1847, p. 397-399.

ou pela atração de uma recompensa)[49]. Pressupõem também a organização de um sistema de documentação cujo centro se constitui pela localização e identificação dos criminosos: descrição obrigatória juntada aos mandados de prisão e às decisões do tribunal do júri, descrição anotada nos registros de entrada das prisões, cópia de registros do tribunal do júri e de juízes de execução, dirigidas de três em três meses aos Ministérios da Justiça e da Polícia Geral, um pouco mais tarde, no Ministério do Interior, organização de um fichário com lista alfabética recapitulando esses registros, e por volta de 1833, segundo o método "dos naturalistas, dos bibliotecários, dos negociantes, dos comerciantes", utilização de um sistema de fichas ou boletins individuais, que permite facilmente integrar novos dados e ao mesmo tempo, com o nome do indivíduo procurado, todas as informações que poderiam ser utilizadas[50]. A delinquência, com os agentes ocultos que proporciona, mas também com a quadriculagem geral que autoriza, constitui em meio de vigilância perpétua da população: um aparelho que permite controlar, por meio dos próprios delinquentes, todo o campo social. A delinquência funciona como um observatório político. Os estatísticos e os sociólogos dela se utilizaram por sua vez, bem depois dos policiais.

Mas essa vigilância só pôde funcionar conjugada com a prisão. Porque esta facilita o controle dos indivíduos quando são libertados, porque permite o recrutamento dos indicadores e multiplica as denúncias mútuas, porque coloca os infratores em contato uns com os outros, ela precipita a organização de um meio delinquente fechado em si mesmo, mas que é fácil de controlar: e todos os efeitos de desinserção que acarreta (desemprego, proibição de permanência, residências forçadas, disponibilidades) abrem largamente a possibilidade de impor aos antigos detentos as tarefas que lhes são determinadas. Prisão e polícia formam um dispositivo geminado; sozinhas elas realizam em todo o campo das ilegalidades a diferenciação, o isolamento e a utilização de uma delinquência. Nas ilegalidades, o sistema polícia-prisão corresponde a uma delinquência manejável. Esta, com sua especificidade, é um efeito do sistema; mas se torna também uma engrenagem e um instrumento daquele. De maneira que se deveria falar de um conjunto cujos três termos (polícia-prisão-delinquência) se apoiam uns sobre os outros e formam um circuito que nunca é interrompido. A vigilância policial fornece à prisão os infratores que

---

49. Cf. FREGIER, H.A. *Les classes dangereuses*. Vol. I, 1840, p. 142-148.

50. BONNEVILLE, A. *De la récidive*. 1844, p. 92s. Aparecimento da ficha e constituição das ciências humanas: mais uma invenção pouco celebrada pelos historiadores.

esta transforma em delinquentes, alvo e auxiliares dos controles policiais que regularmente mandam alguns deles de volta à prisão.

Não há uma justiça penal destinada a punir todas as práticas ilegais e que, para isso, utilizasse a polícia como auxiliar, e a prisão como instrumento punitivo, podendo deixar no rastro de sua ação o resíduo inassimilável da "delinquência". Deve-se ver nessa justiça um instrumento para o controle diferencial das ilegalidades. Em relação a este, a justiça criminal desempenha o papel de caução legal e princípio de transmissão. Ela é um ponto de troca numa economia geral das ilegalidades, cujas outras peças são (não abaixo dela, mas a seu lado) a polícia, a prisão e a delinquência. A invasão da justiça pela polícia, a força de inércia que a instituição carcerária opõe à justiça, não é coisa nova, nem efeito de uma esclerose ou de um progressivo deslocamento do poder; é um traço de estrutura que marca os mecanismos punitivos nas sociedades modernas. Podem falar os magistrados; a justiça penal com todo o seu aparelho de espetáculo é feita para atender à demanda cotidiana de um aparelho de controle meio mergulhado na sombra que visa engrenar uma sobre a outra polícia e delinquência. Os juízes são os empregados, que quase não se rebelam, desse mecanismo[51]. Ajudam na medida de suas possibilidades a constituição da delinquência, ou seja, a diferenciação das ilegalidades, o controle, a colonização e a utilização de algumas delas pela ilegalidade da classe dominante.

Desse processo que se desenvolveu nos trinta ou quarenta primeiros anos do século XIX, duas figuras dão testemunho. Vidocq em primeiro lugar. Ele foi[52] o homem das velhas ilegalidades, um Gil Blas do outro extremo do século e que descamba rápido para o pior: turbulências, aventuras, vigarices, de que o mais das vezes foi ele a vítima, rixas e duelos; alistamentos e deserções em série, encontros com o meio da prostituição, do jogo, dos batedores de carteira, e logo do grande banditismo. Mas a importância quase mítica que ele teve aos próprios olhos de seus contemporâneos não se deve a esse passado, talvez enfeitado demais; não se deve sequer ao fato de que, pela primeira vez na

---

51. Da resistência dos magistrados a participarem desse funcionamento temos testemunhos muito precoces, desde a Restauração (o que prova bem que não é um fenômeno, nem uma reação tardia). Particularmente a liquidação ou antes a reutilização da polícia napoleônica trouxe problemas. Mas as dificuldades se prolongaram. Cf. o discurso com o qual Beleyme em 1825 inicia suas funções e procura se diferenciar de seus predecessores: "As vias legais estão abertas para nós [...]. Educado na escola das leis, instruído na escola de uma magistratura tão digna [...] somos os auxiliares da justiça" (cf. *Histoire de l'Administration* de M. de Belleyme); cf. tb. o panfleto muito interessante de Molène, *De la liberté*.

52. Cf. tanto suas *Mémoires*, publicadas em seu nome, quanto a *Histoire de Vidocq racontée par lui-même*.

história, um antigo forçado, alforriado ou comprado, tenha-se tornado chefe de polícia; mas antes ao fato de que nele a delinquência assumiu verdadeiramente seu estatuto ambíguo de objeto e instrumento para um aparelho de polícia que trabalha contra ela e com ela. Vidocq marca o momento em que a delinquência, destacada das outras ilegalidades, é investida pelo poder, e voltada para o outro lado. É então que se opera a acoplagem direta e institucional da polícia e da delinquência. Momento inquietante em que a criminalidade se torna uma das engrenagens do poder. Uma figura era constante nas épocas anteriores, a do rei monstruoso, fonte de toda justiça e entretanto maculado de crimes; aparece outro medo, o de um acordo escondido e torpe entre os que fazem valer a lei e os que a violam. Terminada a era shakespeariana em que a soberania se defrontava com a abominação num mesmo personagem; breve começará o melodrama cotidiano do poderio policial e das cumplicidades que o crime estabelece com o poder.

Em frente a Vidocq, seu contemporâneo Lacenaire. Sua presença marcada para sempre no paraíso dos estetas do crime tem razões para surpreender: apesar de toda a sua boa vontade, seu zelo de neófito, nunca conseguiu cometer, e com bastante inabilidade, senão alguns crimes sem grandeza; suspeitava-se tanto que ele fosse um delator, que a administração teve que protegê-lo contra os detentos da Força que procuravam matá-lo[53], e foi a alta roda da Paris de Luís Filipe que fez para ele, antes de sua execução, uma festa ao lado da qual muitas ressurreições literárias depois não passaram de homenagens acadêmicas. Sua glória não deve nada à vastidão de seus crimes nem à arte de sua concepção; o que espanta é seu balbucio. Mas deve muito ao jogo visível, em sua existência e seus discursos, entre a ilegalidade e a delinquência. Lacenaire é o tipo do "delinquente" por fraude, deserção, pequeno furto, prisão, reconstituição das amizades de cela, chantagem mútua, reincidências até à última tentativa falha de assassinato. Mas trazia consigo, pelo menos em estado virtual, um horizonte de ilegalidades que, ainda recentemente, haviam sido ameaçadoras: esse pequeno-burguês arruinado, que sabia falar e escrever, uma geração antes teria sido revolucionário, jacobino, regicida[54]; contemporâneo de Robespierre, sua recusa das leis poderia ter tido efeito num campo imediatamente histórico. Nascido em 1800, quase como Julien Sorel, seu personagem tem a marca dessas possibilidades; mas elas descambaram para o roubo, o assassinato e a denúncia. Todas aquelas virtualidades se tornaram

---

53. A acusação é formalmente retomada por Canler, *Mémoires* (reeditadas em 1968), p. 15.

54. Sobre o que Lacenaire poderia ter sido, segundo seus contemporâneos, cf. o dossiê feito por M. Lebaily em sua edição das *Mémoires de Lacenaire*, 1968, p. 297-304.

uma delinquência de bem pouca envergadura: nesse sentido, Lacenaire é um personagem tranquilizador. E se reaparecem, é no discurso que ele faz sobre a teoria do crime. No momento da morte, Lacenaire manifesta o triunfo da delinquência sobre a ilegalidade, ou antes a figura de uma ilegalidade confiscada por um lado na delinquência e deslocada por outro para uma estética do crime, ou seja, para uma arte das classes privilegiadas. Simetria de Lacenaire com Vidocq que na mesma época permitia fechar a delinquência em si mesma, constituindo-a como ambiente fechado e controlável, e deslocando para as técnicas policiais a prática delinquente que se torna ilegalidade lícita do poder. Há uma razão que explica por que a burguesia parisiense festejou Lacenaire, por que sua cela foi aberta para visitantes famosos, por que ele foi coberto de homenagens durante os últimos dias de sua vida, ele que a plebe da força, antes dos juízes, quisera levar à morte, ele que fizera tudo, no tribunal, para arrastar seu cúmplice François ao cadafalso. É que se celebrava a figura simbólica de uma ilegalidade submetida na delinquência e transformada em discurso – ou seja, tornada duas vezes inofensiva; a burguesia aí inventava um novo prazer, cujo exercício ela ainda está longe de esgotar. Não devemos esquecer que essa tão famosa morte de Lacenaire vinha bloquear a repercussão do atentado de Fieschi, o mais recente dos regicidas que representa a figura inversa de uma pequena criminalidade que resulta na violência política. Não devemos tampouco esquecer que ela aconteceu alguns meses antes da partida da última cadeia e das manifestações tão escandalosas que a haviam acompanhado. Essas duas festas se cruzaram na história; e aliás François, o cúmplice de Lacenaire, foi um dos personagens mais em evidência da cadeia de 19 de julho[55]. Uma prolongava os rituais antigos dos suplícios, com o risco de reativar em torno dos criminosos as ilegalidades populares. Seria proibida, pois o criminoso não devia mais ter lugar a não ser no espaço apropriado da delinquência. A outra iniciava o jogo teórico de uma ilegalidade de privilegiados; ou antes, ela marcava o momento em que as ilegalidades políticas e econômicas praticadas pela burguesia de fato iam ser acompanhadas pela representação teórica e estética: a "Metafísica do crime", como se diz a respeito de Lacenaire. *L'Assassinat considéré comme un des Beaux-Arts* foi publicado em 1849.

*

---

55. Foi a ronda dos anos 1835-1836: Fieschi, que se incluía na pena comum aos parricidas e regicidas, foi uma das razões por que Rivière, o parricida, fosse condenado à morte apesar de uma memória cujo caráter espantoso foi sem dúvida abafado pelo brilho de Lacenaire, de seu processo e de seus escritos publicados graças ao chefe da segurança (não sem certas censuras), no começo de 1836, alguns meses antes de seu cúmplice François ir dar, com a cadeia de Brest, um dos últimos grandes espetáculos ao ar livre do crime. Ronda das ilegalidades e das delinquências, ronda dos discursos do crime e sobre o crime.

Essa produção da delinquência e seu investimento pelo aparelho penal devem ser tomados pelo que são: não resultados definitivos, mas táticas que se deslocam na medida em que nunca atingem inteiramente seu objetivo. O corte entre sua delinquência e as outras ilegalidades, o fato de que ela se tenha voltado contra elas, sua colonização pelas ilegalidades dominantes – outros tantos efeitos que aparecem claramente na maneira como funciona o sistema polícia-prisão – não cessaram, entretanto, de encontrar resistências; suscitaram lutas e provocaram reações. Erguer a barreira que deveria separar os delinquentes de todas as camadas populares de que saíam e com as quais permaneciam ligados era uma tarefa difícil, principalmente sem dúvida nos meios urbanos[56]. Demorou muito tempo e exigiu obstinação. Foram usados os processos gerais daquela "moralização" das classes pobres que teve aliás importância capital tanto do ponto de vista econômico quanto político (aquisição do que se poderia chamar uma "legalidade de base", indispensável a partir do momento em que o sistema do código substituíra os costumes; aprendizado das regras elementares da propriedade e da poupança; treinamento para a docilidade no trabalho, para a estabilidade da habitação e da família etc.). Recorreu-se a processos mais particulares para alimentar a hostilidade dos menos populares contra os delinquentes (usando os antigos detentos como indicadores, espias, furadores de greve ou homens de ação). Foram sistematicamente confundidos os delitos de direito comum e aquelas infrações à pesada legislação sobre as carteiras de reservista, as greves, os conluios, as associações[57] para as quais os operários pediam o reconhecimento de um estatuto político. Com muita frequência as ações operárias eram acusadas de serem animadas, senão manipuladas, por simples criminosos[58]. Mostrou-se nos veredictos muitas vezes maior severidade contra os operários que contra os ladrões[59]. Misturaram-se nas prisões as duas categorias de condenados, e foi dado tratamento preferencial ao direito comum, enquanto que os jornalistas ou políticos detidos tinham direito, a maior parte do tempo, de serem postos separados. Em resumo, toda uma tática de confusão que tinha como finalidade um estado de conflito permanente.

---

56. No fim do século XVIII, Colquhoun dá ideia da dificuldade da tarefa para uma cidade como Londres. *Traité de la police de Londres*, 1807, Vol. I, p. 32-34; 299-300 [traduzido para o francês].

57. "Nenhuma outra classe está sujeita a uma vigilância deste gênero; é exercida quase da mesma maneira que a dos condenados libertados; parece colocar os operários na categoria que se chama agora a classe perigosa da sociedade" (*L'Atelier*, 5º ano, n. 6, mar. 1845, a respeito da caderneta).

58. Cf. por ex. MONFALCON, J.B. *Histoire des insurrections de Lyon*. 1834, p. 142.

59. Cf. *L'Atelier*, outubro de 1840, ou ainda *La Fraternité*, julho-agosto de 1847.

A isso se acrescentava um longo trabalho para impor à percepção que se tinha dos delinquentes contornos bem-determinados: apresentá-los como bem próximos, presentes em toda parte e em toda parte temíveis. É a função do noticiário policial que invade parte da imprensa e começa a ter seus próprios jornais[60]. A notícia policial, por sua redundância cotidiana, torna aceitável o conjunto dos controles judiciários e policiais que vigiam a sociedade; conta dia a dia uma espécie de batalha interna contra o inimigo sem rosto; nessa guerra, constitui o boletim cotidiano de alarme ou de vitória. O romance de crime, que começa a se desenvolver nos folhetins e na literatura barata, assume um papel aparentemente contrário. Tem por função principalmente mostrar que o delinquente pertence a um mundo inteiramente diverso, sem relação com a existência cotidiana e familiar. Essa excepcionalidade caracterizou primeiro o *bas-fond* (*Les Mystères de Paris*, *Rocambole*), depois a loucura (sobretudo na segunda metade do século), enfim o crime dourado, a delinquência de "grande envergadura" (Arsène Lupin). O noticiário policial, junto com a literatura de crimes, vem produzindo há mais de um século uma quantidade enorme de "histórias de crimes" nas quais principalmente a delinquência aparece como muito familiar e, ao mesmo tempo, totalmente estranha, uma perpétua ameaça para a vida cotidiana, mas extremamente longínqua por sua origem, pelo que a move, pelo meio onde se mostra, cotidiana e exótica. Pela importância que lhe é dada e o fausto discursivo de que se acompanha, traça-se em torno dela uma linha que, ao exaltá-la, põe-na à parte. Nessa delinquência tão temível, e vinda de um céu tão estranho, que ilegalidade poderia reconhecer?

Essa tática múltipla não ficou sem efeito: provam-no as campanhas dos jornais populares contra o trabalho penal[61], contra o "conforto das prisões", para que sejam reservados aos detentos os trabalhos mais duros e mais perigosos, contra o excesso de interesse que a filantropia dedica aos delinquentes, contra a literatura que exalta o crime[62]; prova-o também a desconfiança experimentada em geral em todo o movimento operário em relação aos antigos condenados de direito comum.

---

60. Fora a *Gazette des tribunaux* e o *Courrier des tribunaux*, o *Journal des concierges*.

61. Cf. *L'Atelier*, junho de 1844. Petição à Câmara de Paris para que os detentos sejam encarregados dos "trabalhos insalubres e perigosos"; em abril de 1845 o jornal cita a experiência da Bretanha onde um número bem grande de condenados militares morreu de febre ao fazer trabalhos de canalização. Em novembro de 1845 por que os prisioneiros não trabalham com mercúrio ou com alvaiade? Cf. igualmente a *Démocratie politique* dos anos 1844-1845.

62. Em *L'Atelier*, de novembro de 1843, um ataque contra os *Mystères de Paris* porque exaltam demais os delinquentes, seu pitoresco, seu vocabulário, e porque é sublinhado demais o caráter fatal da inclinação para o crime. Na *Ruche populaire* encontramos ataques do mesmo tipo a respeito do teatro.

Ao despertar do século XX [escreve Michèle Perrot], cercada de desprezo, a mais altaneira das muralhas, a prisão, acaba-se fechando a um povo impopular[63].

Entretanto, essa tática está longe de ter triunfado, ou em todo caso de ter obtido uma ruptura total entre os delinquentes e as camadas populares. As relações das classes populares com a infração, a posição recíproca do proletariado e da plebe urbana deveriam ser estudadas. Mas uma coisa é certa: a delinquência e a repressão são consideradas, no movimento operário dos anos 1830-1850, como um trunfo importante. Hostilidade aos delinquentes sem dúvida; mas batalha em torno da penalidade. Os jornais populares propõem muitas vezes uma análise política da criminalidade que se opõe termo por termo à descrição familiar dos filantropos (probreza-dissipação-preguiça-bebedeira-vício-roubo-crime). O ponto de origem da delinquência é por eles determinado não no indivíduo criminoso (este é apenas a ocasião ou a primeira vítima), mas na sociedade:

> O homem que vos traz a morte não é livre de não trazê-la. A sociedade é a culpada, ou, para dizer melhor, a má organização social[64].

E isto, seja porque ela não está apta a prover a suas necessidades fundamentais, seja porque ela destrói ou apaga nele possibilidades, aspirações ou exigências que surgirão em seguida no crime:

> A falsa instrução, as aptidões e as forças não consultadas, a inteligência e o coração comprimidos por um trabalho forçado numa idade muito tenra[65].

Mas essa criminalidade de necessidade ou de repressão mascara, com o brilho que lhe é dado e a desconsideração de que é cercada, outra criminalidade que é às vezes causa dela, e sempre a amplificação. É a delinquência de cima, exemplo escandaloso, fonte de miséria e princípio de revolta para os pobres.

> Enquanto a miséria cobre de cadáveres vossas ruas, de ladrões e assassinos vossas prisões, que vemos da parte dos escroques da fina sociedade? [...] os exemplos mais corruptores, o mais revoltante cinismo, o banditismo mais desavergonhado [...] Não receais que o

---

63. *Délinquance et système pénitentiaire de France au XIXe siècle* (texto inédito).

64. *L'Humanitaire*, ago. 1841.

65. *La Fraternité*, nov. 1845.

pobre que é citado ao banco dos criminosos por ter arrancado um pedaço de pão pelas grades de uma padaria se indigne o bastante, algum dia, para demolir pedra por pedra a Bolsa, um antro selvagem onde se roubam impunemente os tesouros do Estado, a fortuna das famílias[66].

Ora, essa delinquência própria à riqueza é tolerada pelas leis, e, quando lhe acontece cair em seus domínios, ela está segura da indulgência dos tribunais e da discrição da imprensa[67]. Daí a ideia de que os processos criminais podem se tornar ocasião para um debate político, que é preciso aproveitar os processos de opinião ou ações intentadas contra os operários para denunciar o funcionamento geral da justiça penal:

> O recinto dos tribunais não é mais apenas, como antigamente, um local de exibição das misérias e pragas de nossa época, uma espécie de marca onde vêm se exibir lado a lado as tristes vítimas de nossa desordem social; é uma arena onde ressoa o grito dos combatentes[68].

Daí também a ideia de que os prisioneiros políticos, já que têm, como os delinquentes, experiência direta do sistema penal, mas que estão em condições de se fazer ouvir, têm o dever de ser porta-vozes de todos os detentos: a eles cabe esclarecer "o bom burguês da França que nunca conheceu as penas que se infligem senão por meio de pomposas frases de um procurador geral"[69].

Nesse questionamento da justiça penal e dos limites que ela estabelece cuidadosamente em torno da delinquência, é característica a tática do que poderíamos chamar o "contranoticiário policial". Para os jornais populares, o importante era transformar o uso que se dava aos crimes ou aos processos nos jornais que, à maneira da *Gazette des tribunaux*, "alimentam de sangue", se "alimentam de prisão" e fazem representar todo dia "um repertório de melodrama"[70]. O contranoticiário policial destaca sistematicamente os fatos de delinquência da burguesia, mostrando que ela é a classe submetida à "degene-

---

66. *La Ruche populaire*, nov. 1842.

67. Cf. em *La Ruche populaire* (dez. 1839) uma réplica de Vinçard a um artigo de Balzac no *Le Siècle*. Balzac dizia que uma acusação de roubo devia ser levada com prudência e discrição quando se tratasse de um rico, cuja menor desonestidade é imediatamente conhecida: "Diga, senhor, com a mão na consciência, se não acontece o contrário todos os dias, se, com uma grande fortuna e uma posição elevada no mundo, não se encontram mil soluções, mil maneiras de abafar um caso desagradável".

68. *La Fraternité*, nov. 1841.

69. *Almanach populaire de la France*, 1839, p. 50.

70. *Pauvre Jacques*, 1º ano, n. 3.

rescência física", à "podridão moral"; substitui os relatos de crimes cometidos por gente do povo pela descrição da miséria em que caem os que os exploram e que, no sentido estrito, os deixam com fome e os assassinam[71]; mostra nos processos criminais contra os operários a parte de responsabilidade que deve ser atribuída aos empregadores e à sociedade inteira. Enfim, empenha-se todo esforço para transformar esse discurso monótono sobre o crime, procurando ao mesmo tempo isolá-lo como uma monstruosidade e fazendo cair todo o seu escândalo sobre a classe mais pobre.

No curso dessa polêmica antipenal, os partidários de Fourier foram sem dúvida mais longe que os outros. Elaboraram, os primeiros talvez, uma teoria política que é ao mesmo tempo uma valorização positiva do crime. Se este é, segundo eles, um efeito da "civilização", é igualmente e pela mesma razão uma arma contra ela. Traz consigo um vigor e um futuro.

> A ordem social dominada pela fatalidade de seu princípio compressivo continua a matar pela mão do carrasco ou com as prisões aqueles cujo natural robusto rejeita ou desdenha suas prescrições, aqueles que por serem fortes demais para ficar presos nesses cueiros acanhados, os desfazem e rasgam, homens que não querem permanecer crianças[72].

Não há então natureza criminosa, mas jogos de força que, segundo a classe a que pertencem os indivíduos[73], os conduzirão ao poder ou à prisão: pobres, os magistrados de hoje sem dúvida povoariam os campos de trabalhos forçados; e os forçados, se fossem bem-nascidos, "tomariam assento nos tribunais e aí distribuiriam justiça"[74]. No fundo, a existência do crime manifesta felizmente uma "incompressibilidade da natureza humana; deve-se ver nele, mais que uma fraqueza ou uma doença, uma energia que se ergue, um "brilhante protesto da individualidade humana" que sem dúvida lhe dá aos olhos de todos seu estranho poder de fascínio.

---

71. Em *Fraternité*, mar. 1847, fala-se do caso Drouillard e alusivamente dos roubos na administração da marinha em Rochefort. Em junho de 1847, artigo sobre o processo Boulmy e sobre o caso Cubière-Pellaprat; em julho-agosto de 1847, sobre o caso de peculato Benier-Lagrange-Jussieu.

72. *La Phalange*, 10/01/1837.

73. "A prostituição patente, o furto material direto, o roubo, o assassinato, o banditismo para as classes inferiores; enquanto que os esbulhos hábeis, o roubo indireto e refinado, a exploração bem-feita do gado humano, as traições de alta tática, as espertezas transcendentes, enfim todos os vícios e crimes realmente lucrativos e elegantes, em que a lei está alta demais para atingi-los, mantêm-se monopólio das classes superiores" (01/12/1838).

74. *La Phalange*, 01/12/1838.

Sem o crime que desperta em nós uma grande quantidade de sentimentos adormecidos e de paixões meio apagadas, ficaríamos mais tempo na desordem, ou seja, na atonia[75].

Pode então acontecer que o crime constitua um instrumento político que seja tão importante para a libertação de nossa sociedade quanto foi para a emancipação dos negros; teria esta acontecido sem ele? "O veneno, o incêndio e às vezes até a revolta atestam as ardentes misérias da condição social"[76]. Os prisioneiros? A parte "mais infeliz e mais oprimida da humanidade". *La Phalange* se reunia às vezes à estética contemporânea do crime, mas para um combate bem diferente.

Daí uma utilização do noticiário policial que não tem simplesmente como objetivo fazer voltar contra o adversário a acusação de imoralidade, mas fazer aparecer o jogo das forças que se opõem reciprocamente. *La Phalange* analisa os casos penais como uma defrontação codificada pela "civilização", os grandes crimes não como monstruosidades, mas como a volta fatal e a revolta do que é reprimido[77], as pequenas ilegalidades não como as margens necessárias da sociedade, mas como o fulcro da batalha que aí se desenrola.

Coloquemos aí, depois de Vidocq e Lacenaire, um terceiro personagem. Esse fez só uma breve aparição; sua notoriedade não durou mais que um dia. Era apenas a figura passageira das ilegalidades menores: uma criança de treze anos, sem domicílio nem família, acusada de vadiagem e que uma condenação a dois anos de correção sem dúvida colocou por muito tempo nos circuitos da delinquência. Teria com toda certeza passado sem vestígios, se não tivesse oposto ao discurso da lei que a tornava delinquente (mais em nome das disciplinas que em termos do código) o discurso de uma ilegalidade que permanecia rebelde a essas coerções. E que valorizava a indisciplina de uma maneira sistematicamente ambígua como a ordem desordenada da sociedade e como afirmação de direitos irredutíveis. Todas as ilegalidades que o tribunal codifica como infrações, o acusado reformulou como afirmação de uma força viva: a ausência de habitat em vadiagem, a ausência de patrão em autonomia, a ausência de trabalho em liberdade, a ausência de horário em plenitude dos dias e das noites. Essa defrontação da ilegalidade com o sistema disciplina-penalidade-delinquência foi percebida pelos contemporâneos ou antes pelo jornalista que lá se encontrava como o efeito cômico da lei criminal às voltas com os

---

75. *La Phalange*, 10/01/1837.

76. Ibid.

77. Cf. por ex. o que diz *La Phalange* de Delacollonge, ou de Elirabide, 01/08/1836 e 02/10/1840.

fatos miúdos da indisciplina. E estava certo: o próprio caso, e o veredicto que se lhe seguiu estão bem no centro do problema dos castigos legais no século XIX. A ironia com que o juiz tenta envolver a indisciplina na majestade da lei e a insolência com que o acusado reinscreve a indisciplina nos direitos fundamentais constituem para a penalidade uma cena exemplar.

O que nos valeu sem dúvida a síntese da *Gazette des tribunaux*[78]:

> **O Presidente** – Deve-se dormir em casa.
>
> **Béasse** – Eu tenho um em casa? – O senhor vive em perpétua vagabundagem. – Eu trabalho para ganhar a vida. – Qual é a sua profissão? – Minha profissão? Em primeiro lugar, tenho trinta e seis; mas não trabalho para ninguém. Já faz algum tempo, estou por minha conta. Tenho minhas ocupações de dia e de noite. Assim, por exemplo, de dia distribuo impressos grátis a todos os passantes; corro atrás das diligências que chegam para carregar os pacotes: dou o meu *show* na avenida de Neuilly; de noite, são os espetáculos; vou abrir as portas, vendo senhas de saída; sou muito ocupado. – Seria melhor para o senhor estar colocado numa boa casa e lá fazer seu aprendizado. – Ah, é sim, uma boa casa, um aprendizado, é chato. Mas esses burgueses resmungam sempre e eu fico sem a minha liberdade. – Seu pai não o chama? – Não tenho mais pai. – E sua mãe? – Também não, nem parentes, nem amigos, livre e independente.
>
> Ouvindo sua condenação a dois anos de correção, Béasse faz uma careta feia, depois, recobrando o bom humor: "Dois anos nunca duram mais que vinte e quatro meses. Vamos embora, vamos indo".

Esta é a cena que *La Phalange* aproveitou. E a importância que lhe atribui, a análise muito lenta, muito cuidadosa que faz dela, mostra que os partidários de Fourier viam num caso tão cotidiano como esse um jogo de forças fundamentais. De um lado, a força da "civilização", representada pelo presidente, "legalidade viva, espírito e letra da lei". Ela tem seu sistema de coerção, que parece o código e na realidade é a disciplina. É preciso ter um local, uma localização, uma inserção obrigatória:

> Dorme-se em casa, diz o presidente, porque na verdade, para ele, tudo tem que ter um domicílio, uma moradia esplêndida ou mísera, pouco importa; não é a ele que cabe provê-la; ele é encarregado de forçar a isso todos os indivíduos.

---

78. *La Gazette des tribunaux*, ago. 1840.

Deve-se além disso ter uma profissão, uma identidade reconhecível, uma individualidade definitivamente fixada:

> Qual é sua profissão? Esta pergunta é a expressão mais simples da ordem que se estabelece na sociedade, à qual repugna e perturba a vagabundagem; é preciso ter uma profissão estável, contínua, de largo fôlego, ideias que vejam o futuro, ideias de construção do futuro, para premunir a sociedade de qualquer ataque.

Deve-se enfim ter um patrão, estar preso e situado dentro de uma hierarquia; o homem só existe fixado em relações definidas de dominação:

> Para quem o senhor trabalha? Quer dizer, já que o senhor não é patrão, tem que ser servidor, de alguma forma; o que importa não é a satisfação do indivíduo, mas a ordem a ser mantida.

Diante da disciplina com aspecto de lei, temos a ilegalidade que se impõe como um direito. A ruptura se dá mais pela indisciplina do que pela infração. Indisciplina da linguagem: a incorreção gramatical e o tom das respostas "indicam uma cisão violenta ente o acusado e a sociedade que por meio do presidente se dirige a ele em termos corretos". Indisciplina que é a da liberdade nata e imediata:

> Ele sente muito bem que o aprendiz, o operário, é escravo e que a escravidão é triste [...]. Ele sente que não gozaria mais na ordem comum essa liberdade de movimento de que é possuído [...] ele prefere a liberdade, mesmo sendo desordem, que importa? E a liberdade, ou seja, o desenvolvimento mais espontâneo de sua individualidade, desenvolvimento selvagem e consequentemente brutal e limitado, mas desenvolvimento natural e instintivo.

Indisciplina nas relações familiares: pouco importa que essa criança perdida tenha sido abandonada ou se tenha libertado voluntariamente, pois "não pôde também suportar a escravidão da educação em casa dos pais ou de estranhos". E através de todas essas pequenas indisciplinas no fundo se acusa a "civilização" inteira, enquanto desponta a "selvageria":

> É trabalho, preguiça, despreocupação, devassidão: é tudo, menos ordem; excetuando-se as ocupações e devassidões, é a vida do selvagem, no dia a dia e sem amanhã[79].

---

79. *La Phalange*, 15/08/1840.

Sem dúvida as análises de *La Phalange* não podem ser consideradas representativas das discussões que os jornais populares faziam na época sobre os crimes e a penalidade. Mas elas se situam no contexto dessa polêmica. As lições de *La Phalange* não se perderam totalmente. Elas é que foram despertadas pela reação tão ampla de resposta aos anarquistas, quando, na segunda metade do século XIX, eles, tomando como ponto de ataque o aparelho penal, colocaram o problema político da delinquência; quando pensaram reconhecer nela a forma mais combativa de recusa da lei; quando tentaram, não tanto heroicizar a revolta dos delinquentes quanto desligar a delinquência em relação à legalidade e à ilegalidade burguesa que a haviam colonizado; quando quiseram restabelecer ou constituir a unidade política das ilegalidades populares.

Capítulo III

O CARCERÁRIO

Tivesse eu que fixar a data em que se completa a formação do sistema carcerário, não escolheria 1810 e o Código Penal, nem mesmo 1844, com a lei que estabelecia o princípio do internamento celular; talvez não escolhesse 1838, quando foram publicados os livros de Charles Lucas, Moreau-Christophe e Faucher sobre a reforma das prisões. Mas 22 de janeiro de 1840, data da abertura oficial de Mettray. Ou melhor, talvez, aquele dia, de uma glória sem calendário, em que uma criança de Mettray agonizava dizendo: "Que pena ter que deixar tão cedo a colônia"[1]. Era a morte do primeiro santo penitenciário. Muitos bem-aventurados o seguiram, sem dúvida, se é verdade que os colonos costumavam dizer, para fazer o elogio da nova política punitiva do corpo: "Preferiríamos as pancadas, mas a cela é melhor para nós".

Por que Mettray? Porque é a forma disciplinar no estado mais intenso, o modelo em que concentram todas as tecnologias coercitivas do comportamento. Tem alguma coisa "do claustro, da prisão, do colégio, do regimento". Os pequenos grupos, fortemente hierarquizados, entre os quais os detentos se repartem, têm simultaneamente cinco modelos de referência: o modelo da família (cada grupo é uma "família" composta de "irmãos" e de dois "mais velhos"); o modelo do exército (cada família, comandada por um chefe, se divide em suas seções, cada qual com um subchefe; todo detento tem um número de matrícula e deve aprender os exercícios militares básicos; realiza-se todos os dias uma revista de limpeza, e uma vez por semana uma revista de roupas; a chamada é feita três vezes por dia); o modelo da oficina, com chefes e contramestres que asseguram o enquadramento do trabalho e o aprendizado dos mais jovens; o modelo da escola (uma hora ou hora e meia de aula por dia; o ensino é feito pelo professor e pelos subchefes); e por fim o modelo judiciário; todos os dias se faz uma "distribuição de justiça" no parlatório:

---

1. DUCPÉTIAUX, E. *De la condition physique et morale des jeunes ouvriers*. T. II, p. 383.

A mínima desobediência é castigada e o melhor meio de evitar delitos graves é punir muito severamente as mais leves faltas; em Mettray se reprime qualquer palavra inútil;

a principal das punições infligidas é o encarceramento em cela; pois

> o isolamento é o melhor meio de agir sobre o moral das crianças; é aí principalmente que a voz da religião, mesmo se nunca houvesse falado a seu coração, recebe toda a sua força e emoção[2];

toda a instituição parapenal, que é feita para não ser prisão, culmina na cela em cujos muros está escrito em letras negras: "Deus o vê".

Essa superposição de modelos diferentes permite determinar a função de "adestramento" no que ela tem de específico. Os chefes e subchefes em Mettray não devem ser exatamente nem juízes, nem professores, nem contramestres, nem suboficiais, nem "pais", mas um pouco de tudo isso e num modo de intervenção que é específico. São de certo modo técnicos do comportamento: engenheiros da conduta, ortopedistas da individualidade. Têm que fabricar corpos ao mesmo tempo dóceis e capazes: controlam as nove ou dez horas de trabalho cotidiano (artesanal ou agrícola); dirigem as paradas, os exercícios físicos, a escola de pelotão, as alvoradas, o recolher, as marchas com corneta e apito; mandam fazer ginástica;[3] verificam a limpeza, presidem aos banhos. Adestramento que é acompanhado por uma observação permanente; continuamente se avalia o comportamento cotidiano dos colonos; é um saber organizado como instrumento de apreciação perpétua:

> Ao entrar na colônia, a criança é submetida a uma espécie de interrogatório para se ter uma ideia de sua origem, posição de sua família, a falta que a levou diante dos tribunais e todos os delitos que compõem sua curta e muitas vezes bem triste existência. Essas informações são postas num quadro onde se anota sucessivamente tudo o que se refere a cada colono, sua estada na colônia e sua situação depois que sai[4].

A modelagem do corpo dá lugar a um conhecimento do indivíduo, o aprendizado das técnicas induz a modos de comportamento e a aquisição de

---

2. Ibid., p. 377.

3. "Tudo o que contribui para cansar contribui para afastar os maus pensamentos; assim cuidamos que os jogos se componham de exercícios violentos. À noite, eles adormecem no mesmo instante em que se deitam" (Ibid., p. 375s. Cf. ilustração n. 27).

4. DUCPÉTIAUX, E. *Des colonies agricoles*. 1851, p. 61.

aptidões se mistura com a fixação de relações de poder; formam-se bons agricultores vigorosos e hábeis; nesse mesmo trabalho, desde que tecnicamente controlado, fabricam-se indivíduos submissos, e se constitui sobre eles um saber em que se pode confiar. Duplo efeito dessa técnica disciplinar que é exercida sobre os corpos: uma "alma" a conhecer e uma sujeição a manter. Um resultado autentica esse trabalho de treinamento: em 1848, no momento em que

> a febre revolucionária apaixonava todas as imaginações, no momento em que as escolas de Angers, de La Fléche, de Alfort, e os próprios colégios se insurgiram, os colonos de Mettray redobraram sua calma[5].

Mettray é sobretudo um exemplo na especificidade que lhe é reconhecida nessa operação de adestramento. Ela se aproxima de outras formas de controle sobre as quais ela se apoia, isto é, na medicina, na educação geral, na direção religiosa. Mas não se confunde absolutamente com elas. Nem tampouco com a administração propriamente dita. Os homens da direção: chefes ou subchefes de família, monitores ou contramestres, tinham que viver bem próximos dos colonos; usavam uma roupa "quase tão humilde" quanto a deles; praticamente nunca os deixavam, vigiando-os dia e noite; constituíam no meio deles uma rede de observação permanente. E para a formação destes chefes fora organizada na colônia uma escola especializada. O elemento essencial de seu programa era submeter os futuros administradores aos mesmos aprendizados e às mesmas coerções que os próprios detentos: eram "submetidos como alunos à disciplina que deveriam como professores impor mais tarde". Era-lhes ensinada a arte das relações de poder. Primeira escola normal da disciplina pura: o "penitenciário" não é simplesmente um projeto que procura sua caução na "humanidade" ou seus fundamentos numa "ciência"; mas uma técnica que se aprende, se transmite, e que obedece a normas gerais. A prática que normaliza à força o comportamento dos indisciplinados ou dos perigosos pode ser por sua vez "normalizada" por uma elaboração técnica e uma reflexão racional. A técnica disciplinar se torna uma "disciplina" que, também, tem sua escola.

A certidão de nascimento da psicologia científica segundo os historiadores das ciências humanas é passada com data dessa época. Weber, para medir as sensações, teria começado a manipular seu pequeno compasso nesses mesmos anos. O que se passa em Mettray (e nos outros países da Europa um pouco mais cedo ou um pouco mais tarde) é evidentemente de outra ordem inteira-

---

5. FERRUS, G. *Des prisonniers*. 1850.

mente diversa. É a aparição ou antes a especificação institucional e como que o batismo de um novo tipo de controle – ao mesmo tempo conhecimento e poder – sobre os indivíduos que resistem à normalização disciplinar. E no entanto, na formação e no crescimento da psicologia, o aparecimento desses profissionais da disciplina, da normalidade e da sujeição, vale bem sem dúvida a medida de um limiar diferencial. Dir-se-á que a estimação quantitativa das respostas sensoriais podia pelo menos usar a autoridade dos prestígios da fisiologia nascente e que a esse título merece constar na história dos conhecimentos. Mas os controles de normalidade eram, por sua vez, fortemente enquadrados por uma medicina ou uma psiquiatria que lhes garantiam uma forma de "cientificidade"; estavam apoiados num aparelho judiciário que, de maneira direta ou indireta, trazia-lhes sua caução legal. Assim, ao abrigo dessas duas consideráveis tutelas e, aliás, servindo-lhes de vínculo, ou de lugar de troca, desenvolveu-se continuamente até hoje uma técnica refletida do controle das normas. Os suportes institucionais e específicos desses processos se multiplicaram desde a pequena escola de Mettray; seus aparelhos aumentaram em quantidade e em superfície; seus laços se multiplicaram, com os hospitais, as escolas, as repartições públicas e as empresas privadas; seus agentes proliferaram em número, em poder, em qualificação técnica; os técnicos da indisciplina fizeram escola. Na normalização do poder de normalização, na organização de um poder-saber sobre os indivíduos, Mettray e sua escola fazem época.

*

Mas por que ter escolhido este momento como ponto de chegada na formação de uma certa arte de punir, que é ainda mais ou menos a nossa? Precisamente porque essa escolha é um pouco "injusta". Porque situa o "fim" do processo na região menos nobre do direito criminal. Porque Mettray é uma prisão, embora falha: prisão, porque eram detidos aí os jovens delinquentes condenados pelos tribunais; e no entanto algo diferente, pois eram presos aí os menores que haviam sido citados, mas absolvidos em virtude do artigo 66 do Código, e alunos internos retidos, como no século XVIII, a título da correção paterna. Mettray, como modelo punitivo, está no limite da penalidade estrita. Foi a mais famosa de toda uma série de instituições que bem além das fronteiras do direito penal constituíram o que se poderia chamar o arquipélago carcerário.

No entanto, os princípios gerais, os grandes códigos e as legislações afirmaram: não há encarceramento "fora da lei", não há detenção que não seja decidida por uma instituição judiciária qualificada, não há mais esses enclausuramentos arbitrários e no entanto maciços. Ora, o próprio princípio do encarceramento extrapenal na realidade nunca foi abandonado[6]. E se o aparelho do grande enclausuramento clássico foi em parte desmantelado (e só em parte), foi muito cedo reativado, reorganizado, desenvolvido em certos pontos. Mas, o que é ainda mais importante, é que foi homogeneizado por intermédio da prisão por um lado com os castigos legais, e por outro lado com os mecanismos disciplinares. As fronteiras que já eram pouco claras na Era Clássica entre o encarceramento, os castigos judiciários e as instituições de disciplina, tendem a desaparecer para constituir um grande *continuum* carcerário que difunde as técnicas penitenciárias até as disciplinas mais inocentes, transmitem as normas disciplinares até a essência do sistema penal, e fazem pesar sobre a menor ilegalidade, sobre a mínima irregularidade, desvio ou anomalia, a ameaça da delinquência. Uma rede carcerária sutil, graduada, com instituições compactas, mas também com procedimentos parcelados e difusos, encarregou-se do que cabia ao encarceramento arbitrário, maciço, mal-integrado da Era Clássica.

Não se trata aqui de reconstituir todo esse tecido que forma a ambiência imediata, primeira, depois cada vez mais longínqua da prisão. Que seja suficiente dar algumas referências para avaliar a amplitude, e algumas datas para medir a precocidade.

Houve as seções agrícolas das casas centrais (cujo primeiro exemplo foi Gaillon em 1824, seguido mais tarde por Fontevrault, les Douaires, le Boulard); houve as colônias para crianças pobres, abandonadas e vadias (Petit-Bourg em 1840, Ostwald em 1842); houve os refúgios, as caridades, as misericórdias destinadas às moças culpadas que "recuam diante do pensamento de voltar a uma vida de desordem", para "as pobres inocentes expostas a uma perversidade precoce pela imoralidade materna", ou para as meninas pobres encontradas à porta dos hospitais e das pensões. Houve as colônias penitenciárias previstas pela lei de 1850: os menores, absolvidos, ou condenados, lá deviam ser "criados em comum sob uma severa disciplina, e aplicados em trabalhos de agricultura, assim como nas principais indústrias que a ela se ligam", e mais tarde virão reunir-se a eles os menores passíveis de internamento em colônias, "os pupilos viciosos e insubmissos da Assistência Pública"[7]. E, afastando-se sempre mais da penalidade propriamente dita, os círculos carcerários se alargam e a forma da prisão se dilui lentamente antes de desaparecer por completo:

---

6. Haveria todo um estudo a ser feito sobre os debates que houve sob a Revolução a respeito dos tribunais de família, da correção paterna e do direito dos pais de mandar prender os filhos.

7. Sobre todas estas instituições, cf. GAILLAC, H. *Les Maisons de correction*. 1971, p. 99-107.

as instituições para crianças abandonadas ou indigentes, os orfanatos (como Neuhof ou Le Mesnil-Firmin), os estabelecimentos para aprendizes (como o Bethléem de Reims ou a Maison de Nancy); distanciando-se ainda mais, as fábricas-conventos, como a de La Sauvagère depois de Tarare e de Jujurieu (onde as operárias entram pelos treze anos, vivem reclusas durante anos e só saem sob vigilância; não recebem salários, mas fianças em forma de prêmios de zelo e bom comportamento, que só lhes são entregues ao saírem). Indo mais além, houve ainda uma série de dispositivos que não retomam a prisão "compacta", mas utilizam alguns dos mecanismos carcerários: patronatos, obras de moralização, centrais de distribuição de auxílios e vigilância, cidades e alojamentos operários – cujas formas primitivas e mais grosseiras trazem ainda muito visíveis as marcas do sistema penitenciário[8]. E finalmente essa grande organização carcerária reúne todos os dispositivos disciplinares, que funcionam disseminados na sociedade.

Vimos que, na justiça penal, a prisão transformava o processo punitivo em técnica penitenciária; quanto ao arquipélago carcerário, ele transporta essa técnica da instituição penal para o corpo social inteiro. Com vários efeitos importantes.

1) Esse vasto dispositivo estabelece uma gradação lenta, contínua, imperceptível que permite passar como que naturalmente da desordem à infração e em sentido inverso da transgressão da lei ao desvio em relação a uma regra, a uma média, a uma exigência, a uma norma. Na época clássica, apesar de uma certa referência comum à falta em geral[9], a ordem da infração, a ordem do pecado e do mau comportamento ficavam separadas na medida em que dependiam de critérios e instâncias separadas (a penitência, o tribunal, o enclausuramento). O encarceramento com seus mecanismos de vigilância e punição funciona, ao contrário, segundo um princípio de relativa continuidade. Continuidade das próprias instituições que existem num relacionamento recíproco (dos órgãos de assistência para o orfanato, para a casa de correção,

---

8. Cf. por ex. a respeito das habitações operárias construídas em Lille, em meados do século XIX: "A limpeza está na ordem do dia. É a alma do regulamento. Algumas disposições severas contra os que fazem barulho, os bêbados, as desordens de qualquer natureza. Uma falta grave acarreta exclusão. Levados a hábitos regulares de ordem e de economia, os operários não desertam mais na segunda-feira [...] As crianças mais bem vigiadas não são mais razão de escândalo [...]. São distribuídos prêmios pelo cuidado da casa, por bom comportamento, pelos gestos de dedicação e cada ano concorrem em grande número a esses prêmios". L'AULNAY, Houzé de. *Des longements ouvriers à Lille*. 1863, p. 13-15.

9. Encontramo-la explicitamente formulada por certos juristas como VOUGLANS, Muyart de. *Réfutation des principes hasardés dans le traité des délits et des peines*. 1767, p. 108. • *Les lois criminelles de la France*. 1780, p. 3; tb. COMBE, Rousseaud de la. *Traité des matières criminelles*. 1741, p. 1-2.

para a penitenciária, para o batalhão disciplinar, para a prisão; da escola para o patronato, para a oficina, para o refúgio, para o convento penitenciário; da cidade operária para o hospital, a prisão). Continuidade dos critérios e mecanismos punitivos que a partir do simples desvio fazem pesar cada vez mais a regra e agravam a sanção. Gradação contínua das autoridades instituídas, especializadas e competentes (na ordem do saber e na ordem do poder) que, sem arbitrariedade, mas segundo regulamentos, por meio de verificação e medida, hierarquizam, diferenciam, sancionam, punem e vão pouco a pouco da sanção dos desvios ao castigo dos crimes. O "carcerário" com suas formas múltiplas, difusas ou compactas, suas instituições de controle ou de coação, de vigilância discreta e de coerção insistente, assegura a comunicação qualitativa e quantitativa dos castigos; coloca em série ou dispõe segundo ligações sutis as pequenas e as grandes penas, as atenuações e os rigores, as más notas e as menores condenações. "Você ainda vai acabar nos trabalhos forçados", pode dizer a menor das disciplinas; e a mais severa das prisões diz ao condenado à prisão perpétua: "Vou tomar nota do menor desvio de seu comportamento". A generalidade da função punitiva que o século XVIII procurava na técnica "ideológica" das representações e dos sinais tem agora por suporte a extensão, a armadura material, complexa, dispersa, mas coerente, dos diversos dispositivos carcerários. Por isso mesmo, um certo significado comum circula entre a primeira das irregularidades e o último dos crimes: não é mais a falta, não é mais tampouco o ataque ao interesse comum, é o desvio e a anomalia; é a sombra que povoa a escola, o tribunal, o asilo ou a prisão. Generaliza pelo lado do sentido a função que o carcerário generaliza pelo lado da tática. O adversário do soberano, depois inimigo social, transformou-se em desviador, que traz consigo o perigo múltiplo da desordem, do crime, da loucura. A rede carcerária acopla, segundo múltiplas relações, as duas séries, longas e múltiplas, do punitivo e do anormal.

2) O carcerário, com seus canais, permite o recrutamento dos grandes "delinquentes". Organiza o que se poderia chamar as "carcereiras disciplinares" onde, sob o aspecto das exclusões e das rejeições, todo um trabalho de elaboração se opera. Na Época Clássica, ficava aberto nos confins ou nos interstícios da sociedade o campo confuso, tolerante e perigoso do "fora da lei", ou pelo menos do que escapava ao domínio direto do poder: espaço incerto que era para a criminalidade um local de formação e região de refúgio; lá se encontravam, ao sabor do acaso, a pobreza, o desemprego, a inocência perseguida, a esperteza, a luta contra os poderosos, a recusa das obrigações e das leis, o crime organizado; era o espaço da aventura percorrido por Gil Blas, Sheppard ou Mandrin, cada um a seu modo. O século XIX, com o jogo das

diferenciações e das interligações disciplinares, construiu canais rigorosos que, na essência do sistema, adestram a docilidade e fabricam a delinquência com os mesmos mecanismos. Houve uma espécie de "formação" disciplinar, contínua e cerceadora, que tem um pouco de curso pedagógico, um pouco de canal profissional. Delineiam-se carreiras, tão certas, tão fatais quanto as de função pública: asilos e associações de ajuda, prisões domiciliares, colônias penitenciárias, batalhões de disciplina, cadeias, hospitais, asilos de velhos. Esses canais já eram bem conhecidos no século XIX:

> Nossos estabelecimentos de beneficência apresentam um conjunto admiravelmente coordenado por meio do qual o indigente não permanece um momento sem ajuda do nascimento até o túmulo. Segui o infeliz: vê-lo-eis nascer no meio das crianças enjeitadas; daí passa à creche, depois às salas de asilo; daí sai aos seis anos para entrar na escola primária e mais tarde nas escolas de adultos. Se não pode trabalhar, é inscrito nos centros de beneficência de seu bairro, e, se ficar doente, pode escolher entre 12 hospitais [...]. Enfim, quando o pobre de Paris chega ao fim de sua carreira, 7 asilos esperam sua velhice e muitas vezes seu regime saudável prolongou dias inúteis até bem mais longe que os dos ricos[10].

A rede carcerária não lança o elemento inassimilável num inferno confuso, ela não tem lado de fora. Toma por um lado o que parece excluir por outro. Economiza tudo, inclusive o que sanciona. Não consente em perder nem o que consentiu em desqualificar. Nesta sociedade panóptica, cuja defesa onipresente é o encarceramento, o delinquente não está fora da lei; mas, desde o início, dentro dela, na própria essência da lei ou pelo menos bem no meio desses mecanismos que fazem passar insensivelmente da disciplina à lei, do desvio à infração. Se é verdade que a prisão sanciona a delinquência, esta no essencial é fabricada num encarceramento e por um encarceramento que a prisão no fim de contas continua por sua vez. A prisão é apenas a continuação natural, nada mais que um grau superior dessa hierarquia percorrida passo a passo. O delinquente é um produto da instituição. Não admira, pois, que, numa proporção considerável, a biografia dos condenados passe por todos esses mecanismos e estabelecimentos dos quais fingimos crer que se destinavam a evitar a prisão. Que se encontre aí, se quisermos, o indício de um "temperamento" delinquente irredutível: o recluso de Mende foi cuidadosamente produzido a partir da criança de casa de correção, segundo as linhas de força do sistema carcerário generalizado. E inversamente o lirismo da marginalidade pode se

---

10. JONNÈS, Moreau de. In: TOUQUET, H. du. *De la condition des classes pauvres* (1846).

encantar o quanto quiser com a imagem do "fora da lei", grande nômade social que ronda nos confins da ordem, dócil e amedrontado. A criminalidade não nasce nas margens e por efeito de exílios sucessivos, mas graças a inserções cada vez mais rigorosas, debaixo de vigilâncias cada vez mais insistentes, por uma acumulação de coerções disciplinares. Em resumo, o arquipélago carcerário realiza, nas profundezas do corpo social, a formação da delinquência a partir das ilegalidades sutis, o ressarcimento destas por aquela e a implantação de uma criminalidade especificada.

3) Mas o efeito mais importante talvez do sistema carcerário e de sua extensão bem além da prisão legal é que ele consegue tornar natural e legítimo o poder de punir, baixar pelo menos o limite de tolerância à penalidade. Tende a apagar o que possa haver de exorbitante no exercício do castigo, fazendo funcionar um em relação ao outro os dois registros, em que se divide: um, legal, da justiça, outro extralegal, da disciplina. Com efeito, a grande continuidade do sistema carcerário por um lado e outro da lei e suas sentenças dá uma espécie de caução legal aos mecanismos disciplinares, às decisões e às sanções que estes utilizam. De um extremo a outro dessa rede, que compreende tantas instituições "regionais", relativamente autônomas e independentes, transmite-se, com a "forma-prisão", o modelo da grande justiça. Os regulamentos das casas de disciplina podem reproduzir a lei; as sanções, imitar os veredictos e as penas; a vigilância, imitar o modelo policial; e acima de todos esses múltiplos estabelecimentos, a prisão que é em relação a todos eles uma forma pura, sem mistura nem atenuação, lhes dá uma maneira de caução de Estado. O carcerário, com toda sua gama de punições que se estende dos trabalhos forçados ou da reclusão criminal até aos enquadramentos difusos e leves, comunica um tipo de poder que a lei valida e que a justiça usa como sua arma preferida. Como poderiam parecer arbitrários as disciplinas e o poder que nelas funciona, se o que fazem é apenas acionar os mecanismos da própria justiça, com o risco de diminuir-lhes a intensidade? Ou, se generalizam esses efeitos, se os transmitem até os últimos níveis, é para evitar seus rigores? A continuidade carcerária e a difusão da forma-prisão permitem legalizar, ou em todo caso legitimar, o poder disciplinar, que evita assim o que possa comportar de excesso ou de abuso.

Mas inversamente a pirâmide carcerária dá ao poder de infligir punições legais um contexto no qual este aparece livre de qualquer excesso e violência. Na gradação sabiamente progressiva dos aparelhos de disciplina e dos "ajustes" que eles supõem, a prisão não representa absolutamente o desencadear de um poder de outra natureza, mas apenas um grau suplementar na intensidade de um mecanismo que não parou de funcionar desde as primeiras sanções.

Entre a última das instituições de "adestramento" onde a pessoa é recolhida para evitar a prisão, e a prisão aonde ela é enviada depois de uma infração caracterizada, a diferença é mal e mal perceptível (e deve ser). Rigorosa economia que tem o efeito de tornar tão discreto quanto possível o singular poder de punir. Nele nada mais lembra agora o antigo excesso do poder soberano quando vingava sua autoridade sobre o corpo dos supliciados. A prisão continua, sobre aqueles que lhe são confiados, um trabalho começado fora dela e exercido pela sociedade sobre cada um por meio de inúmeros mecanismos de disciplina. Graças ao *continuum* carcerário, a instância que condena se introduz entre todas as que controlam, transformam, corrigem, melhoram. Na verdade, nada mais os distinguiria realmente, não fora o caráter singularmente "perigoso" dos delinquentes, a gravidade de seus desvios e a necessária solenidade do rito. Mas, em sua função, esse poder de punir não é essencialmente diferente do de curar ou educar. Recebe destes e de sua tarefa menor e inferior uma garantia que vem de baixo, mas nem por isso menos importante, pois é o socorro da técnica e da racionalidade. O carcerário "naturaliza" o poder legal de punir, como "legaliza" o poder técnico de disciplinar. Homogeneizando-os assim, apagando o que possa haver de violento em um e de arbitrário no outro, atenuando os efeitos de revolta que ambos possam suscitar, tornando consequentemente inúteis sua exasperação e excesso, fazendo circular de um para o outro os mesmos métodos calculados, mecânicos e discretos, o carcerário permite a realização daquela grande "economia" do poder, cuja fórmula o século XVIII procurou, quando veio à tona o problema da acumulação e da gestão útil dos homens.

A generalidade carcerária, funcionando em toda a amplitude do corpo social e misturando incessantemente a arte de retificar com o direito de punir, baixa o nível a partir do qual se torna natural e aceitável ser punido. Muitas vezes se pergunta como, antes e depois da Revolução, se deu um novo fundamento ao direito de punir. E sem dúvida é pelo lado da teoria do contrato que se deve procurar a resposta. Mas deve-se também e talvez sobretudo fazer a pergunta contrária: como se fez para que as pessoas aceitassem o poder de punir, ou simplesmente, sendo punidos, tolerassem sê-lo. A teoria do contrato só pode responder a isto pela ficção de um sujeito jurídico que dá aos outros o poder de exercer sobre ele o poder que ele próprio detém sobre eles. É bem provável que o grande *continuum* carcerário, que faz se relacionarem o poder da disciplina e o da lei, e se estende, sem ruptura das menores coerções, até a grande detenção penal, tenha constituído a dupla técnica real e imediatamente material daquela cessão quimérica do direito de punir.

4) Com essa nova economia do poder, o sistema carcerário, que é seu instrumento de base, encareceu uma nova forma de "lei": um misto de legalidade e natureza, de prescrição e constituição, a norma. Daí toda uma série de efeitos: o deslocamento interno do poder judiciário ou ao menos de seu funcionamento; cada vez mais dificuldade de julgar, e uma tal qual vergonha de condenar; um desejo furioso de parte dos juízes de medir, avaliar, diagnosticar, reconhecer o normal e o anormal; e a honra reivindicada de curar ou readaptar. Inútil creditar isso à consciência limpa ou pesada dos juízes, nem mesmo a seu inconsciente. Seu imenso "apetite de medicina" que se manifesta sem cessar – desde seu apelo aos peritos psiquiatras, até à atenção que dão ao falatório da criminologia – traduz o fato maior de que o poder que exercem foi "desnaturado"; que a um certo nível ele é realmente regido pelas leis, que a outro, e mais fundamental, funciona como poder normativo; é a economia do poder que exercem, e não a de seus escrúpulos ou humanismo, que os faz formular veredictos "terapêuticos" e decidir por encarceramentos "readaptativos". Mas inversamente, se os juízes aceitarem cada vez com mais dificuldade ter que condenar por condenar, a atividade de julgar se multiplicará na medida em que se difundir o poder normalizador. Levado pela onipresença dos dispositivos de disciplina, apoiando-se em todas as aparelhagens carcerárias, este poder se tornou uma das funções mais importantes de nossa sociedade. Nela há juízes da normalidade em toda parte. Estamos na sociedade do professor-juiz, do médico-juiz, do educador-juiz, do "assistente social"-juiz; todos fazem reinar a universalidade do normativo; e cada um no ponto em que se encontra, aí submete o corpo, os gestos, os comportamentos, as condutas, as aptidões, os desempenhos. A rede carcerária, em suas formas concentradas ou disseminadas, com seus sistemas de inserção, distribuição, vigilância, observação, foi o grande apoio, na sociedade moderna, do poder normalizador.

5) A tessitura carcerária da sociedade realiza ao mesmo tempo as captações reais do corpo e sua perpétua observação; é, por suas propriedades intrínsecas, o aparelho de punição mais de acordo com a nova economia do poder, e o instrumento para a formação do saber que essa mesma economia tem necessidade. Seu funcionamento panóptico lhe permite desempenhar esse duplo papel. Por meio de seus processos de fixação, repartição, registro, foi ele por muito tempo uma das condições, a mais simples, a mais primitiva, a mais material também, mas talvez a mais indispensável, para que se desenvolvesse essa imensa atividade de exame que objetivou o comportamento humano. Se entrarmos, depois da era da justiça "inquisitória", na da justiça "examinatória", se, de uma maneira ainda mais geral, o procedimento do exame pôde estender-se tão amplamente à sociedade toda, e dar lugar às ciências do homem, um dos grandes instrumentos disso foi a multiplicidade e o entrecruzamento

preciso dos diversos mecanismos de encarceramento. Não quer dizer que da prisão saíram as ciências humanas. Mas se elas puderam se formar e provocar no *êpistemê* todos os efeitos de profunda alteração que conhecemos, é porque foram levadas por uma modalidade específica e nova de poder: uma certa política do corpo, uma certa maneira de tornar dócil e útil a acumulação dos homens. Esta exigia a implicação de correlações definidas de saber nas relações de poder: reclamava uma técnica para entrecruzar a sujeição e a objetivação: incluía novos procedimentos de individualização. A rede carcerária constitui uma das armaduras desse poder-saber que tornou historicamente possíveis as ciências humanas. O homem conhecível (alma, individualidade, consciência, comportamento, aqui pouco importa) é o efeito-objeto desse investimento analítico, dessa dominação-observação.

6) Isto explica sem dúvida a extrema solidez da prisão, essa pequena invenção desacreditada desde o nascimento. Se ela tivesse sido apenas um instrumento para eliminar ou esmagar a serviço de um aparelho estatal, teria sido mais fácil modificar suas formas evidentes demais ou encontrar para ela um substituto mais aceitável. Mas enterrada como está no meio de dispositivos e de estratégias de poder, ela pode opor a quem quisesse transformá-la uma grande força de inércia. Um fato é característico: quando se pretende modificar o regime de encarceramento, as dificuldades não vêm só da instituição judiciária; o que resiste não é a prisão-sanção penal, mas a prisão com todas as suas determinações, ligações e efeitos extrajudiciários; é a prisão como recurso de recuperação na rede geral das disciplinas e das vigilâncias; a prisão, tal como funciona num regime panóptico. O que não quer dizer que não possa ser modificada ou dispensável definitivamente para um tipo de sociedade como a nossa. Podemos, ao contrário, situar os dois processos que na própria continuidade dos processos que a fizeram funcionar são capazes de restringir consideravelmente seu uso e transformar seu funcionamento interno. E eles já foram sem dúvida iniciados em grande escala. Um é o que diminui a utilidade (ou faz aumentar as desvantagens) de uma delinquência organizada como uma ilegalidade específica, fechada e controlada; assim, com a constituição em escala nacional ou internacional de grandes ilegalidades ligadas aos aparelhos políticos e econômicos (ilegalidades financeiras, serviços de informação, tráfico de armas e de droga, especulações imobiliária), é evidente que a mão de obra um pouco rústica e manifesta da delinquência se mostra ineficiente: ou ainda, em escala mais restrita, a hierarquia arcaica da prostituição perde grande parte de sua antiga utilidade, desde o momento em que previsões econômicas sobre o prazer sexual foram feitos de modo muito melhor pela venda de anticoncepcionais, ou através de publicações, filmes e espetáculos. O outro processo é o crescimento das redes disciplinares, a multiplicação de seus intercâmbios

com o aparelho penal, os poderes cada vez mais amplos que lhe são dados, a transferência para eles cada vez maior de funções judiciárias; ora, à medida que a medicina, a psicologia, a educação, a assistência, o "trabalho social" tomam uma parte maior nos poderes de controle e de sanção, em compensação o aparelho penal poderá se medicalizar, se psicologizar, se pedagogizar; e desse modo se tornar menos útil a ligação que a prisão constituía quando, pela defasagem entre seu discurso penitenciário e seu efeito de consolidação da delinquência, ela articulava o poder penal e o poder disciplinar. No meio de todos esses dispositivos de normalização que se densificam, a especificidade da prisão e seu papel de junção perdem parte de sua razão de ser.

Portanto, se há um desafio político global em torno da prisão, este não é saber se ela será não corretiva; se os juízes, os psiquiatras ou os sociólogos exercerão nela mais poder que os administradores e guardas; na verdade ele está na alternativa prisão ou algo diferente de prisão. O problema atualmente está mais no grande avanço desses dispositivos de normalização e em toda a extensão dos efeitos de poder que eles trazem, por meio da colocação de novas objetividades.

*

Em 1836, um correspondente escrevia à *La Phalange:*

> Moralistas, filósofos, legisladores, e todos os que gabais a civilização, aí tendes a planta de vossa cidade de Paris bem-ordenada: planta aperfeiçoada, onde todas as coisas semelhantes estão reunidas. No centro, e num primeiro círculo: hospitais para todas as doenças, asilos para todas as misérias, hospícios, prisões, locais de trabalhos forçados de homens, de mulheres e de crianças. Em torno do primeiro círculo, quartéis, tribunais, delegacias de polícia, moradia dos beleguins, local dos cadafalsos, habitação do carrasco e de seus ajudantes. Nos quatro cantos, câmara dos deputados, câmara dos pares, Instituto e Palácio do Rei. Fora, o que alimenta o círculo central, o comércio com suas fraudes e bancarrotas; a indústria e suas lutas furiosas; a imprensa e seus sofismas; as casas de jogo; a prostituição, o povo que morre de fome ou chafurda na orgia, sempre atento à voz do Gênio das Revoluções; os ricos sem coração [...] enfim, a guerra encarniçada de todos contra todos[11].

Termino aqui com este texto anônimo. Estamos agora muito longe do país dos suplícios, das rodas, dos patíbulos, das forcas, dos pelourinhos; estamos muito longe também daquele sonho que, cinquenta anos antes, alimentava

---

11. *La Phalange*, 10/08/1836.

os reformadores: a cidade das punições, onde mil pequenos teatros levariam à cena constantemente a representação multicor da justiça e onde os castigos cuidadosamente encenados sobre cadafalsos decorativos constituiriam a quermesse permanente do Código. A cidade carcerária, com sua "geopolítica" imaginária, obedece a princípios totalmente diferentes. O texto de *La Phalange* lembra alguns desses princípios mais importantes: que no coração da cidade e como que para mantê-la há, não o "centro do poder", não um núcleo de forças, mas uma rede múltipla de elementos diversos – muros, espaço, instituição, regras, discursos; que o modelo da cidade carcerária não é então o corpo do rei, com os poderes que dele emanam, nem tampouco a reunião contratual das vontades de onde nasceria um corpo ao mesmo tempo individual e coletivo, mas uma repartição estratégica de elementos de diferentes naturezas e níveis. Que a prisão não é filha das leis nem dos códigos, nem do aparelho judiciário; que não está subordinada ao tribunal como instrumento dócil e inadequado das sentenças que aquele exara e dos efeitos que queria obter; que é o tribunal que, em relação a ela, é externo e subordinado. Que, na posição central que ocupa, ela não está sozinha, mas ligada a toda uma série de outros dispositivos "carcerários", aparentemente bem diversos – pois se destinam a aliviar, a curar, a socorrer –, mas que tendem todos como ela a exercer um poder de normalização. Que aquilo sobre o qual se aplicam esses dispositivos não são as transgressões em relação a uma lei "central", mas em torno do aparelho de produção – o "comércio" e a "indústria" –, toda uma multiplicidade de ilegalidades, com sua diversidade de natureza e de origem, seu papel específico no lucro, e o destino diferente que lhes é dado pelos mecanismos punitivos. E que finalmente o que preside a todos esses mecanismos não é o funcionamento unitário de um aparelho ou de uma instituição, mas a necessidade de um combate e as regras de uma estratégia. Que, consequentemente, as noções de instituição de repressão, de eliminação, de exclusão, de marginalização, não são adequadas para descrever, no próprio centro da cidade carcerária, a formação das atenuações insidiosas, das maldades pouco confessáveis, das pequenas espertezas, dos procedimentos calculados, das técnicas, das "ciências", enfim, que permitem a fabricação do indivíduo disciplinar. Nessa humanidade central e centralizada, efeito e instrumento de complexas relações de poder, corpos e forças submetidos por múltiplos dispositivos de "encarceramento", objetos para discursos que são eles mesmos elementos dessa estratégia, temos que ouvir o ronco surdo da batalha[12].

---

12. Interrompo aqui este livro que deve servir como pano de fundo histórico para diversos estudos sobre o poder de normalização e sobre a formação do saber na sociedade moderna.

Conecte-se conosco:

f facebook.com/editoravozes

◉ @editoravozes

✕ @editora_vozes

▶ youtube.com/editoravozes

☏ +55 24 2233-9033

www.vozes.com.br

Conheça nossas lojas:
www.livrariavozes.com.br

Belo Horizonte – Brasília – Campinas – Cuiabá – Curitiba
Fortaleza – Juiz de Fora – Petrópolis – Recife – São Paulo

  Vozes de Bolso

EDITORA VOZES LTDA.
Rua Frei Luís, 100 – Centro – Cep 25689-900 – Petrópolis, RJ
Tel.: (24) 2233-9000 – E-mail: vendas@vozes.com.br